Best Time

白 马 时 光

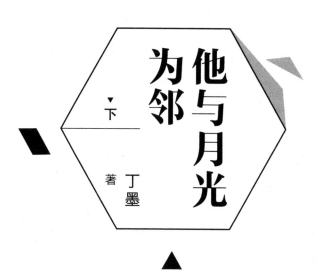

他与月光为邻

下

著 丁墨

百花洲文艺出版社
BAIHUAZHOU LITERATURE AND ART PRESS

目录
CONTENTS

MOON

目录
CONTENTS

MOON

第四十一章
当我离开

蒙眬的泪意里，谢槿知感觉到有人在亲吻自己的脸，轻轻地吻去她的泪水。

她睁开眼。室内只有昏红而浅淡的光，她看到他模糊的身形轮廓，跪在床边。

谢槿知有些呆呆地望着他。

"槿知。"他轻声地、缓缓地问，"你看到了什么？告诉我。"

谢槿知不说话。

"是否……我们身边，有人要遭遇不测？"他握住她的手，用尽量温柔的语气询问。

室内很静，没有半点声音。青年旅馆外也很静，落日昏红，整个城市在这一刻仿佛都在他们身后安静。

暗淡的光线里，谢槿知分辨出他的眼睛，如同两汪深潭般的眼睛。

她听到自己轻声答道："没有，我没有看到什么。"

他似乎有些怔忡，"那为什么哭了？"

谢槿知安静了几秒钟，低头避开他的视线，"我……梦见了母亲死去的那一天，所以非常难过。"

她对母亲的情感，应寒时是懂得的。他握着她的手，沉默了一会儿，起身坐在床边，伸手将她搂进怀里。

他的怀抱如此温热，有她熟悉的清淡气息，谢槿知慢慢把头靠在他胸口，闭上眼睛。

两个人这么静静地待了一会儿，他低下头，轻轻地亲她的脸。被他这么亲了一会儿，谢槿知忽然侧过头，避开了。

"寒时，我的头还有点晕。要不，你先回去。我想再睡会儿。"

这还是两人在一起后，她第一次避开他的吻。应寒时凝视着她，答道："好的。"他起身，又在昏暗的光线中弯下腰，替她将掉到地上的被角拢好，然后低头在她额上一吻，这才转身走向门口。

望着他的背影，谢槿知忽然悲从中来，跳下床，伸手又从背后抱住了他的腰。

他的身影顿住了，然后缓缓侧过头来，"槿知，你到底……怎么了？"

谢槿知慢慢吸了口气，说："没事，就是想起母亲，好难过。"顿了顿，像是有些恍惚地说，"想起她曾经那么爱一个人，却最终孤独终老。白头偕老，原本就是很难的事。"

应寒时转过身来，从她双手中挣脱，握住她的一只手，同时捧起她的脸，"别难过，槿知，我们跟她不同。过来之前，你想对我说什么话？我已经……等很久了。"

谢槿知抬眸看着他。

看着他清澈如同明月般的容颜。

她缓缓地、缓缓地答道："我今天真的很累，改天再说吧。"

两个人都沉默了一会儿。

"好。"他答。

谢槿知看着他转身走出房间，看着他干净的白衬衣，看着他安静的侧脸，看着他伸手关上了房门。

她走到桌旁，倒了一大杯凉水，灌了下去，然后有些盲目地走到窗前。

墨蓝色的天空中，星光点缀。却总有暗红色的光芒，如同黑色水面上生出的暗纹，隐隐蔓延。她就这么望着，安静地望着，矗立了很久很久。

庄冲哼着歌，走上楼梯，却瞥见旅馆二楼的露台上，坐着个人。

他眼神一凛，走过去，"在干什么？"

露台上放着几张桌子，屋檐上挂着一盏柔和的灯。谢槿知就坐在其中一张桌旁，抬起头，望着远方。

她看他一眼，"没干什么。"

庄冲拉了把椅子，在她身旁坐下，沉默了一会儿，问道："那为什么眼睛哭肿了？"

谢槿知没出声。

他想了想，忽然脸色变了，"他霸王硬上弓了？"

谢槿知无奈地回道："想到哪里去了？他敢吗？"

庄冲点头，"也是。"正要继续追问，却听到身后传来脚步声。

两人一起转头，看到林婕夹着根烟，从楼梯走下来，"苏把扫描结果传过来了，指挥官说都到他的房间去。"

庄冲立刻起身。

谢槿知慢慢站起来，跟在他俩身后。

应寒时的房门敞开着，越过庄冲和林婕，谢槿知轻易就看到他坐在桌前，手里拿着平板电脑，正在翻看。听到动静，他抬起头来，那双眼显得格外幽黑安静。

谢槿知转过头，避开他的视线。

"指挥官，可以说了。"林婕说道。

"嗯。"谢槿知听到他温软的嗓音响起，"都坐吧。苏传来的结果，有两个发现。"

谢槿知在庄冲身旁坐下，微微低下头，安静地听着。

"一，苏设置了能量辐射场，但是并没有发现外星人的踪迹；二，晶片的位置已经锁定，就在城市东郊某个坐标，周围五公里内。而那个位置，我刚才查过，是辉宇集团董事长沈远谦的私家豪宅所在地。"

大家都怔住了。

"没有发现那个人的踪迹？"林婕若有所思地说，"难道，是个厉害角色？"

应寒时双手搭在膝盖上，点头道："能量辐射场扫描不到他，有两个可能，一是他的确已经离开江城，但是晶片留下了；二是他的战斗力足够强，完全不会受能量辐射场的影响。"说到这里，他抬头看着谢槿知和庄冲，解释道，"顾霁生战斗力虽强，但是不会控制，所以他和他的纳米机器人，会被我们察觉。"

庄冲点头表示听懂。她却依然低着头，没有看他。

应寒时缓缓垂眸，手指轻轻叩在膝盖上。

庄冲问："难道沈远谦就是拥有晶片的强大外星人？"

"不排除这个可能。"应寒时答。

"牛。"

谢槿知心想，如果沈远谦就是，还成了这个星球的著名企业家，那真的是混得最好的外星人了。

这时林婕又问："这个人不太好接近，我们从哪儿查起？需不需要我潜进他家里，先探探？"

她和庄冲都望着应寒时，谢槿知也抬起头，望着他沉静的脸庞。他稍稍斟酌后，答道："不妥。我们并非为了掠夺而来，贸然闯入，会招致对方的敌意。"似乎察觉到她的视线，他立刻抬眸看过来。

两人目光在空中一触，她只觉得心乱如麻，又低头避开了。

"我有办法。"庄冲忽然说道。

大家都看向他，他淡淡一笑，"从他的儿子——沈嘉明下手。"

原来，刚才他在楼下烧烤摊吃夜宵，大概是沈家在江城太有影响力，一顿饭的工夫，他就听到了旁边食客们说的很多八卦。

沈远谦自不用说，年轻时白手起家，既有经济头脑，又重视诚信经营。这些年生意越做越大，涉足房地产、高新科技、农业多个领域，被人称为"儒商"。他也有商人的通病，很重视"风水"一说。正如白天图书馆的老人所说，他的这座占地极广的豪宅，专门请朱馆长去看过。据说还兴师动众，从郊外挖了很多石柱回来，装点在家里。

而儿子沈嘉明，则是典型的富二代纨绔子弟。没什么经营管理头脑，整天吃喝玩乐，流连于酒吧会所。不过，据说他为人十分豪爽，广交朋友仗义疏财，所以名声不错。

沈嘉明还有个让人啼笑皆非的爱好，那就是他热衷于超能力，经常搜罗一些奇人异事。但他搜罗到的，到底是真的超能力，还是江湖骗子，就不得而知了。

　　"超能力？"林婕挑了挑眉，看着应寒时，"这会不会是他们父子俩，寻找同类的借口？"

　　应寒时微微一笑，"有可能。"

　　谢槿知其实也想到了这一点，但是并未开口。

　　庄冲眼睛一亮，说："听说沈嘉明最常去一家叫'荷色'的酒吧。现在时间刚好，我们要不要去看看？"

　　"好。"应寒时答道。

　　庄冲起身，"那我去叫辆出租车。"

　　应寒时点头。

　　谢槿知起身也想走，却听到他的声音再次响起："林婕，你先下去。我和槿知有话要说。"

　　谢槿知脚步一顿。林婕已经站起来，从她身旁走过，出了房门。

　　房间里，只剩下他们两个。

　　谢槿知的呼吸忽然变得有些迟滞。她背对着他，听着他从椅子里起身，然后缓缓走到她身后。

　　"槿知，你到底……怎么了？"他轻声问。

　　谢槿知的心头，仿佛被刀无声割过。脑海里，却再次浮现梦中所见的那一幕。

　　她慢慢地说："寒时，我没什么。我只是……暂时，还不想对你许下承诺。"她转身，直视着他。只是漆黑的眼珠，却有些怅然神色。

　　"我想，我们发展得也许太快了。这段时间我也有点冲动，我想冷静一下再说。"

　　话一说完，就感觉到胸口仿佛压了一块大石。

　　然后，她就看到应寒时愣住了。

　　整个人都愣住了。

谢槿知只感觉到一阵剧烈的心疼，转身要走，手却一下子被他抓住了。

"槿知……你在说什么？"

此时已是深夜时分，谢槿知抬起头，便见天空中悬着几颗星，门外枝头如枯藤蜿蜒。清冷的风沿着门洞吹进来，吹得她的心也空落落的。明明应寒时还在她身后，她却恍恍惚惚，神游到不知何处。

她低下头。

"我说，我们俩先站在原地，谁都不要动。"

应寒时一怔，就感觉到她将手臂轻轻抽走，身影一闪，就出了房间。

谢槿知一路快跑，就像身后有人追着。很快就到了楼下，庄冲和林婕正在路边等着。看到她的模样，两人都有些惊讶。谢槿知也不出声，站在一侧，心不在焉地等着。

过了一会儿，就听到楼梯上响起脚步声。应寒时走了下来。

谢槿知不愿看他，却只看到一道长长的影子，映在地面上。也不知是否是她心绪使然，只觉得那影子格外寂静与沉默。

这时，一辆出租驶到他们面前。庄冲拉开门，谢槿知心里乱得很，头一个上车，并且坐进了副驾里，将后排座位留给他们三个。

路灯映在车窗上，她听到林婕说："指挥官，上车吧。"

他略显清淡的声音响起："你们坐车，我走过去。"

众人都是一怔，庄冲小声说："还挺远的……"他忽然停住。谢槿知若有所觉地转头，却只见那片地上空空如也，应寒时不知何时已走了。

车穿过大半个城市，五彩霓虹，如同破碎的水，映在川流不息的车辆上。谢槿知始终望着窗外，心想，原来这个城市，跟江城真的没有任何区别。那一晚，应寒时告白，她也是这样夺路而逃，将自己淹没在望不到尽头的车流中。

不知不觉，便已到了"荷色"门外。这酒吧果然华贵气派，门口大幕镶满水晶射灯，犹如将星河从夜色中偷出，放入这纸醉金迷里。四处停满了车，三三两两站着人。

三人下了车，走向门口，便见一个熟悉的身影已立在那里。他依旧是负手而立的姿态，身材清瘦，眉目分明，惹得门口迎宾小姐屡屡偷看。他却似乎恍然未觉，只是低着头，不知在想什么。

"寒时。"林婕最先走过去。在外面，她便不再叫他军职，而是以名字相称。

应寒时转过头来，目光首先便越过旁人，落在谢槿知身上。谢槿知此刻的目光已变得非常平静，就这样与他对视着。

"进去吧。"他说，却站在原地不动。林婕和庄冲自然而然地走在前头，让他和谢槿知一起走。

谢槿知缓缓走过去，眼睛看着前方，不再看他。余光却瞥见他十分安静地跟了上来，走在她的身侧。

就这样走吧。她想，她无法离他更近，却也不舍得离他太远。

酒吧中却是音乐摇滚，灯光闪烁，四处都是人。庄冲虽然从未到过酒吧，却将夜店小王子的架势学了个十足。不仅解开了衬衫的两颗纽扣，还打了个响指，招来服务生，"给我们找个安静的卡座。"塞了小费后，又问，"我是沈少的朋友，他来了没有？"

服务生忙不迭地答："来了来了，沈少就在10号卡座呢。"

庄冲心头一喜，面上却不露分毫，说："我给他个惊喜。你给我们安排离他近一点的卡座吧。"

他和服务员说着话，其他三人就站在原地。林婕点了根烟，眼神冷冽地四处打量着。谢槿知却是哪里也没看，杵在原地，犹如一根木头。站在她身旁不远处的应寒时，亦是一动不动，像是另一根寂静的木头。

服务员领着他们，绕过舞池，到了一个空的靠墙卡座前。四人坐了下来，应寒时依旧在她身旁。但是卡座很大，他们没有挨着坐，而是隔着两个人的距离。

林婕看一眼他俩，没说话。庄冲拿着酒水单，低头点了一堆，递给服务员。一抬头望见他们之间的距离，忽然一怔，"你们俩今天……"

谢槿知看了他一眼，他乖乖地闭嘴。

林婕抬手指了下不远处，"是那个吗？"

大家都抬头望去，只见相距大概四五个卡座，坐着一群人，男男女女都有，还隐隐听到有人喊"沈少""沈少"。被喊的男人穿一身休闲衬衣，二十七八岁的年纪，倒是生得十分英俊，正懒懒地勾着身旁女孩的肩，在跟人说话。

这时，服务生将庄冲点的酒，也送了上来，花花绿绿一大堆。庄冲开了瓶啤酒，仰头喝了一大口。林婕也拿了一瓶，慢慢喝着。唯独谢槿知和应寒时，坐着都没动。

庄冲忽然开口："林婕，我们俩靠近一点，听听他们在聊什么。"

林婕看着他，慢慢将手里的酒喝完，终究还是站起来，跟他走了出去，又回头看一眼应寒时，"有事吩咐我。"

应寒时答："好，去吧。"

谢槿知一抬头，就看到舞池地面上，映着凌乱跳跃的光，就像一段柔软的丝绸，被人扯得七零八碎，散落在地。她想，如果没有看到那一幕，她此刻是否会跟应寒时拥抱着，也在舞池里轻轻起舞，而他满脸通红。他们曾经度过的每一秒钟，都是快乐而自在的。

正想得入神，就感觉到他起身，坐了过来，就在她身边。

她抬头，看向了他。出乎她的意料，他竟然十分温和地望着她。他再度握起她的手，一字一字清晰地说："槿知，你……不愿意跟我在一起了，是不是因为，我哪里做得不够好？我们……可以慢慢来，只要……"他顿了顿，"只要你不改变心意。"

谢槿知呆呆地望着他。脑海中，却浮光掠影般闪现许多两人相处的情形：雨夜的高架桥下，他被她抱住，硬生生转过脸去，露出耳朵和尾巴；他忽然出现在山洞口，放下手机，望着她笑了；他牵着她的手，走过清凉的小溪；他将她扣在星夜下的石头上，放肆地吻她……

她想，她怎么会不愿意跟他在一起呢？

"槿知愿与寒时白头偕老"的誓言卡片，还躺在她的口袋里。

可若是，命运不可逆转呢？

还好他们都还陷得不深，对不对？

她低下头，终于还是避开了他的目光。她甚至看到他脸上一闪而过的难过。

她轻声说："寒时，我的心意已定。我们暂时回到朋友关系，我不想要再更进一步。等……我和你一起回到原来的空间，再告诉你，我的决定。"

说到最后两句，她差点掉下眼泪来，终是忍住了。而他安安静静，始终没有再说话。

谢槿知又说："没有人能预料，将来能发生什么。我们顺其自然，才能避免遭受更大的痛苦。"这几句话几乎剖白了她的心，说完她就站起来，走出了卡座。而他坐在原地，她知道他会这么静静地坐着，一动也不会动。

谢槿知三两步走出去，旁边就是一堵墙，隔住应寒时的视线。可她也不知道走到哪里去，只想大口大口地透气。哪知刚走两步，就撞上一个人。

庄冲的脸色有点沉，低头看着她，"我回来拿酒，听到了你们说话。"

谢槿知只说："让开。"

他却不让，眉头紧蹙，"谢槿知你干吗这样？"

谢槿知知道在这里说话，应寒时会听得一清二楚。她绕过他，快步往前走。庄冲不依不饶地跟了上来，两人一直走到酒吧外的空地上，她才停步，站在原地，抬头望着星空，不发一言。

庄冲静静地看了她一会儿，忽然说："你预见什么了？"

谢槿知不吭声，唯有眼眶微红。可庄冲在有些时候，当真是敏锐至极。他的脸色更加难看了，问："你看到谁死了？"

谢槿知不说话，垂在身侧的双手，却不自觉地握紧。

庄冲注意到了她的这个小动作，更加肯定自己的猜测。

"是我们当中的谁死了？"他的语气已经变得肯定，脸色却更糟糕，"是应寒时？所以你要跟他分手？"

谢槿知低着头，看着地上，朦胧而清亮的月光，它们像轻纱一样，覆盖在她的脚上。她轻声答："不，他不会死。"

庄冲眼神一凛，"是不是……林婕？而后应寒时发现她才是他的真爱，悲恸欲绝，所以你要跟他分手？"

谢槿知几乎立刻答道："不是！跟林婕没关系。"

庄冲整个人都愣住了。他的脑子里有片刻的空白，眼前的景物好像也变得离他很远很远。

"是我……对吗？"他僵僵地问，嗓音有点哑，"原来是我……那你，也不用跟应寒时说分手……"

"不是你。"谢槿知打断了他。

庄冲一呆，脸上露出喜悦和困惑交织的复杂神色，"不是我？可是我们就这几个人，死的人不是在我们中间吗？"

谢槿知抬头看着他，"我们……不是有四个人吗？"

庄冲心头猛地一震，就听到她涩涩的声音响起："庄冲，会死的那个人，是我。"

音乐声依旧从酒吧中传来，落在两人耳中，却像隔了千山万水那么远。有人从身旁走过，有车从马路上驶过。橘黄的路灯悬挂在他们头顶，犹如另一个温柔的月亮，安静照耀。庄冲已失去了声音，谢槿知也只是静如雕像般地矗立着。

她看到了那一幕。

看到某个混沌的、黑暗的地方，穿着白衬衫的清瘦男人，背对着她，跪在那里。他的头低垂着，浑身上下散发着无声的哀痛。

而他的怀中，是一个女人。

那个女人，是她。

就穿着跟现在一模一样的裙子，绑着一模一样的辫子，裙子上全都是血，手臂无力垂落。她的脸异常苍白，眼睛死死地睁着，眼球却像是已经爆裂了，全是血丝。她一动不动，没有半点生气，像是已经死了很长时间了。

然后，谢槿知看到一滴眼泪掉落，落在了女人的脸上。

他哭了。

若说看到自己死去，谢槿知的心情震惊而哀痛。可当她看到他的这滴眼泪，才觉得是真正的痛彻心扉。

幸好。她想，还没有对他许下一生一世的承诺。

因为星流必定会永远恪守承诺。

幸好，她还没有开口。

如果这一次未来依然不可逆转，我不可能陪你再走下去。我又怎么忍心让你掏出一颗真心，然后在这个寂寞无比的宇宙里，孤独终老？

第四十二章

我心皓月

子夜时分的酒吧门前，当真是车如流水马如龙。谢槿知望着那些闪烁的车灯，将手插进裙子口袋里，"我们进去吧。"

庄冲已经从震惊中恢复过来，劈头盖脸地问道："不对，你不是跟冉妤说过，看到今后跟应寒时同居吗？"

谢槿知低头答道："我也不知道，以前从没出现过矛盾的未来。我想，是否是因为我们到了另一个空间，未来改变了？"

庄冲也答不出来。

"那你现在有什么打算？"他问。

她沉默了一会儿说："我不会就这么认命，我不甘心。我会努力去查线索，改变命运。"

她嗓音平淡，但庄冲知道她一旦打定主意的事，那是极坚决的，牢不可摧。于是他也有些激动起来，说："好，我们一起改变你的命运！但是你为什么不告诉应寒时？"

过了好一阵子，她才答道："他原本要我许下一生一世的承诺，现在我怎么许？你知道他是什么样的人，他是多好的人。如果知道我会死，最后又救不了我，他会有多愧疚？我真怕他会就此孤独终老。没必要的，庄冲，我现在疏远他一点，如果真的有死的那一天，他痛则痛矣，但至少不会把自己也赔进去。"

庄冲半天说不出话来，最后郑重点头道："你说得对，这才是真正的爱情。我会帮你。"

偌大的卡座里，应寒时一直安静地坐着。他容貌清俊，气质不凡，引来许多人的目光。他却丝毫不觉，双手搭在膝盖上，脸微垂着，映着闪烁灯光，整个人显得清冷极了。

林婕走回卡座时，看到的就是这样一个他。她走到他身旁，但还是隔了个座位，坐下问："你怎么了？发生了什么事？"

应寒时慢慢地答："林婕，让我静一下。"

林婕就不出声了。可她的心里，也堵起来，抽出根烟，一下下地抽着，时不时看向他的脸。可她和萧穹衍都清楚，当他情绪低落时，从不会发火或者失态，只是会变得更加安静。

过了一会儿，就看到谢槿知和庄冲走了回来。谢槿知的脸色很平静，庄冲却在触及应寒时的目光时，立刻移开。

应寒时不发一言地注视着他们。

谢槿知在不远不近的位置坐了下来，庄冲马上坐在她身旁。四个人一时都沉默着。

周围的音乐声还在吵，庄冲心中突然涌起悲壮之情，伸手拖了瓶酒过来，问谢槿知："要不要喝酒？"

谢槿知心里也相当压抑烦闷，看着应寒时静坐不动的样子，更觉心疼。一股冲动涌上心头，可是她的手刚摸上酒瓶，就听到那温软低缓的嗓音响起："槿知，不要喝酒。"

谢槿知的手顿住，慢慢又放了下来。

庄冲兀自长长地呼了口气，他喝酒是没人管的，开了瓶威士忌，给自己倒了杯，一口灌下。

"沈嘉明那边，又来了个人，看起来跟他很熟。"林婕终于把话题岔开了。大家都抬头望去。只见那个卡座里，沈嘉明正站起来，笑着迎接一个年轻男人。那男人约莫三十岁，身材高瘦，穿件简单的白衬衫，戴副细框眼镜，斯斯文文的，挺有书卷气。沈嘉明拉着他，在向众人做介绍。

"傅琮思，他的好朋友，是一位科学家，天才，深受他父亲重用。"应寒时低声说道。于是大家明白，他是听到了沈嘉明说的话。

这时，沈嘉明没有拉那傅琼思入座，而是两人一起上了二楼，进了间包厢。应寒时抬头注视了片刻，站起来，"我去听一下。"

他走过谢槿知身旁时，她低着头，却在他走出几步后，抬头轻声说："你小心点。"

他脚步一顿，没回头，同样轻声回答："我知道。"

应寒时的身影很快消失在楼梯拐角，卡座里再次沉寂下来。

林婕也给自己倒了杯酒，忽然对谢槿知说："你何必折磨他？"

谢槿知还没说话，庄冲开口："林婕，你根本不懂。"林婕神色冷淡地抬头看向另一侧。

庄冲看向谢槿知，"真的不喝酒？一醉解千愁，我陪你。"

谢槿知盯着杯中金黄荡漾的酒液，想起之前应寒时问她："是不是我哪里做得不够好？我们可以慢慢来。"她又有些后悔自己把话说得太重，端起酒杯，喝了一大口。酒又辣又呛，一点也不好喝。可是她很快把一整杯都喝光了。庄冲又立刻给她倒满一杯。两人就这么你来我往地喝着，最后林婕居然也加入进来，拿起啤酒开始饮。

应寒时负手站在走廊一角，将一墙之隔的对话，听得清楚分明。

沈嘉明笑着说："傅哥，最近研究进展怎么样？老爷子可是对你赞不绝口。"

那傅琼思不卑不亢地答道："沈少，一切进展得都很顺利。沈董夸奖那是抬爱了，沈少就别打趣我了。"

沈嘉明发出爽朗的笑声，又说："我知道你单身一个在江城，父母都在老家。有什么需要，随时跟我说。需不需要派个人过去，照顾伯父伯母？我爸把你当亲儿子一样，我们就是一家人，千万别跟我客气。"

"沈少太费心了，不过我爸妈都是农村人，自由自在惯了，不需要派人过去。做好沈董交代的工作，是我的本分，沈少你别太过抬举我，我心中会不安的。"

沈嘉明哈哈大笑，"你这个人就是老实。上次跟你说的事，考虑得怎么样？"

傅琮思的语气这才变得有些迟疑："那件事，实在是难以……"

大概是见他要婉拒，沈嘉明立刻打断了他："琮思，你看，这件事其实很容易想清楚的。我爸年纪大了，他就我一个儿子，他的东西，将来总归是我的。那块晶片，他一直攥在手里，想让你研究发明能源装置，将晶片的能量利用起来。这是为了他的公司，为了经济利益。他想做成全国第一，甚至全球第一的企业。

"可是我不同。我觉得比经济利益更重要的，是人。这也是我在公司经营理念上，一直跟爸合不来的原因。你如果想办法帮我把晶片偷出来，再研究研究，让我可以自由使用晶片的能量。这样，我就可以去帮助更多的人。谁有困难，谁有不幸，我就帮助谁。这不是比搞经济开发更有意义吗？"

大概是见傅琮思始终不说话，他又劝道："琮思啊，以前我就听说，你在中科院时，就是首屈一指的天才、专家，而且人非常正直、有追求、有原则，从来不看重经济利益。现在怎么就着了我爸的道，一心一意帮他搞科研呢？"

那傅琮思立刻说道："沈少，你别这么说。我只是对晶片这个项目非常感兴趣，因为它闻所未闻，太罕见了。而沈董给了我这个机会……"

两人又说了一阵话，大抵就是沈嘉明软硬兼施，不停地劝。而傅琮思百般推托，听得出他夹在父子当中十分为难，但却也很坚定地不肯去偷晶片。

应寒时听得分明，心中大概也有了计较。抬起头，一眼却瞥见人群中的她。

他在楼上，她在楼下。隔着五光十色的舞池和纷乱的人群，他看到她独坐一隅，没有听他的话，手里捧着个酒杯，慢慢喝着。光线映在她的脸上，她的表情有些冷淡疏离。喝了两口，她抬起头，望向他的方向。

两人的目光在空中相遇，隔着嘈杂的人群，谁也没有移开。

许是因为喝了酒，她的脸颊有些红，眼睛却更清亮，像是映着盈盈的水波。然后应寒时就看着她，朝他笑了。很温暖也很平静的笑容，像是已下定了某种决心，所以她才能笑得这么从容。

应寒时双手握着栏杆，用同样温和的目光望着她。

两人就这么静静凝视了许久，直至沈嘉明和傅琮思从包厢走出来，下了楼。应寒时也转身走了下去。

他回到卡座里，这才发现他们三人的脸都喝红了。林婕酒量很好，依旧十分清醒地问："有发现吗？"

应寒时将刚才听到的，简单复述一遍。大家一听都笑了，谢槿知也微笑着。

"太好了！"庄冲打了个酒嗝说，"那我们什么时候动手？"

应寒时却缓缓摇头道："我说过，我们并非为了掠夺而来。今天先回去，明天再从长计议。我希望能与晶片拥有者，坦诚沟通。"

大家都点了点头。谢槿知望着杯中残余的酒液，心想，他就是这样，纯直良善，坚定不移。

庄冲和林婕都站了起来，谢槿知也起身，只是头昏沉沉的，脚下也有些不稳。庄冲低声说："我扶你。"他刚要伸手，应寒时的动作却比他更快，握住了谢槿知的手腕。

"我来。"他说。

谢槿知没吭声，庄冲也自觉闪到一边去。走了几步，他的手轻轻往下一滑，牵住了她的手。谢槿知的手指好像失去了力气，一动不动由他握着。一行人走出了酒吧，庄冲脚步踉跄地走到街边，打了辆车。谢槿知刚想把手抽出来，却听到他说："你们走吧，我带她回去。"

她的酒意已经有些上头，抬起沉重的眼皮，只见他站在面前，眼眸温和地望着她。而出租车嗖的一声就开走了。

"我头很晕。"她轻声说，"走不动了，你应该让我坐车的。"

"那我背你。"

谢槿知"嗯"了一声，迷迷糊糊间，就感觉人到了他背上。夜间清凉的风吹来，周围有灯光，还有车辆的声音。他的背其实并不让人觉得舒服，虽然宽大，但太瘦削，他的骨头总是硌着她。她便将头埋在他肩上，轻轻摸着他的肩胛骨，不知不觉就睡着了。

醒来时，只感觉耳边有呼呼的风，吹得人的脸微微发疼。她睁开眼，发现他正以极快的速度，穿梭在山林间。树木、杂草，一溜烟地从两人脚下掠过。

他要带她去哪里？

她不出声，呼吸平稳，继续装睡。

很快，他停步了。

谢槿知低头一瞥，就瞧见了金光闪闪的台阶，一级一级，延伸到山岭高处。

这个世界的……宝安禅寺？

他不再跑了，而是背着她，低着头，一步步往上走。谢槿知感觉到他背部微湿的汗意，还有沉稳有力的心跳声。她依旧屏气凝神，开始随着他的步子，数寺庙的台阶。

一、二、三、四、五……

周围暗黑得如同被纱帐笼罩，茫茫不见边际。阶梯旁的草丛里，有虫子鸣叫的声音。他走得很慢，也很安静。谢槿知一直数到1299，两人面前才出现了寺门。

深夜里，寺庙更显巍峨肃穆，仿佛正俯首望着他们。谢槿知不知道他带自己来这里干什么，但她清楚地知道，另一个世界的同一个地点，是他们初次相遇的地方。

他小心翼翼地将她放了下来，谢槿知闭上眼睛。

然后就感觉他抱着她，坐了下来。

他将她放在了大腿上，轻轻搂进怀里，让她的头靠在他的肩上。然后就这样坐在寺庙门口，不动了。

谢槿知的心头，忽然非常难过。过了一会儿，她在暗黑的夜色里睁开眼睛，看着他的下巴，静默良久。最后移开目光，悄无声息地陪着他，一起眺望璀璨星空。

后来，慢慢就在他怀里，彻底睡着了。

等她再次醒来，已是次日清晨。她一个人躺在青年旅馆的床上，鞋和外套都被人脱掉了。温暖的阳光，照在身畔洁白的床褥上。

第四十三章

埃土之光

青年旅馆的一楼，有个小餐厅。谢槿知走进去时，里面已经坐满了人。应寒时三人在最里面一桌，他身旁的座位空着。

谢槿知走过去，旁边却走来一个陌生女孩，T恤短裤，露着漂亮的长腿。女孩笑着问应寒时："这里有人吗？"

应寒时抬头对她说："对不起，我的女朋友还没到。"

女孩"哦"了一声，转身走了。

谢槿知走过去坐下。应寒时看了看她，然后转头继续吃东西。

桌上摆了一大堆吃的，庄冲舀了碗白粥给她，林婕埋头吃着，并没有搭理她。谢槿知刚喝了几口粥，就见应寒时放下筷子，伸手拿了个白煮蛋，开始剥壳。

谢槿知就一直盯着他的手指看。

他的手指向来灵巧，白皙干净，骨节均匀，很快就把鸡蛋剥好，轻轻放在她面前的空盘子里。

谢槿知小声说："谢谢。"

他的嗓音很柔和："不必。头疼不疼？"

"不疼。"

"昨天喝了酒，一会儿多喝点水。"

"好。"

两人便不再说话。过了一会儿，餐厅里人散了不少，他们也吃得差不多了。林婕低声说："今天继续跟着沈嘉明？"

应寒时点头。

庄冲说："那我去租个车。"

这时谢槿知开口："我今天不去了，应该没什么关系吧？"

庄冲和林婕都没说话，应寒时却答道："好。"

于是吃完早饭，谢槿知一个人上楼。谁知刚在房间里坐了一会儿，庄冲就来敲门。他一进门，就一脸警觉地冲进厕所，打开水龙头。在哗啦啦的水声中，才压低声音对她说："我和林婕马上走，来给你报个信。"

"什么信？"

"应寒时肯定猜到什么了。"他说，"刚才你一走，他就说让我和林婕去，他要留在旅馆。林婕问他为什么，他忽然看了我一眼，那眼神有说不出的深邃，好像知道我知道什么。然后他说，辛苦我们了，他现在24小时都要待在你身边。"

谢槿知心头一震，庄冲却温和地笑了笑说："这样也好。有他在，你怎么会出事？我先走了。"

庄冲走后，谢槿知慢慢坐下来。脑海里却再次浮现，昨晚应寒时抱着她，坐在寺庙门口台阶上的样子。她抬头看着面前白色的墙，他原来这样不动声色，待在一墙之隔的地方守着她。

谢槿知起身，背靠着墙重新坐下，头也轻轻贴上去。然后闭上眼睛，开始回想。她今天不跟他们出去，就是想整理一下思路。

她回想着那一幕。首先想到的，是白衬衣和浅蓝色长裙。这身衣服她今早就换了下来，现在正堆在床头。她立刻站起来，将它们统统丢进垃圾桶。然后重新坐下，继续回想。

那个地方，她看得并不清楚。只记得很黑，很空旷，没有一点声音。

是了，当真是一点声音也没有。人的耳朵就像被棉花堵死了，连细微的呼吸声、风声都听不到。

——那是个完全静止的地方。

可是什么地方，是完全静止的？

她又努力去想周围还有什么以及那个男人的模样。可她看到的，只是个模糊的背影轮廓，白色衬衫、瘦削身材，并没有看到他的正脸。

到了中午，有人来敲门。谢槿知开门一看，应寒时立在屋檐下，那眉眼平和得如同明媚的春光，身后是湛蓝的天空。

"去吃饭吧。"他说。

"好。"谢槿知带上门，跟着他下了楼。

街上车水马龙，好不热闹，两人却都很安静。到了一家饭店前，应寒时停步，转头望着她，"旅馆的人说，这家饺子店口味不错，你这几天吃得都很少，我们去尝尝吧。"

谢槿知当然还是说好。

中午店里人很多，吵吵嚷嚷的。应寒时拣了个靠窗的位置，又跟服务员要了壶热水，把两人的碗筷都涮了一遍。谢槿知安静地看着他的动作，恍惚间只觉得他真的只是寻常的地球男子，而不是会丢出光刃的外星人。

点好了菜，两人便静静坐等候。隔壁桌都吵，就显得他俩格外安静。谢槿知并不喜欢这凝滞的氛围持续太久，就寻了个话题问道："我第一次在宝安寺遇见你，你说你在看佛的相貌跟我们有什么不同。为什么？"

他的眼中有了清淡笑意，答道："我在你们地球人的一些书上读到过，他们怀疑所谓的'佛'和'神'，其实都是远古时期来到地球的外星人，是他们创造了最初的地球文明。'神答应过，会从群星中回来。'一些古籍中有这样的话。"

谢槿知听得很是新奇，望着他清俊的面孔，笑问："所以你站在那里看那么久，就是想看看是否是你的同类？那你有发现吗？"

应寒时似乎有点不好意思，微微垂眸答："没看出什么端倪。"

谢槿知笑了笑，想起他们此行的任务，又问："你昨天说，能量辐射场扫描不到的外星人，也许战斗力很高。那这次，你觉得他会是什么品种？"她这样说，完全因在依岚山受萧穹衍影响，那时他说，一条鱼和一株植物都有可能是外星人。

应寒时却有些无奈地说："槿知，不要用'品种'形容我们。其实宇宙之大，我见过的异星人，也只是一部分。宇宙中，也必然存在比曜日更高等的文明。曾听军中老将领说过，他们曾经见过如同虚影般的人类。那个种族已经进化到可以以量子态生存，随意穿梭时空，不老不死；也有人讲过，在一颗小行星上，见过硅人。也就是说他们全身都是硅构成的，看起来如同石人，呼吸二氧化硫……诸如此类，所以，我们并不能对这次会遇到什么对手，妄下论断。"

谢槿知听得入神，点了点头，又柔声说："那你要格外注意安全。"

他看着她答："是。"被他温雅乌黑的眼睛这么盯着，谢槿知又有些不自在，低下头，看着碗碟。

这时，服务员端了两碗饺子上来。谢槿知不爱吃干巴巴的饺子，要了汤饺。应寒时随她，也要了汤饺。

到底是有些心不在焉，谢槿知拿起调羹，舀起一个就放进嘴里，一口咬下去，这刚出锅的灌汤水饺，只烫得她舌头又疼又麻。她扑通一声将调羹丢进汤里，低头把水饺吐了出来，然后捂住自己的嘴，难受极了。

应寒时还在用调羹划动汤汁，听到动静抬起眸，然后立刻握住她的手腕，"烫着了？"

谢槿知点点头，端起旁边的凉水喝了一口。可凉意过去，更觉锐痛无比。

"我看看。"应寒时摁住她的手，谢槿知却没松开给他看自己的大舌头。

旁边的年轻服务员却笑了，"哎哟，我说姑娘，你吃得也太急了。这灌汤水饺得慢慢吃。烫着了吧，我再给您去倒杯凉水。要不，让你男朋友给你吹吹？"

说者无心，听者有意。服务员的本意，是说让应寒时帮她吹吹热汤和饺子。可话一说完，就见应寒时的耳朵微微发红，谢槿知也有些局促地低下头，"不用你帮我吹。"

服务员顿时明白过来，这两个人想怎么"吹"。他失笑，赶紧走了。

谢槿知到底还是没肯让他看被烫伤的舌头，饺子吃不了了，换了碗凉面，慢慢地吃完。而他没再说什么，只低头一个个吃着饺子。

两人走出饭店时，阳光最为炽烈，照得整条街都明晃晃的。行人也不多，路旁的大树上，传来蝉的叫声。更显得这夏日的午后，慵懒而寂静。

他负手走在前头，白衬衫在阳光下染着淡淡的光泽。连那修长双手的指尖似乎都染着光。谢槿知看着他耳后乌黑的短发，只觉得此刻他的背影显得格外孤寂和沉默。

忽然，他转过身来，抬起一只手，握住了她的脸。谢槿知感觉到他微凉的手指有些用力地握住她的下巴，她一抬头，就撞见了那寂静而温和的眼睛，却也带着不容人拒绝的笃定。

他就这么突然地，低头吻了她。虽然只是飞快的一吻，他的舌头却驾轻就熟地滑入她的口中，轻轻一舔，然后退了出来。

谢槿知心中如同疾风骤雨降临，心脏狂跳，站在原地一动不动。

他却已松开她的脸，转过头去，只用后背对着她。

"走吧。"他说。

谢槿知"嗯"了一声，跟了上去。

到了傍晚，庄冲传来消息，说晚上可以伺机动手。

沈嘉明在城郊有套独栋别墅，平时是他和狐朋狗友们的聚集地。平时没什么事的时候，他也住在那边。

这晚，他一人驾车，驶进别墅区，正想着等会儿去哪里娱乐，一抬头，却见自家别墅的车道上，站着几个人。

这个别墅区保安非常严格，外人是不能随便进的。但这四个人，他从来没见过。路灯明亮柔和，为首的是个年轻男人，穿着普通的衬衫长裤，负手站在那里，长相极为出色，竟有几分古代贵公子的气质。他身后是两女一男。以沈嘉明的习惯，首先注意到的是有个女孩长得清秀可人，有几分特别的味道。另外两个看起来就普通些。

沈嘉明将车停下，走下来，也不慌，淡淡地问："你们是什么人？在这儿干什么？"

应寒时眉目沉静地望着他，回答道："你好，我们为和平而来。"

沈嘉明愣了一下。

应寒时当真是恪守以诚相待的原则，看一眼身后的林婕，说："我和她，来自三千光年外的曜日星系。另外两人，跟你一样是普通人。我们知道你和你的父亲，拥有一块高能晶片。我们不会抢夺属于你的东西，但现在有另一股势力，在抢夺晶片以谋取私利。若晶片落入他们手中，只怕后患无穷。所以我们赶来，是为了保护晶片。"

他不疾不缓地道明原委，沈嘉明听得怔住。过了好一会儿，才意味不明地笑了，"你是说，你们是外星人？"

应寒时徐徐颔首。

沈嘉明倒也沉得住气，打量了他们一圈，然后点了根烟，抽了两口说："都知道我沈嘉明喜欢猎奇，为朋友散财无数。其实这两年我这儿都来了二十多个自称外星人的哥们了。我不知道你说的晶片是什么，但你说你是外星人，怎么证明？"

他俩说着话，谢槿知听得很平静。心想，沈嘉明马上就会因这句质疑，被惊吓了。果不其然，就听到应寒时沉声说："冒犯了。"

沈嘉明还没反应过来，就看到他瞬间移动，快如幽灵。明明还在十多米外的人，眨眼间就到了他面前。沈嘉明"啊"了一声，人已经被应寒时提了起来。刹那间只觉得耳边呼呼作响，风驰电掣，竟被他提着在小区里转了一整圈，然后又回到了原地。

沈嘉明全身都软了，应寒时轻轻放下他，垂眸道："多有冒犯，现在……可以相信我们的来意了吗？"

林婕和庄冲都笑了，谢槿知也微微一笑。

沈嘉明靠在车门上，缓了好一会儿，才点头道："信！我信，你们真的是。"然后露出笑容，"等了这么久，终于等来了。"

应寒时沉吟未语。谢槿知看着他的表情，他笑得很爽朗畅快，那份喜悦，倒不像是假的。难道他们父子俩，同样也是外星人？

"沈嘉明。"他朝应寒时伸手。

"应寒时。"两人的手轻轻一握，应寒时又将他们三人的姓名说了一遍。气氛似乎也轻松了不少。

沈嘉明说："刚才你说，有人要来抢晶片？"他倒不再掩饰晶片就在他们手里的事实。

应寒时点头。

沈嘉明抬头看了眼周围，"介不介意先到我家，再详细谈？"

从别墅的内部装潢看，沈嘉明的确是个对宇宙和超自然现象，十分痴迷的男人。

墙壁上到处悬挂着星空照片，绚烂而辉煌。客厅里摆了不少飞船模型和仿真枪支，看得人目不暇接。

应寒时四人在沙发上坐下，沈嘉明亲自泡了茶，在他们对面坐下。

"你说你来自三千光年外，曜日……"

"曜日星系。"

沈嘉明点了点头，神色变得肃然，"我和我的父亲，来自一万光年外，埃土行星。也就是地球人观测到的麦哲伦星系中的第二行星。"

众人都是一惊。虽说早已有过猜测，但是他如此直截了当说明身份，还是让人感到意外。

应寒时却添了几分凝重神色，说道："失敬。曾经听闻过埃土行星上亦有人类文明，但相距太远又有黑洞阻隔，难以到访。你们是怎么抵达地球的？"

他这么一说，谢槿知等人又多信了几分。毕竟如果不是当事人，又怎会听说过，连应寒时都了解不多的"埃土行星"？而且因为完全不了解，所以曜日人的能量辐射装置，扫描不到他们父子，也说得过去。

沈嘉明端起茶喝了口，苦笑说："还不是搭乘飞船逃逸过来的。只不过我和我父亲都是普通人类，没有你这样的战斗力。"说完他眼睛一亮，很感兴趣的样子，"我一直希望能见到其他流亡的同类。你还有什么样的本领？"

应寒时只是微微一笑，"只不过速度比常人略快，谈不上本领。"

他如此自谦，也不多说。谢槿知三人自然也沉默着。

沈嘉明也不再追问这个话题，而是问道："你刚才说，有人来抢夺晶片？你们又是怎么找到我和我父亲的？"

应寒时便将其中经过，大致说了一遍。包括他们是从平行空间跳跃而来，而反叛军已从别人手中夺走了一块晶片，必然不会就此停手。

沈嘉明听得大为惊奇，连手中的茶都始终端着，忘了喝。最后他沉思片刻，说："所以，你们是利用晶片能量互相干涉，跳跃到这个江城的？你们手里有一块晶片。反叛军手里，也有一块晶片。一比一的状况，现在我父亲手里的晶片也很危险了。"

应寒时点头。

沈嘉明又静默片刻，说："这事太大了。我明天要请示父亲，再看怎么应对。不过……"他再度露出笑容，"他一定会非常欢迎你们。大家目的一致，一切都好商量。"

应寒时也笑了，"多谢。那我们就不再打扰，先告辞，明天等你的消息，再去拜访令尊。"

谢槿知三人闻言也起身，沈嘉明却伸手一拦，"哎，那你们就见外了。虽然我们属于不同星球，却是同样流亡到了这里，就是伙伴。我家的状况你们想必也清楚，现在怎么能还让你们住在外面？我爸明天知道了，一定会责备我礼数不周的。"

应寒时还要推辞，沈嘉明态度却很坚定，"现在已经很晚了，你们如果回去，估计都天亮了，一来一回，明天早上见我父亲还要耽搁。而且我这里比旅馆也更安全，反叛军来了，也不容易找到你们。就这么定了，你们都住二楼，全是空房间，定期有人打扫，很干净，也常备着一次性用品。应先生，请不要再推辞了。"

谢槿知三人你看看我，我看看你。应寒时负着双手，倒也爽快地点了点头，"那就恭敬不如从命。"

是夜。

谢槿知躺在陌生的床上，虽然房间十分雅致舒适，却还是睡不着。

与沈氏父子建立了联系，寻找晶片的旅程仿佛柳暗花明。但未知的致命威胁，依旧在某处等着她。而她能感觉到，一切正不可逆转地向前驶去。

死的那个人，一定会是她吗？

过了一会儿，她听到楼道里有响动，就起身走过去，将房门打开一条缝。

却看到应寒时，站在走廊尽头的窗台前。而林婕打开房门，朝他走去。

谢槿知心里顿时百般不舒服，但也只能忍了。

林婕问："怎么还没睡？"

应寒时依旧望着窗外，头也不回地答："想一些事情。"

林婕靠在他身后的墙边上，注视着他，点了根烟说："今天出乎意料的顺利。外星人找到了，晶片马上也能看到。"

应寒时徐徐地答："静观其变吧。"

"是。"

应寒时侧头看向她，温和说："林上校先回去休息吧，我再站一会儿。"

"好，但是你也早点睡。"林婕转身回了房间。

楼道里再次安静下来，只有月光透过窗，朦胧如雪，照在地上。谢懂知在门边站了一会儿，刚要关上，却听到脚步声渐近。再抬起头，他已经站在门口了。

四目凝视，都没有声音。

原来他支开林婕，是要过来跟她说话。

然后谢懂知就看到了，他脸上那大雪初霁般的笑容。

"早点睡。"他轻声说，"我会一直在。"

谢懂知心头仿佛有股甜而痛的暖流淌过，千言万语，却也只是点了点头，"好。"

她缓缓关上房门，走回床边躺下，想着他刚才的模样，还有白天极其罕见地强吻她的那一下，只觉万般柔情，涌上心头。而要将那死亡一幕查得清清楚楚，绝不就此认命的念头，更加强烈地扎根在她心中。

她关上门后，应寒时原地站了一会儿，刚要转身走回对面的房间，却又顿住。静默良久，到底是被从未有过的纷扰情绪缠绕着，他在她的屋门口坐下，背靠着她的门，手搭在膝盖上，头也缓缓靠上去，听着她渐渐变得均匀悠长的呼吸声，就这么也睡了。

不知过了多久，他睁开眼睛。

暗淡的月光中，他仔细聆听。听着从这幢房屋的深处，某个角落里，传来的那个喜悦而压抑的声音："爸，我们终于等来了。"

第四十四章

羽翼之下

湖水如同一面透亮的镜子，环绕着别墅群。其间草木繁密，鲜花盛开，十分幽静雅致。

加长轿车沿着别墅间的绿道，缓缓行驶着。沈嘉明抬头看着众人，笑道："我家环境还不错，不过我不爱住这儿。估计我爸肯定会留你们住下。"

应寒时只是露出一点笑容，并不搭话。沈嘉明见他气质俊雅，从容不迫，像是见惯了这样奢华富贵的地方，不由得有些暗暗惊讶。

谢槿知坐在应寒时身旁，只是转头望着窗外。他温凉的气息就在身畔，那么安静，仿佛萦绕着她，到哪里她都是安心的。

林婕和庄冲也沉默着。

沈嘉明见这四人话都不多，也不在意，一路只跟他们说着风土人情，十分爽朗健谈。很快，就到了位置最深的一幢楼前。

门前，竖立着一排石柱，嶙峋而沧桑，似曾相识。谢槿知想起这里的风水，是请朱馆长算过的，石柱也是从山上挖的。

有钱的确任性。

一行人走进客厅，就看到一个青年男人，背对他们站在窗前。听到动静，他转过身，眉目分明，高挑瘦削。正是那晚跟沈嘉明一起在酒吧的男人。

沈嘉明走过去，笑着拍了拍他的肩，然后说道："这是我的好哥们，也是我爸的得力助手——傅琮思。他是个科学家，全国最年轻有为的科学家。是我叫他过来的，他可以信赖。"

傅琮思微微一笑，"沈少抬举了。你们好，我是傅琮思。"

大家都跟他打了招呼，应寒时也颔首致意。两人目光相触，俱是平静而清澈。

这时，一个中年男人从二楼下来，沈嘉明看着他问："陈叔，我爸呢？"

那陈叔看一眼众人，带着歉意笑道："嘉明，你这么早就把客人们领来了？刚才还想跟你打电话呢。真不巧，本来董事长一直等着这些客人。早上，新区政府那边来了电话，董事长得去趟北京。他过两天就回来，叮嘱说这几位客人非常重要，一定要留他们住下，好好招待，等他回来再当面详谈。"

沈嘉明露出失望的神色，转头看着众人，"真对不住，没想到会突然出这样的事。要不……先住下，我爸应该很快就会回来。"

谢槿知以为应寒时肯定会婉拒，哪知却听他答道："客随主便，我们听你安排。"

沈嘉明笑了笑，说道："那就太好了。你们也听到了，这也是我爸的意思。否则我又得软磨硬泡让你们留下，才能完成他留下的任务。这两天我和琼思也可以跟你们多聊聊，先做些商议。"

应寒时点头道："好。"

沈嘉明给他们安排的，是湖边的一幢别墅。谢槿知挑了个二楼的房间，推开窗就能看到湖，倒也宁静幽美。她刚在房间安顿好，就听到有人敲门。

应寒时负手站在门口，眉目清雅地看着她，"傅琼思跟我提议说到周围走一走，你跟我一起去吧。"

谢槿知知道他是不放心自己一个人，点了点头。不过她先将他的胳膊一拉，两人都进到房间里，抬头到他耳边说："为什么答应留下？"

他侧眸看着她，"以不变，应万变。"

在依岚山时，谢槿知就知道，他人虽然温和善良，做事却极有心计，冷静果断。顾霁生自导自演那么一场近乎完美的戏，他却始终不动声色，一步步引顾霁生露出马脚。现在既然他这么说，谢槿知也不多问，点点头，跟他出了门。

林婕和庄冲都留在别墅里，并不跟随。谢槿知和应寒时刚走到门口，就看到傅琼思一个人站在那里。

"沈嘉明呢？"谢槿知问。

傅琮思微笑道："沈少公司还有点事要处理，中午再来找我们吃饭。"

三人便沿着别墅群间的绿道，慢慢在阳光下踱着步。傅琮思虽不像沈嘉明那么健谈，但他博学多才，讲话简明清晰，一路给他们介绍这里的建筑风格和奇花异草，倒也不会乏味。

谢槿知也注意到，那来自山峰上的石柱，真是点缀得四处都是。每一幢别墅前都有，花园里、草地上，也多有矗立。整个沈宅倒也因此添了不少古意。

傅琮思也注意到她的目光，笑道："这是省图书馆朱馆长给出的建议。我是不赞同的，山上原本的风景被破坏，而且风水一说，不过迷信罢了。"

因这番话，谢槿知对他多了一分好感，点头表示同意。而应寒时只是看着那些石柱，沉静不语。

三人走到一间凉亭坐下，面前是大片荷塘盛开。傅琮思又说道："听沈少说，你们是从另一个空间过来的？"

谢槿知趴在凉亭边缘，看着水里的荷花。听应寒时不疾不缓地答道："是的。"却又转头看着她，低声缓缓说道，"槿知，不要趴在石栏上，太凉。"

谢槿知"哦"了一声，坐回他身畔，心头又暖又涩。其实她渐渐发现，在很多小事上，他很喜欢管着她。不许她喝酒，不许她趴在太凉的石头上。

傅琮思微笑望着他俩，又问道："你们的空间，跟这边差别大吗？"

应寒时答："几乎一致。"

傅琮思点头道："那就是高度重合的平行空间了。没想到平行空间真的存在，得知这个事实，我此生也算是无憾了。"

跟科学家对话，就是这么省力。谢槿知感觉这个人表现得挺质朴的，浑身上下透着科研工作者的书卷气和明睿感。

傅琮思抬起头，"你们的天空，也有这样暗红色的纹路吗？"

应寒时和谢槿知同时抬头，望着蔚蓝天空上，那些隐隐的红纹。感觉就像几滴血，落入了平静的水面，然后淡淡晕开。

"没有。"应寒时答。

傅琮思点头，"那你们的空间很稳定。其实我们这边，短期看也是稳定的。星宇宙背景辐射值、物质密度……甚至星球气候、地质等。但是长期看，波动就比较大了。光是江城历史上，就出现过两次毁灭性的洪水。有史料记载的，一次是三百年前，一次是六百年前。"

他讲完这番话，静默片刻。谢懂知看着他笔直而坐的身影，白衬衫在阳光下染着微光，倒有几分清寂味道。

应寒时只是沉默着。

"听说你们也有一块晶片，我很好奇，你们是怎么得到的？"傅琮思又问道。

谢懂知看着应寒时，他简洁答道："一个意外。"

傅琮思并未追问，而是笑笑说："沈家父子也是。"他顿了顿，继续说，"恕我冒昧，还有个问题，想要问你们。"

应寒时说道："请讲。"

傅琮思直视着他，"你们花了这么大的气力，跳跃时空而来，只是为了帮助我们保护晶片，却不是为了夺走？说实话，我是不信的。难道你们完全不计任何回报？"

谢懂知没出声。应寒时安静了一会儿，同样抬眸直视着他，答道："傅先生心中，一定也有愿意为之付出、不求任何回报的事。于我而言，便是如此。我最不愿意见到的，是任何一个无辜的人，受到伤害。"

他这话说完，亭子里静了下来。谢懂知望着他清俊安静的侧脸，心头动容。再倏地想起这几日对他的冷落，心里百般不是滋味。

傅琮思眼中明显也闪过动容，但最终只是点了点头，"谢谢你的回答。"

三人又坐了一会儿，刚要起身离开，傅琮思的手机却响了。他走到一边去接，就剩谢懂知和应寒时站在凉亭里。

过了一会儿，他回来了，脸上带着歉意，"抱歉，研究所那边还有点事，我要先走了。晚点再过来。"

应寒时和谢懂知都表示没事。等他的身影走远了，谢懂知转头看着应寒时。应寒时低声说："的确是研究所的电话。"

"哦。"

此时临近中午，艳阳高照，湖面上水波徐徐，偌大的庄园里，十分寂静。谢槿知低头，看着亭畔的荷花。有几枝已经伸进亭子里来，茎绿荷白，颜色动人。

她却探身过去，摘了个莲蓬下来，放在掌心里，转头对他说："吃过吗？"

应寒时低头看了看，答道："没吃过。"眉宇间倒是染上几分笑意，"曾经遇到有人在卖，但是小John说这个长得像机器人的头，请求我不要买回来，更不能吃。"

谢槿知看着掌中的莲蓬，别说，还真有点像。她莞尔一笑，信手就剥了几颗出来，递给他，"别理他，很清甜的，你试试。"

应寒时凝视她一眼，从她掌心拿起一颗，放进嘴里。谢槿知便看着他，问："甜吗？"

他轻声答："甜，微苦。"

谢槿知"呀"了一声，"忘了要去莲心了，莲心是苦的。"她伸手想把其他莲子剥开，把心去掉，手指却忽然被他抓住。

"不用去了，这样就可以。"

谢槿知抬眸看着他，想起萧穹衍说过，指挥官讨厌吃一切甜的东西。于是"哦"了一声。两人重新坐下，谢槿知低头将莲子都剥了出来，正愁手里拿不住了，他已极有默契地将手伸过来，谢槿知便将莲子都放入他白皙柔软的掌心里。

"槿知。"他忽然开口，"你的心，是不是就像这莲子一样？"

谢槿知一怔，沉默了一阵，才答道："你是不是觉得，我那天对你太冷漠了？应寒时，真的对不起。"

"槿知……不必道歉。"他低头看着她，"我心中并未责怪你。"顿了顿他说，"我知道你在担心什么。"

亭子里静静的，谢槿知低着头，只有微风轻轻在耳边吹着。

然后就听到他温和沉静的嗓音响起："槿知，我一直被人依赖。多少年来，我和我身边的人，都已习惯。但是你，从你我相遇第一天起，你就未曾想过要依赖我，也不想依赖任何人。我这几天，也在仔细地想，是否是因为，你总是看到未来，却无力改变，也不能有任何人帮助你。所以你已经习惯，独自面对和承受所有事？"

谢槿知不出声，觉得心头有阵阵温凉之意滑过，说不清是感动还是难过。

他却继续说道："槿知，我从不愿谈及太多自己的过去，也不愿对你炫耀自己的能力。我认为那是怯懦者才会做的事。"他的唇畔露出些许无奈笑意，"但是我现在居然有些后悔，或许应该对你展露得更多一点。这样，遇到劫难时，你才会放心地把自己交给我来守护。"

谢槿知抬头看着他，"不，我知道，我知道你很好很强大。我只是……"

手却忽然被他握住，那漆黑澄澈得如同湖水般的眼睛，静静地望着她，"那你可知道，星流想要守护的人，从来都会在他的羽翼之下，安然无恙？"

他从未说过如此自傲的话语，谢槿知怔怔地望着他，心头却极为震动。

"眼见不一定为实，而你却一直在我的视线中。槿知，以前你信的若是你的双眼，以后，信我，好不好？"

谢槿知伸手抱住了他。

他回抱住她，将她放到了大腿上。谢槿知的脸贴着他胸口的衬衣，闻着那熟悉的气息，难受了好几天的心，仿佛也终于落回实处。尽管那里也许依旧是荆棘满地，也许最终会让他们俩都满身伤痕。她却再也无法去管，无法去躲了。

过了一会儿，她轻声问："寒时，什么地方，是一点声音也没有的？"

"太空、深海以及其他真空地带中。"

中午的时候，沈嘉明果然来找他们吃饭。傅琮思也从研究所回来了。席间，自然是满桌丰盛美食，沈嘉明殷勤备至。不过，除了庄冲埋头苦吃，大快朵颐，其他三人都是淡淡的。

谈及上午傅琮思陪他们在周围转了一圈，沈嘉明就问："那有没有带他们去晶片研究室看看？"

傅琮思答道："还没有。"

沈嘉明笑道："晚上就带他们去看看吧。"侧头看着应寒时，嗓音压低，"研究室就在湖边，是我们做的一些开发晶片能量的设备。不过都不太成功。正好你们来了，可否帮我们指导一下？"

应寒时答道："客气了，如果能帮上忙，一定尽力。"

"太好了。"

一旁的傅琮思却有些迟疑，"沈少，进晶片研究室需要董事长的同意。"

沈嘉明却笑答道："我刚才已经给他打过电话，他同意了。"

傅琮思看一眼应寒时等人，就没再说什么。

谢槿知望着桌上的盘盘碟碟，黑眸怔然片刻，低下头去，在桌下轻轻握了一下应寒时的手。他将她的手反握住，示意她无事。

步出餐厅，应寒时这几个人回别墅休息，约好晚上由傅琮思作陪，带他们去相距不远的研究室看看。

谢槿知刚在自己房间坐下，应寒时就跟了进来。谨慎起见，她依旧是低声在他耳朵旁说道："我看见了，今晚我们会有些小麻烦。"

应寒时却轻轻点头，答道："我知道。昨晚听到沈家父子打电话了。"

见他如此笃定平静，谢槿知便不再多说，微微一笑，"依旧以逸待劳？"

他眉宇间也染上些许笑意，"是。"

谢槿知想了想，有些疑惑地说："我还看到了另外一个人。"

"谁？"

她摇头道："不知道。从身材看是个女人，她的脸用黑纱遮住了，只露出眼睛。感觉有点奇怪。她今晚也会出现在研究所里，不知道是不是沈家父子的人。"

她的脑海中，再次浮现刚才看到的那一幕。

画面有点模糊，只能看见一面暗淡的墙壁前，一个全身穿着黑衣服的纤瘦女人，站在那里。她连脸上都遮着黑布，只露出眼睛。

但是谢槿知对那双眼睛，印象十分深刻。

是那么清澈、冷寂地看着他们。

第四十五章
入瓮便是

夜色清凉，湖边几幢别墅，灯火稀疏。这个夜晚，令人感觉宁静无比。

谢槿知与应寒时并肩走着，身后是林婕和庄冲。四人俱是脸色平和，状若无事。刚走出他们住的别墅门口，就见傅琮思一人站在那里，似有些出神，见到他们，才露出微笑。

"研究室就在湖边，一幢房子的地下。"他解释道，"走路过去也就几分钟。"

大家都点头。这样重要的研究室，修在地下实属正常。

一路上，花香阵阵，静谧安详。

谢槿知忽然开口问道："傅教授，你为什么会离开中科院，到沈氏集团来？"

傅琮思走在她和应寒时身侧，闻言只微微一笑，"这里有我的理想。"

"哦。"谢槿知淡笑道，"那你觉得沈家父子怎么样？"

他眸色平静地看她一眼，答道："他们是很好的雇主。"路灯朦胧，照在他瘦削挺拔的身影上。他伸手扶了扶眼镜，对她温和地一笑。

谢槿知觉得这个男人的气质跟谢槿行很相似，但又比迂腐严肃的谢槿行，通透沉敛许多。

这个男人，有点让人看不透。

这时傅琮思停步，"到了。"

大家都抬头，看到湖边一幢平层的房屋，装修风格与别墅类似。门口也有一排石柱，墙壁上也多有镶嵌。但窗户一格一格的，看起来更像办公室。

"楼上是储物间，平时很少有人来。"他说，"请吧。"

谢槿知伸手，轻轻将应寒时的手指握了一下，示意他要小心。毕竟身涉险地，所有人都要依赖他。

他侧头对她微微一笑，笃定而从容。

一楼果然如傅琮思所说，是用来堆放杂物的。他打开灯，带着众人往里走。到了房子正中，在一面墙后拐了个弯，却出现了极为隐蔽的一扇门。

傅琮思将手指摁上去，指纹验证后，门自动打开了。他们面前，是一段暗黑的往下延伸的楼梯。

"下去吧。"他顿了一下，"沈家父子想让你们看的东西，就在下面。"

"好。"应寒时答道，牵起谢槿知的手，走在他身后。林婕示意庄冲走前面，她殿后。

墙壁上的灯光幽暗，脚下的楼梯也显得飘忽。谢槿知握着应寒时微凉的手掌，因为预见了几分钟后即将发生的事，所以她也不慌不忙。

五个人很快走下楼梯，眼前是一片开阔明亮的空间。约莫有普通仓库那么大，天花板上的银白色灯光整齐排列，照得这里宛如白昼。下方是数十张实验桌，每张桌子上都摆放着一些谢槿知不认识的仪器。

傅琮思环顾一周，然后说道："我来介绍吧。也请应先生多多指导。要知道，这晶片的能量开发，是董事长和沈少放在心尖上的事。若能有半点进展，那都是愿意不惜一切代价去换的。"

谢槿知和林婕同时看了傅琮思一眼，应寒时眉目不动，温和答道："客气了。"庄冲则四处看着那些设备。

傅琮思便领着他们，一台台仪器看过去，并且简单介绍。他说的话太专业，谢槿知和庄冲都不太懂，林婕显得也没什么耐心听。唯独应寒时仔细听着，并且时不时还跟他讨论几句。两人倒是真讨论起来。

很快，就到了最里头那张实验桌前，前面是几张工作台，连接着许多台电脑，已经没有路了。这时傅琮思的手机响了，他说："稍等，我接个电话。"就转身走向另一侧。

"喂，沈董……"他加快步伐，走向刚才下来的楼梯口，"稍等，我在地下，信号不太好，出去接一下。"转头递给应寒时等人一个歉意的眼神，身影就消失在楼梯背后。

地下实验室里彻底安静下来。

应寒时四人都站在最后这张实验桌旁，林婕神色冷淡，庄冲目光中隐隐透出激动。

谢槿知干脆轻声数道："一、二、三……"

应寒时负手而立，抬眸看她一眼，有些无奈地低声道："槿知……不可太张狂。"

谢槿知笑笑。她刚数完，就听哐当一声巨响，从众人头顶砸下来。

金属笼子。

居然是个庞大无比的金属笼子，之前大概是暗藏在天花板的机关中，现在突然降落，将他们四个都严严实实罩了进去。每一根金属栏杆，大概有小臂粗细，绝非人力可以撼动。

庄冲非常应景地"卧槽"了一声，以示紧张。林婕脸色却更冷。

尽管早就预知了这一幕，可是亲眼见到牢笼降下，谢槿知心头还是升起一丝怒意。这是把他们当成动物，还是研究对象关起来了吗？她的脑海里迅速闪过沈嘉明看似爽朗随性的笑容，傅琮思温文尔雅的样子，以及那个还未见过的、拥有另一块晶片的董事长沈远谦。

"槿知。"应寒时低唤一声，谢槿知便被他拉了怀中。他抱着她，两人同时抬头，就看到天花板各处，都喷出了红色烟雾，气味相当刺鼻。

烟雾渐渐弥漫，室内的一切变得模糊。应寒时将谢槿知拉到实验桌背后坐下，避开上方的摄像头，然后低头，吻住了她。感觉她的气息渐渐恢复，他将她抱进怀里，让她的脸靠在他的衬衫上，尽量少吸到毒气。他抬起头，目光中渐渐有了一丝冷意。

而另一边，林婕一把将庄冲也拖到实验桌后，拔出靴中匕首，飞快地在手腕上一划，然后将流血的伤口对准他的嘴。灌进去两口后，林婕一脚把他踢开。过了一会儿，就见庄冲爬了起来，揉揉头，左右看了看，然后乖觉地靠着实验桌，坐着不动。

实验室里烟雾密布，一片寂静。

而此时，相距不远的某幢别墅的某个密室中。

沈家父子靠在沙发上，抽着巴西进口雪茄，看着面前监控墙上的画面。

虽然烟雾遮住了镜头，看不清端倪，但是那四个人，的确是没有一点动静了。

沈嘉明笑了笑，端起茶几上的红酒杯，喝了一口说："爸，这次琼思出的主意不错，高强度合金牢笼、高强度毒气，双重保险，不怕抓不到这几个外星人。"

沈远谦五十岁上下，保养得极好，浑身上下的确有一种儒雅的气质。他淡笑道："的确，看不出琼思到了紧要关头，也能心狠手辣。"

沈嘉明笑了笑，说："现在就等毒气把他们彻底迷透了，再把毒气散了，把他们四个全控制住，再逼问他们晶片的下落。不过我瞧着他们的嘴应该很硬，可能会花费些力气。"

沈远谦却盯着画面，淡淡说道："不用那么麻烦。那个外星人，不是很宝贝那个地球女孩吗？告诉琼思，等他们醒了，就对这个女孩下手，不怕外星人不招。"

沈嘉明点头道："好。"又抬头看看墙上的钟，说，"琼思说要等两三个小时，毒气才能散去，我们才能下去。要不爸你先去休息？等问出晶片下落了，再通知你？"

沈远谦却看他一眼，说道："不，再看看，务求稳妥。他们自称是'曜日人'？不知道有多大本领。千万不要像上一个埃土星人，把实验室闹了个天翻地覆，差点就逃了出去。"

提到上一个，沈嘉明倒是沉默了一会儿，然后说："我看他们应该没有穆岩厉害。穆岩徒手可以掰断金属笼，这应寒时只是速度快一点，似乎没有其他本领。你看现在，他们四个不是已经中招了吗？"

耳边静悄悄的，那烟雾的刺鼻气味，也渐渐散去。

谢懂知在应寒时怀中抬起头，轻声道："现在动手吗？"

他微不可见地摇了摇头，"再等等。等他们把招数出尽。"

谢槿知看着他的眼睛。

她发觉他其实相当的"黑",而且是那种坦坦荡荡的"黑"。

难怪能成为手握重兵的统帅。

一旁的林婕和庄冲也闭目不动,佯装晕倒。

头顶的数盏灯管,忽然暗了下来。只留几盏壁灯,整个地下顿时光线变得晦暗不明。

谢槿知也平神静气地等着,她相信对方很快就会出招了。

就在这时,她忽然一怔,然后缓缓地、缓缓地转过头去。

他们的侧面,是一面暗淡的墙壁。

那里不知何时,站了个女人。

应寒时等人也察觉了,循着她的视线望去,俱是一惊。

那女人从头到脚都披着黑色长袍,甚至连头发都盖住,打扮得像个阿拉伯女人。脸上覆着层黑纱,只露出一双眼睛,冷寂而清澈的眼,望着他们。

尽管已经预知过这一幕,谢槿知心头还是暗暗一惊。因为她虽然看到了这个女人会出现,却并没有看得完全。不知道她是怎么出现的,也不知道她与沈家父子的关系。

可刚刚,周围没有任何响动,而且以应寒时的耳力,这女人如果从楼梯甚至其他入口进来,他都会听到。

但是此刻,他望着她,目光也是怔然而沉静。

这个女人,是怎么出现的?竟像是凭空冒出来的。

他们四个都看着她,而她却不发一言,扫视他们一圈后,便朝牢笼走来。

"你是什么人?"应寒时低声问道。

她不吭声,走到牢笼前方,低下头,四处打量了一下,然后伸手去按牢笼旁的一些按钮。

谢槿知忽然明白过来,莫非……她是想救他们出去?

"钥匙应该在他们身上。"谢槿知试探道。

她果然手一顿,抬头看了谢槿知一眼,然后收回手,重新插回袍子里。

就在这时，楼梯上传来急促的脚步声。那女人回头看了一眼，转身就走。但是她往哪里走呢？楼梯上已经来人了，前方是工作台，工作台后就是墙壁，根本看不到其他出口。

这时，楼梯上那人已经跑了下来，正是傅琮思。他快速扫一眼醒来的谢槿知等人，镜片后的眼眸有些复杂难辨。然后他的目光迅速落在那女人身上，三两步跑过来，压低声音喊道："是你？你怎么来了……"

那女人就跟没听到似的，没有回头，也没理他，竟直直地朝墙壁跑去。谢槿知等人看得又是一惊，正要出声示警，却只见一道银光闪过，女人的身影瞬间由实变虚，竟消失于那银光中。

消失了。

谢槿知看着那抹逝去的银光，脑海中电光石火般闪过许多念头，突然间心头巨震。她抬头看向应寒时，他也盯着女人消失的方向，眸色幽黑寂静。然后他低下头，凝视着她，两人都没说话。

傅琮思站在原地，也望着那堵墙。这几天谢槿知只见他沉稳平和，此刻眼中却似乎有许多情绪一闪而过。但他迅速恢复镇定自如的神色，转头看着他们，然后快步走到牢笼前，从口袋里掏钥匙。

"跟我走。我会沿湖边小路把你们送出去，那边公路上停着一辆车。你们上车后，马上离开江城。绝不可再落入沈家父子手中。"

他说得又低又快，转眼间已经把牢笼的门打开，眸色清亮坦荡。

四人走了出来，应寒时问："为什么帮我们？"

傅琮思平静地回答道："我是有不得已的理由，才来帮沈家父子。但我并不想与他们同流合污。"他又抬头看了看楼梯上方，说，"监控录像我已经切断了，他们暂时看到的是静止画面。现在地面上应该有一队保镖巡逻，过几分钟我们再上去。"

"他们的晶片在哪里？"林婕问。

傅琮思答道："在沈远谦手里。只知道他平时都锁在加密保险柜里，只有他的指纹才能打开。很难拿到。"

应寒时忽然问道："你说过，他们拿到晶片，是一个意外？"

傅琮思顿了一下，抬眸看着他们说道："是的。这个屋子里，已经被他们杀死过一个外星人了。我没能救下他，但绝不会让你们重蹈他的覆辙。"

众人都是一怔。

应寒时问道："埃土星人？"

傅琮思答道："是。"

"所以他们父子俩根本不是外星人，也不是埃土星人？而是杀了埃土星人，夺了他的晶片，然后再自称外星人，想要抢我们的晶片？"庄冲突然连珠弹发般开口。

"……是。"

谢槿知忽然明白了。所以能量辐射场扫描不到外星人的存在，因为在他们到来之前，那个人已经被两个地球人杀死了。

"他们怎么会知道埃土星人的身份，知道他有晶片？"谢槿知问道。

傅琮思一怔，答道："我来到沈家，认识穆岩的时候，他已经是沈嘉明的朋友了。他相信了他们父子俩，以为他们借晶片研发能量，是想要帮助当地经济发展，所以才把自己的秘密告诉他们。而穆岩，是个非常善良纯真的人。"

大家都静了下来。今日种种，沈家父子的狠辣阴险与贪婪展露无遗。然而那穆岩若是非常单纯的外星人，来到地球后被他们欺骗，最终被他们背叛。他们甚至可以想象出他遭遇过怎样的不幸。

"就是在这个地方。"傅琮思低头，看着那雪亮的金属牢笼，"那天我赶到的时候，已经来不及了。穆岩被杀，身体已经被解剖开。据说那天他本来撕开了金属笼，但是后来被沈嘉明带人乱枪射成重伤，最后还是没有逃脱。后来沈家就重修扩建了这里的房子，这个牢笼……"他露出讥讽的笑，"也变得更牢固。你们的出现，简直就是天上又砸下了个大馅饼。"

大家都静默不语。谢槿知心头阵阵寒意浸过，抬头再看这洁净肃穆的实验室，想着外头奢华富贵的庄园，却只觉得刺眼无比。

她抬起头，看着应寒时。而他面目白皙，神色极静，一时竟看不出喜怒。谢槿知想起萧穹衍说过的话，明白向来温和的应寒时，此刻只怕是真的动了怒。

"穆岩的尸体，现在还冷冻保存在别墅中的某个地方。"傅琮思抬眸看着他们，"该走了。如果你们不想变成跟他一样的干尸。"

"等一下。"应寒时直视着他，"刚才的女人，是什么人？"

傅琮思一怔，答道："我不知道。"

"你认识她。"谢槿知肯定地说。

傅琮思静默了一会儿，摇头道："不，我并不认识。我只是……见过她几次。"

"几次？"谢槿知看一眼应寒时，追问道。

傅琮思眸光坦然地看着他们，"是的，我在沈家，见过这个女人几次。她每一次都是突然出现，又突然消失。就跟今天一样。"

直觉告诉谢槿知，傅琮思还隐瞒了一些事。但现在显然不是追问的时机。

应寒时与傅琮思对视着，静静开口："她能瞬移、穿越空间？"

傅琮思答道："……我想是这样。但我追查不出其中的原因，因为根本就追不到她。"

谢槿知静默不语，起初内心的震撼已渐渐平息。

这时应寒时忽然抬头，望向楼梯的方向。

脚步声隐约传来，傅琮思脸色一变，他脑海中迅速闪过许多念头，最后压低声音对他们说道："一定是他们来了，你们马上回笼子里。信我，我一定会想办法再救你们。"

却不料那四个人都没动。始终沉默聆听的林婕，脸色变得更加冷酷。她弯腰从靴子里拔了把枪出来。傅琮思见那枪纤细无比，呈纯粹的银白色，难怪之前都没人注意到她藏在靴子里。

林婕淡淡地看他一眼说："谢了，剩下的就是我们的事了。"

庄冲一拍傅琮思的肩膀，"我们站远一点。"

谢槿知也转头温和地望他一眼，"别担心，很快就能解决。"

傅琮思虽有疑虑，却最终沉默下来。

应寒时站在众人之前，双手缓缓负在身后，抬起了头。

过了一会儿，脚步声渐近，且沉重密集。沈嘉明带着七八个保镖模样的男人，持枪走了下来。

他脸上再无半点和善笑意，扫一眼众人，目光落在傅琼思身上，"傅琼思，你好得很啊。差点就被你骗了，现在我倒想知道，你一直混在我们沈家，是什么目的？"

傅琼思脸色清冷如铁，没有说话。

沈嘉明又看向应寒时，"既然上一个外星人的遭遇，傅琼思已经跟你们兜了底。那就识相点，交出晶片。否则我们就开枪了。我知道你身手快，可是你再快，能快得过子弹？"

他话音刚落，数名保镖的枪口都对准了应寒时。

"你就是这样射死埃土星人的？"平缓沉静的嗓音响起。

沈嘉明抬起头，与应寒时目光一触，心头竟有些发抖。然后就见应寒时徐徐点了点头，说："那你再试一次。"

第四十六章

我的形状

灯光已全部亮起，所有人都静立不动。唯有应寒时负着双手，缓缓朝沈嘉明等人走来。

沈嘉明望着他，脑海中却忽然想起了另一个男人。

穆岩。

明明两人气质长相完全不同，穆岩不若应寒时长相这般出色，也没有他这样隐隐压迫人的气场。可是两人的眼睛，却像是一样的，同样清澈而安静。

沈嘉明忽然想起穆岩说过的话。

他说，我与你们地球人，虽非同族。但若我的晶片能让更多人得到幸福，那就拜托你了。

他还说，嘉明……嘉明，埃土星人真正的灵魂，是杀不死的……不要……铸下大错……

沈嘉明正恍惚着，忽然间眼前已没了人影。

紧接着，就听到身旁此起彼伏的"啊啊"的痛呼声以及枪支尽数落地的清脆声响。他心头一紧，就看到白色光影闪到他的跟前。朦胧的幻影里，他再次看到了那双眼睛，寂静而冷酷的眼睛。

沈嘉明"啊"了一声，整个人已经被应寒时揪了起来，他吓得全身发软，天旋地转间，又被重重扔在地上，撞得头破血流，全身剧痛。

他挣扎着，抬起头，看着应寒时再次向他逼近。可他连逃跑的力气都没有了，只能眼睁睁看着应寒时走到他身旁，低下头说道："他跨越数千光年的漫长旅程而来，一片赤诚相待，却被你们这样的宵小谋杀。我和他虽非同族，却也饶不了你们。"

　　沈嘉明见数支枪都没伤得了他，手下们更是个个重伤在地，又悔又怕，一把抱住应寒时的双腿，哭求道："我错了，我知道错了！饶了我吧！其实杀了穆岩，我也很后悔的！我一直很愧疚，我们对不起他……但是人死不能复生，晶片……晶片马上给你们，我带你们去拿，马上去拿……"

　　应寒时巋立未动。他的身后，林婕脸色淡漠地瞥着地上的沈嘉明，右手握着自己的枪，一下下飞快地转动着，像是随时都打算一枪结果了他。庄冲始终沉默着，只是眼中浮现鄙夷之色。

　　谢懂知的目光淡淡扫过沈嘉明，然后落在应寒时身上。灯光之下，只见他的容颜清冷如雪，身形瘦削。

　　沈远谦盯着监控器里，看着儿子狼狈被抓的画面，心知大事不妙。他立刻按下桌上的通信器。

　　一个黑衣保镖走了进来，"老板。"

　　"庄园里还有多少人可用？"

　　"刚才小老板带走了八个人，我们还有三十多个人。"

　　沈远谦脸色阴霾，"你马上带二十个人，去湖边研究室救小老板。其他人跟我走，马上准备车，我要离开庄园。"

　　"是。"

　　保镖刚要离去，沈远谦又叫住了他："等等！挟持嘉明的人身手很好，让你的人不要靠近，全部远距离射击，明白吗？"

　　"明白！"

　　保镖退了出去，密室的门重新关上。沈远谦立刻站了起来。这间密室修筑在他的书房里，墙上除了监视器，挂满了珍贵的名家书画。此外还有一整排的保险箱。

　　每个有钱人都需要一个藏匿财富、秘密和龌龊的地方。他也不例外。

　　金银珠宝他都没有拿，因为知道外星人不会对这些感兴趣。他在其中一个保险箱前蹲下，先输入密码，而后验证指纹，再将眼睛贴过去扫描瞳仁。最后将手阀复杂地转动了几圈，保险箱门噔的一声轻响打开。

他把一个黑色的檀木盒子拿了出来，小心翼翼打开看了看。

一片近乎透明的、荧光四射的晶片，安然躺在其中。

他弯起唇角笑了笑，迅速拿着盒子站起来。刚一转身，全身却猛地被惊出冷汗。

一个人站在他身后。

沈远谦活了一大把年纪，此刻却简直不敢相信自己的眼睛。密室的门是关好的，没有他的启动，任何人不可能从外面进来。而且刚才他也没听到任何声音。

可是，此时此刻，这个人就站在他的面前。他，或者应该称之为她，从头到脚披着黑袍，身形纤瘦。脸上也覆着一层黑纱，只露出眼睛。那是一双女人的眼睛。

沈远谦惊骇之余，还没来得及做出任何反应，那女人突然上前一步，沈远谦看到她的黑袍底下露出双白皙纤细的手，一把就将他怀里的木盒夺了过去。

沈远谦一下子回过神来，女人转身就要跑，他哪里肯放，管她是人是鬼，一把抓住她的肩膀，将她扳了过来。女人力气并不大，而沈远谦正值壮年，她竟未能挣脱，但依然紧抱盒子，两人就这样无声地缠斗起来。

沈远谦能混到今时今日，凡事下手自然都是极狠的。见女人死死将盒子扣在怀中，就一把掐住她的脖子，然后另一只手举起拳头，朝着她的肚子猛地就揍下去。女人吃痛地闷哼两声，却似乎更坚韧，猛地往前一挣，竟然挣脱了。

沈远谦伸手还要再抓，却见那女人忽然转头，双目似极愤恨地望他一眼。眼看沈远谦的手就要再次触碰到她的衣袂，陡然间眼前银光大盛，一时间竟什么也看不清了。再一定神，银光迅速收敛消失，如同钻进了一道看不见的裂缝里。

刹那间，他的眼前空空如也，那女人竟带着晶片，就像空气般消失掉了。

沈远谦呆立良久，终是又惊又怒，颓然坐倒在沙发上。

沈嘉明被林婕绑了个结结实实，再次被丢到应寒时的脚边。

"指挥官，怎么处置他？"林婕问。

"地球人的法律，惩治不了他的谋杀罪。我会将他扔到一个废弃的空间站，终生流放。"

谢槿知等人都点头，认为这个惩罚很合理。沈嘉明却听得心惊胆战，连声求饶，但是根本没人搭理他。

傅琮思始终站在众人身后，见沈嘉明落到如此田地，也只是眸色清冷地看着，并不出声。这时，林婕忽然走到他面前，二话不说，一把扣住他的胳膊，将他也反绑起来。

"你干什么？"傅琮思脸色一变，想要挣脱，但他完全不是林婕的对手。林婕一脚踢在他的膝关节，他吃痛倒地，也被绑牢了。

"等你把自己的事解释清楚，我们自然放你。"林婕冷冷地说道。

应寒时静立在原地，看着她的举动，眸色平静，并不出声制止。槿知和庄冲也看着傅琮思，没说话。

傅琮思反倒镇定了，勉强从地上站起来，点头道："好。我会给你们解释。现在关键是拿到晶片，沈远谦一定会马上带着晶片逃跑。"

"我们上去。"应寒时说。

于是他带着谢槿知走在最前，林婕揪住沈嘉明，庄冲看着傅琮思，跟在后面。一行人沿着狭长暗黑的楼梯，往上走去。

周围光线晦暗不明，谢槿知一步步踩在楼梯上。忽然一怔，眼睛盯着黑暗的空气，人也停住了。

走在她前面的应寒时，立刻察觉了，转身望着她。

她抬起头，"我看到那个女人了。她在这个城市里连续跳跃了几次，从这里离开了。每次跳跃的地方，都会有银光。"

应寒时点头，"等这边处理完，我们就去找她。一切自然水落石出。"

他俩说话声音虽压得低，但楼道狭窄，其他人也听到了。傅琮思的声音忽然响起："她来无影去无踪，你们打算怎么找？"

应寒时和谢槿知对视了一眼。

那个女人能够在空间中跳跃，而谢槿知却能看到跳跃的时间。她的脑海中，浮现出刚才看到的那一幕幕。林立的高楼，深夜寂静的路口，黑衣女人的身影如同鬼魅般一闪即逝，只留下一道无人注意的银光。

这城市虽大，但总是有迹可循。只要谢槿知再次看到她即将出现的位置，也许就能找到她。

但尽管如此，谢槿知心头依旧如同压着一块巨石。哪怕此刻已与应寒时说开，两人齐心并肩，但她心头的阴霾，仍未散去。她只是不再去触碰，更加不让那阴霾，沾染到她眼前这个男人。

正有些失神，却听到他温和的嗓音响起："槿知，手给我。"

她抬眸，见他依旧朝上走着，那修长白皙的手，却朝她伸过来。

谢槿知将手放到他掌中，被他轻轻握住。

像是能洞悉她此刻的心思，他没有回头，说道："任何艰难险阻，我们不松手……便不会分开。"

此时两人已经率先走出楼梯，一楼的灯光明亮透彻。谢槿知望着他眉目分明的侧脸，笑了，说道："嗯，一会儿干脆再找根绳子，把我的手缠在你手上，好不好？"

其他人还没走上来，周围寂静无声。应寒时微微垂眸，突然手上一用力，谢槿知就被他拉进怀里。

他低头，手也无声无息地环上她的腰。

"槿知……不要这样，笑话我的心意。"

谢槿知抿嘴笑了。这时脚步声渐近，他松开了她，回头望去。而她只是凝视着他的样子，清晰察觉到心中越来越浓的贪恋。

林婕几个也走了上来，大家举目四顾，周围似乎并无异样。到底算是拨云见日，庄冲忽然开口道："打完小Boss，再去打大Boss，拿到晶片，我们就可以收工了。"顿了顿，脸上透出一丝难得的柔和，"小John他们在另一边，应该等急了。"

林婕也淡淡一笑，低头瞥见身旁的沈嘉明，一副贼眉鼠目的样子，抬腿就踹了他一脚，只踹得他鬼哭狼嚎，不敢再乱动。

谢槿知却看到应寒时耳朵轻轻翕动，脸色清淡。他低声道："林婕。"

林婕的脸色顿时变得沉肃，循着应寒时的目光，持枪缓缓走到窗边，挑起窗帘一角望出去，却只见房屋之外，相距几十米的地方，站了一圈黑衣保镖。他们的脸隐藏在夜色里，看不清晰，但个个手里都端着枪，似是已静候埋伏许久了。

林婕低声报告："屋前十人，左侧六人，右侧四人。"她放下帘子，轻哼一声，"以卵击石，不自量力。"

"都到我身后来。"应寒时说，"林婕，你居后策应。"

"是。"

谢槿知和庄冲扶着傅琮思，走到应寒时身后，沈嘉明则被丢在角落里，脸色变了又变，却暂时没人搭理他了。

这时谢槿知腰间一紧，却是被应寒时抱了起来。他的手托着她的身子，于是她的视线略高于他，低头看着他。

"闭上眼睛。"他说，"会有些刺眼。"

谢槿知看见他的掌心里，已经有光刃若隐若现，银白如同月牙。她双手搭在他肩上，低声说："没关系，并不刺眼。我喜欢看你的光刃。"

这是她的心里话，只是从未对他提过。应寒时微怔，眼眸轻垂，"好。"耳朵和尾巴同时跳出，只看得傅琮思和沈嘉明目瞪口呆。

他掌心的光刃如同水纹般，徐徐扩大，谢槿知目不转睛地看着。林婕看了他一眼，转过脸去。

如果此刻萧穹衍在，定会一语道破关窍——被心上人表扬的指挥官大人，这是准备要发大招了！

虽然对付区区二十个普通人类，根本用不上大招。

就在这时。

震动。隐隐而来的震动，突然从他们脚下，从墙壁和天花板传来。应寒时掌心的光刃骤然一收，抱紧谢槿知，抬头望去。

这突如其来的震动，竟越来越剧烈，整个房屋像是被人剧烈摇晃着，就像要马上散架。与此同时，窗外传来凌乱的脚步声和呼喊声："地震了！是地震了！快跑！"

地震？

谢槿知趴在应寒时怀中，也抬头四顾。江城地处内陆，大陆板块腹地，不管是这个空间还是那个空间，从无地震史。现在哪里来的地震？

其他人显然也惊讶而疑惑。但是没时间细想了，房屋已经有坍塌的迹象，他们前方掉落了一根梁木。应寒时将谢槿知探出的脑袋往怀里一摁，飞身就跃出了这幢楼的大门。其他人反应也很敏捷，不用多说，傅琮思跟着庄冲就跑了出去。林婕则拎起地上吓得腿软的沈嘉明，三两下也跳了出去。

六个人刚安然地跑到这幢楼门口的草地上，震动却已明显减弱不少。此时已是凌晨时分，漆黑的夜幕如同倒扣的巨碗，罩在大地之上，星光清晰而繁密。然而寂静的天空之下，沈家庄园里，却是混乱不堪。

不仅是他们身后的实验楼在震动，其他别墅也都在夜色中晃动着，不断坠落。每一幢别墅前，原本排列整齐、寂静矗立的石柱，尽数倒塌；镶在墙壁、圆柱里的那些石柱，更是纷纷崩脱坠落。

许多人在跑，嘴里还大喊着"地震了快跑"，有黑衣保镖，也有普通用人。一时间，也没人再注意到他们这边。

"我们也跑啊！赶紧的！"沈嘉明急道。

林婕和傅琮思都抬头看着应寒时，却发现他注视着不远处的湖面。

"震动的，不是地面。"应寒时的嗓音沉静如水，"是这些房屋本身。"

大家都循着他的视线望去，俱是一愣，明白他在说什么。

如果是地震，此刻广阔的湖面，为何平静得没有一丝起伏？而他们脚下的草地，此刻也是平静的。

始终将脸埋在应寒时怀里的谢槿知，这时忽然抬起了头，她的脸色变得异常冷冽。

"寒时，我们马上离开这里。"她说，"即将发生非常可怕的事。"

众人都是一惊，应寒时凝视着她。谢槿知看着他的眼睛，一字一字清晰地说道："那个外星人，穆岩，他并没有真的死去。他一直在这里等待着，复仇。"

话音刚落，沈嘉明尖厉的声音响起："你说什么？怎么可能？他已经断了气，人都被冷冻在地下，他怎么可能还活着要来报仇？不可能的。"

没人说话。

始终沉默着的庄冲，忽然低下头，盯着众人脚下，空空如也的草坪。那里还有几个浅浅的坑。

"你们没发现，这里少了什么东西吗？"

第四十七章

我即穆岩

房屋的震动，完全停止了。夜色中，唯有凉风轻轻吹过草地。

沈嘉明死死盯着脚下的地面，他觉得有哪里很不对劲，但一时却想不起来。他嗓音沙哑地问："什么不见了？"

"石柱。"三个声音同时回答他。

应寒时、谢懂知和林婕，都注意到了庄冲所指的这一点。

沈嘉明看着那几个浅浅的坑，不正是门前原本竖立石柱的地方？可是现在，它们去了哪里？

谢懂知也看着那里。要知道每根石柱足有一人多高，粗实坚硬，人力根本无法搬动，何况是那么多根。她又抬起头，再仔细一看，发现其他地方的草皮上，也有不少这样的浅坑。几幢别墅门口均已空空如也，甚至原本镶嵌在墙壁里的石柱，有些也已不知去向。

难道它们长了腿，自己会走吗？

沈远谦坐在一辆轿车里，司机飞快地驾驶着，往庄园门口驶去。

"老板，好像地、地震了！"司机望着车外仓皇奔跑着的那些人，也有些心惊胆战。

"别管，继续开。"沈远谦冷声道。

于是轿车依旧一头往前扎去。

就在这时，沈远谦忽然一怔。

他看到车子前方，有一个人影跑过。白色衬衫、黑色长裤，背影清瘦，侧脸轮廓清晰而干净。

他的心头突然升起阵阵寒意。不，这不可能。那个人明明已经死了。

纵横商场多年，沈远谦的心狠手辣、极深城府自不必说。但他的心里，也会深深埋藏着某些让他不愿意回顾的人和事。

譬如那个男人。

穆岩，那个单纯良善的外星人。他临死时的那双眼睛，太过清澈、悲悯和平静，像是有某种穿透人心的力量，令人无法直视。

沈远谦正失神，忽然就听到前排司机倒吸一口凉气，同时车子猛地刹住，他重重撞在前排座椅上，抬起头刚要斥责，却陡然一惊。

那里站着一排人。

同样的白衫黑裤，同样的清瘦高大。甚至连那整齐干净的短发、脸庞的轮廓，都一模一样。

他们抬起了头。

那是完全相同的一张脸，跟沈远谦记忆中的那个男人，彻底重合。

刹那间，沈远谦全身已冷汗淋漓。

不，并不完全一样。

他的记忆中，穆岩那个年轻人，始终温和含笑，脸上有柔和的光泽。但眼前这十多个人，虽然顶着相同的脸，表情却是木讷僵硬的。他们的脸，呈现暗淡的灰白色。他们站得笔直，头颅平齐，双臂整齐垂落。

像一群僵尸。

"撞、撞鬼了……"司机颤抖的声音响起，"老板，他们长得、长得都一样！"

沈远谦勉强镇定下来，低吼道："撞过去！"可惜这一次，他失策了。

司机已吓得魂飞魄散，竟一把推开车门，丢下他跑了。

谁知司机刚跑出去几步，面前就走来一个同样的人。那人脸色冰冷，一把抓起司机，就扔了出去。司机重重撞在树上，跌落在地，头破血流，不知生死。

沈远谦看得骇然，立刻起身朝驾驶座爬去。但是来不及了，一个人伸手进来，揪住了他。他一声惊呼，就被拖了出去，丢在了地上。

他们围了过来。

沈远谦想要爬起来逃跑，可是当他抬头，无论看向哪个方向，都是同一个人，同一张脸。他们将他围得严严实实，越逼越近。

沈远谦终于受不了了，大吼道："你们、你们是什么人？"

他们停下了脚步，那么多双眼睛，全都注视着他。

"我们是穆岩。"他们齐声答道。

沈远谦举目四顾，又怒又怕，"你们怎么可能是穆岩？他、他已经……"

他们的眼中，全都露出悲伤而痛苦的神色。那么整齐，就像是同一个人。

"我们即穆岩，穆岩即我们。我们潜伏于此三年，我们听到了，是你们杀了他。我们听到了。"

沈远谦简直要崩溃了。然而他们再次迈步，朝他围拢过来。沈远谦只看到他们越走越近，人头攒动，遮住了他头顶的光线。

然后，密集的拳打脚踢声响起，伴随着沈远谦凄惨的哀号。

渐渐的，他的声音越来越小。

最终听不到了。

谢槿知等人循着声音赶来，远远只看到一群人围在那里。而他们也清楚地看到，那些人如同一个模子刻出来的样貌。

大家心头都是一惊，沈嘉明更是吓得面无人色，"那是我爸的车，他们、他们……"他说不出任何话来。

傅琮思亦死死地瞪大眼睛，盯着那些人。

"穆岩。"他颤声道，"那是穆岩……"

庄冲忽然开口道："所以现在的状况是，上百根石柱不翼而飞，然后突然出现了一群跟穆岩长得一模一样的人？"

谢槿知心中有同样匪夷所思的猜测。但她听应寒时提起过"石人"，所以更加笃定一些，转头看着应寒时，"他们，是石人吗？"

应寒时眸光轻敛。

刚才还离得远远时，他就听到了那些人与沈远谦的对话，再听沈远谦的呼吸，也知道他必然活不了了。

穆岩即我们——他们如是说。

"石人并不罕见。"他答道，"但是，像他们这样，数人一面，如同一人……我从未见过，亦未曾听闻过。"

连应寒时都不知道？谢槿知心头一凛。

这时，大家却注意到，草坪上还有些保镖、用人在往庄园外逃跑。然而立刻就有几个"穆岩"追上了他们，或是一拳击晕，或是抓起直接撞在树上。然后，穆岩们将晕倒的人都拖过去，整齐排列在草地上，竟像是要尽数俘虏了一般。

谢槿知见被他们拖过去的人当中，还有五十余岁头发花白、全无反抗之力的老用人，心头生出强烈的不安感。

而应寒时的眉头已轻轻蹙起，他的双手负在身后，朗声道："住手。"

他的声音极为清润洪亮，一时间所有"穆岩"的动作，同时一顿。然后他们都转过头，朝应寒时等人看了过来。

这当真是非常诡异的一幕。深夜，清朗的星空下。一百多个长得完全相同的人，黑压压站在草地上，全都看着你。

然后他们突然一起转身，一起迈步，走向同一个方向。

他们朝应寒时走来。

他们越聚越拢，一百多人犹如大大的方阵。而这边却只有寥寥六人。

应寒时立在最前，将谢槿知护在身后，挺立不动。

在相距十余米的地方，他们停下了脚步。双方对峙着。

片刻后，他们中间走出了一个人，看起来与其他人没有任何分别。

那人看着应寒时，脸上没有太多表情，但是起初的僵硬木讷已少了许多，取而代之的是如同常人般的沉静。

"曜日人？"他问道。

应寒时徐徐颔首道："是。"

那人忽然微微一笑。谢槿知看着他的笑容，却怔住了。

"我们，"他说道，"来自比你更高等的埃土文明。当曜日人的第一艘宇宙飞船升上太空时，我们的种族，已经探索完成银河系的所有奥秘，进化成不老不死的生命体。"他停了停，神色变得冷肃，"曜日人，不要阻止我们的复仇，这与你们没有关系。"

应寒时静默了一会儿，清亮的目光，停在那些脸庞上。

"你们，是何种族？"

那人看着他答道："我们是分子人。"

谢槿知等人俱是一怔。分子……人？

这时，他们中间走出了另一个人。他的脸上，同样有清淡而平静的笑容。

"犹如繁茂树木上的每一片树叶，犹如银河系中的每一颗星辰。我们每个人，可视同于构成这生命体的一粒分子，我们是同一个人。我们的寿命，如同岩石与星辰一样漫长。"他说，"穆岩，就是我们的头颅。他存活时，我们遵循他的指令，沉眠于山岭之上。当他死后，我们失去主宰，我们不得不醒来，来到此地。分子人，只为复仇而来。"

谢槿知忽然觉出不对劲了。

之前，无论是她在预感中所见，还是刚遇见这些分子人时，他们的脸部和肢体语言都很僵硬，真的就让人感觉是石头变的。

可现在，才过了几分钟，他们看起来就灵活生动了许多。有了更多表情和思维，语言也更丰富。

难道在这么短的时间里，他们就"进化"了？谢槿知脑海里闪过这个不可思议的念头。

应寒时的嗓音再度响起："沈氏父子是罪魁祸首，可以交给你们处置。但其他人是无辜的，放了他们。"

谢槿知看着那名领头的分子人，果然就见他摇了摇头，答道："不行。穆岩死于地球人之手。地球人已是我族仇敌。除非我们全部战死，否则复仇不会停止。"

庄冲、林婕等人俱是心头一凛。谢槿知却忽然出声："难道你们认为这是穆岩愿意看到的？"

子夜之中，她的嗓音柔和清脆，一下子吸引了所有分子人的注意。他们同时整齐转头，看向了她。

谢槿知眉目沉静地看着他们。应寒时并不出声，唯有目光温和地滑过她的脸庞。

"不，穆岩看不到了。"一名分子人答道。

"是的，他看不到了。"其他人同时说道。

那名分子人又看向应寒时，"曜日人，让开，不要阻挡我们复仇的路。我们曾经俯瞰你们的文明，现在也是一样。你的确战斗力卓越，可以轻易阻止我们中的每一个，但是无法阻止我们所有人。进化的力量，不可抗衡。"

草坪上静静的，一百多名分子人如雕塑般矗立着。

槿知、庄冲等人的心也彻底提了起来，全都看向了应寒时。

毕竟他们只是来找晶片的，也义务帮穆岩报了仇。哪里想到会遇到这么大一群外星人，而且来自更高等的文明。情况变得如此棘手，他们，能跟分子人抗衡吗？

这时，就见应寒时抬起头，清俊的脸庞上，神色平静。

"曜日人……"他一字一字清晰地说道，"恕难从命。"

庄冲低低叹了声"卧槽"。

林婕望着应寒时，露出傲然神色。傅琼思和沈嘉明自是睁大双眼看着，没有出声。

谢槿知早料到他会如此回答，有些担忧，但也只能轻声说道："当心。"

"嗯。"

那些分子人互相看了看，什么话也不说。

分子人的移动速度，虽然远不如应寒时变幻莫测，却也比普通人敏捷有力许多。最前头的两名分子人，举拳就朝应寒时挥去。应寒时足尖在地面轻轻一点，整个人平地拔起数米高，尾巴高高扬起，抬起右手，光刃乍现。

这是一场沉默而激烈的战斗。

分子人每一个都面无表情，动作狠厉决绝，不顾安危，也绝不会退后。

应寒时被他们包围在正中，只见他的白色身影在夜色中轻盈起落，光刃亦如同月影般浮动其中。偶尔瞥见他的侧脸，清冷似铁。

光刃过处，分子人虽遭受重创，难以匹敌。但他们胜在人数实在太多，配合也极有默契，一时也未见明显颓势。而应寒时明显不想伤他们性命，手上的分寸拿捏得极为精准，光刃也远不如之前对付反叛军时磅礴可怕，一时间，双方竟也没分出胜负。

不过，倒下无法再站起的分子人，越来越多了。

旁观的这些人，也都看出了胜负已定，倒都不是很担心了。

林婕注视着应寒时游斗其中的身影，忽然像是自言自语般开口道："已经很久，没有看到指挥官亲自出手了。呵……上一次还是在要塞义务营救无国别市民，登陆战时，他一人击败了十名S级流寇变异人。"

她甚至还低头点了根烟，一边抽一边看。

众人都听得一怔，谢槿知轻声说道："他最近倒是经常出手。"

庄冲微微一笑，"嗯，帮我们打低等智能，打黑龙，还有反叛军纳米人。"

林婕抽了口烟，冷冷道："雄狮因为你们，要去对付些小苍蝇。"

庄冲和谢槿知对视一眼，都没答话。过了一会儿，庄冲倒是低声在谢槿知耳边道："对了，你们和好了？"

"嗯。"谢槿知顿了顿答道，"只是暂时不去想了。"

"那就好。"庄冲微微一笑。

这时，一片洁白而宽广的光刃闪过，将剩下的分子人全都笼罩住。槿知等人一时什么也看不清了。

再一定神，却见光波消失于夜色里，偌大的草地上，横七竖八躺满了分子人，有的醒着却不能动，有的彻底昏迷过去。而应寒时双手负在身后，徐徐从半空中落地，抬头望了过来。

许是因为战斗的原因，他的脸染上些许潮红。眼眸却漆黑冷静无比，透着凛冽之意。

谢槿知凝视着他。

喜欢一个人，真的是很奇怪的心情。明明他力挫分子人，占尽上风。可是当她看到他战斗之后，孤立在那里，她却会觉得心疼。

她朝他露出微笑。

应寒时亦是一怔。

原本只是一场不算艰难的战斗，他的心境，亦如同每次战斗时，平静得如同一潭深水，而冷冽又冷酷的波纹，只在水面之下，暗声涌动。

却未料一抬头，就看到了她的笑靥。

她温柔而怜惜的目光。

怜惜?

槿知，怜惜他?

应寒时眉目微垂，顷刻间已掠至她的面前，抬眸看一眼众人，"你们留在这里等候。"然后就一把抱起谢槿知，跃上了屋顶，朝一个方向跑去。

谢槿知原本抱住他的脖子，很快又被他甩到了背上。尽管他跑得很快，她还是熟练地在他背上找了个舒服的位置趴好，然后问道："去哪里?"

"山上。"他答道。

谢槿知疑惑道："为什么?"

"山上还有成千上万根石柱。"

谢槿知陡然一怔，寒意就如同这夜色，弥漫上心头。是了，被挖到沈家装点风水的石柱，只是九牛一毛。山上，还有数不清的石柱。

数不清的穆岩，数不清的分子人。

她抬起头，望着对面暗黑的山岭。距离刚才那些分子人苏醒的时间，已经过去了十多分钟。山上的分子人，也醒了吗?

不知是否是她的错觉，只觉得那如同巨兽蛰伏般的山脉上，似乎有无数的影子，在快速移动着。

但现在，担心猜测也来不及了，只能过去，一看究竟。

转眼间，他们离山岭更近了。应寒时飞快掠过杂草和丛林，快得谢槿知看不清周围的景物。

"槿知。"他忽然低声喊她。

"嗯？"她把头靠近他的脸颊旁。

"亲我一下。"他轻声说。

谢槿知一愣，望着他雪白的兽耳，过了一会儿，低下头，在他的耳朵上轻轻一吻。

他们的担忧成为现实。

还没到山脚下，就看到数道极其相似的身影，从山林中快速跑了下来。而当他们抬起头，看到山峰上，还有更多更多这样的身影，源源不绝。

甚至，在不远处的公路上，也能看到这样的身影，越跑越远，不知道已经离开了多少。而公路的前方，直接会通往江城。

应寒时将谢槿知放下来，站在山脚的草地上，就这么一会儿工夫，又有十多个分子人，从他们身边跑过。

谢槿知觉得自己之前的预感，是准确的。因为这些刚跑下来的分子人，完全没有僵硬木讷的表情，他们脸上，全都是那种淡淡的沉着的笑容。而且他们看到应寒时，全都避开，像是不愿再与他为敌。

沉眠了许多年的分子人，穆岩的每一个分身，苏醒之后，难道真的在不断进化？一个个变得更像独立的人，却又如同一人？

只是这么多座山，他们数量之巨，应寒时的战斗力再强，也无法阻止了。

这时，一名分子人跑下山，正好跟应寒时和谢槿知正面对上。应寒时眸色轻敛地看着他，他却不慌不忙，微微一笑说："曜日人，我说过，你阻止不了我们所有人。"

应寒时和谢槿知都沉默着，他却已绕过他们，身影混入同伴们的队伍中。

夜色迷离，他俩静静站立着，分子人源源不断地从他们身边经过，跑向城市的方向，跑向他们的复仇之旅。

谢槿知不难想象，如果这些分子人进入城市，会造成什么样的恐慌和灾难。他们是否会杀死、俘虏更多的地球人？而最终，他们是否也会死于地球人的攻击中？

可是，现在谁还能阻止他们？

"怎么办？"她问。

应寒时的眼眸在夜色里深得有些看不清。

"我们去找一个人。"

谢槿知心头一震，脑海中电光石火般划过零散线索，抬眸望着他，点了点头，"对，去找他。"顿了顿继续说，"帮助分子人，抵达沈家的那个人。"

或许，还能有转机。

第四十八章

时空裂缝

天还没有亮，寂静的山间小道上，出现一个身影。

那人不快不慢地跑着，步伐沉稳、呼吸有力。隔近了看，却原来是一名精神矍铄、眉目清俊的老人。

他一直跑到山顶上，才停下。

此时夜色还未完全散去，如同暗蓝的纱帐，笼罩沉睡的山岭和远方的城市。老人在一块开阔的山崖旁站定，拧开水壶喝了几大口，然后擦着头上的汗，望着山脚下的湖水和庄园。

他微微一怔。

平常这个时分，庄园里都是黑灯瞎火，绝大多数人都还在睡觉。可今天，那里灯火通明，光线缭乱，似乎并不宁静。

老人伸出手，搭在身旁的一根石柱上，像是自言自语般说道："这一天，终于来了吗？"

他静默良久，这才转身下山。

然而他很快发现了情况不对。

下山路上，只见沿途石林，已消失大半，并且不断有分子人，从他身边跑过。他抓住其中一人的胳膊，问道："你们去哪里？"

"朱先生，我们去报仇。"

"报仇何须去这么多人？"

那分子人却只是一笑，并不回答，朝他一鞠躬，很快跑下山了。

待老朱追到山脚下的小镇时，心中那份不安的猜疑，果然得到证实。天已经亮了，静悄悄的街道上，躺了好几个人，全都是普通人装扮。有几个额头上还有伤，双目紧闭呼吸微弱，显然是被人打晕了。

老朱的心狠狠一沉。再抬头望去，恰好看到旁边的巷道里，一名分子人正从背后袭击另一名晨练老人。老人猝不及防，哼都没哼一声，就倒在地上。分子人沉默地低下头，将老人拖到旁边的地上，与其他人放在一起。

而这名分子人身后，还有更加广阔的民居。隐隐能听到许多脚步声跑动其中，不知又有多少无辜的人即将遭受攻击呢？

老朱震惊不已，冲过去，一把抓住那分子人的肩头，"你们不能这样！穆岩，你不能这样！你怎么会变成这样？"

那名分子人转头望着他，眉眼温和地笑了笑，更像他记忆中的穆岩了。

"朱先生，我没有办法。"他答道，然后转身就朝巷外走去。

老朱追上去，"不行，你们必须马上停下！"

然而分子人动作异常敏捷，他哪里追得上？眼看分子人的身影就要消失在巷口，忽然间，老朱看到一团白色光影，快如闪电，顷刻间便从对面街角，掠至巷口。分子人突然拔腿往另一边跑，像是要避开那团光影。可那光影竟比他更快，嘭的一声，他整个人都被扣在了墙上。许是撞击得太猛，他头破血流，晕死过去。

老朱惊疑不定地看着光影消失。

一个男人和一个女人，站在原地看着他。

他见过他们。

"你们……"

谢槿知开口道："朱馆长，让分子人进攻整个城市，最后两败俱伤，是你的初衷吗？"

"不，当然不是。"老朱立刻答道，目光锐利地盯着他们，"你们是什么人？"

谢槿知看向应寒时，他眼眸清澈地注视着老朱，"我来自和穆岩不同的星球。"

老朱神色一怔，但他也注意到应寒时背后还有根尾巴，况且刚才看到他匪夷所思的身手，心中已信了大半。

"但我同样守卫和平。"应寒时道。

老朱点了点头。

初次在图书馆门口相遇，他就注意到这个年轻人气质清雅不凡。他一生阅人无数，很清楚心思龌龊的人，或许可以伪装得单纯良善。但这样清澈干净直达眼底的眼睛，是无论如何装不出来的。

曾经的穆岩，也是一样。

"到底发生了什么事？"老朱问道，"杀死穆岩的人，果然是沈氏父子吗？"

应寒时颔首，将昨晚发生的事，简单说了一遍，然后道："我们成了沈氏父子的第二个目标。不过，沈远谦已死，沈嘉明也被我们俘虏。只是，分子人全部苏醒，并且意在向所有江城人复仇。"

"天马上就要亮了。"谢槿知说道，"你也看到了，一旦分子人全部进入城市，后果不堪设想。馆长，时间很紧迫了，我们要马上找到阻止他们的方法。你和穆岩、和分子人，到底是什么关系？你有没有办法？"

不知为何，谢槿知这个女孩，让老朱感到莫名的亲切。他眉头轻蹙，静了一会儿，答道："穆岩，是我的忘年之交。我利用风水之说，使得一百多名分子人进入沈家，的确是想查明他的死因，为他报仇。"

有关穆岩的故事，要从五年前说起。

那时老朱每天依旧在图书馆门口下棋。一个偶然的机会，遇见了穆岩。那个眼神同样清澈、温文尔雅的青年。看起来那么年轻，甚至还有些腼腆，棋艺却十分精湛。老朱自诩江城第一高手，竟与他连下十盘，都艰难落败。

棋品如人品。老朱观他棋路，光明磊落、大气浩然。甚至对对手还留有余力，不忍赶尽杀绝。

从那之后，老朱便将他视为平生莫逆之交。而穆岩亦对他极为尊重倾慕，每日都过来，陪老人下棋，或者探望。

有一次，老朱对他说："你心胸开阔，为人宽厚。唯独一条，心肠太软，太易信人。虽不知道你过去的经历，但今后对人一定要留防备之心。"

他却答道："我只知道，倘若我不先拿出真心，以诚相待，旁人又怎么会信我？"

老朱注视着他清澈的眼眸半晌，最终喟然长叹，笑道："算了，善有善报，穆岩就继续做穆岩吧。"

发现穆岩的秘密，是一个意外。老朱还清晰地记得，那是个秋高气爽的日子，两人相约去爬山。年轻人脚程快，老朱便让他不必等候，先到前头去。而老朱沿途欣赏风光，再去追赶他的步伐，倒也各得其乐。

谁知，却出了意外。

前几日刚下过雨，老朱走到一处悬崖前，极目远眺时，脚下竟忽然打滑，岩石松脱。刹那间他的心直直坠落，人也朝山崖下滚去，心想今天竟然要死在这里了。

电光石火间，他的手臂被人牢牢握住，堪堪悬挂在了岩壁上。他心如鼓擂地抬起头，背着光，看到穆岩安静坚毅的脸庞。

他陡然狂喜而笑，一把回抓住穆岩的手，两人共同使力，很快他就被救了上去。

他气喘吁吁地坐在草地上，眼前是连绵矗立的石柱林。他笑道："穆岩，你救了我这个老家伙一命哪。"

不知是不是他的错觉，此刻的穆岩显得格外沉默，似乎也有些局促。他只是点了点头，没有多说话。

老朱也没多在意，休息了一会儿，待心跳平复下来，起身道："我们走吧。"

"是。"

到底是在生死线上走了一遭，老朱也有些心神恍惚，往前走了一段，忽然回头，却发现穆岩并没有跟上来，已不见踪迹。

他心下奇怪，上山只有这一条路，刚要折返去找，却听到前方传来脚步声。

他抬起头，看到穆岩神色焦急地从上方石阶跑了下来。看到老朱，他明显一怔，然后缓缓露出温和的笑容。

"救你的，是我的分身。"他说。

后来，老朱便对这位来自异星的年轻人，了解更多。

知道每一根石柱，都是组成他的一部分。宛如发梢，宛如指尖。他单个人的力量或许并不可怕，但若有朝一日他以整体示人，那必然是庞大而不可战胜的。

"我不打算让他们醒来。"穆岩说，"否则必然在江城引起动荡，地球人恐怕也接受不了我这样的生命体。"

"那就让他们一直沉睡下去？"老朱问。

"是的。"他答道，"我们的生命，如同岩石一样漫长。即使地球人灭绝，我们或许都还在。就不要打扰地球人短暂而宁静的生活了。"

"如果他们醒来，会怎样？"老朱活了大半辈子，什么风浪没见过，但到底对这些外星人，存了好奇之心。

穆岩却静默许久，叹息了一声，答道："或许这就是进化的悲哀。如若他们全部苏醒，我的全盛状态。他们每个人，都会在极短的时间内，进化成与我拥有相同智力、战斗力、情感、思维的人。我们所有人的感觉是互通的，我想要做的任何事，他们其中任何一个做到，即是我做到。我大概可以做到无所不能。但是，我们的文明，也正是因此毁灭的。"

他没有再多谈，但老朱听完后，却长叹一声，抬头仰望星空，不胜唏嘘。

得知穆岩与沈嘉明在交往后，老朱劝过他："我看那沈少，眼神不正，并非良善淳朴的人。他们那些富家子弟，跟你不是一路人。"

穆岩却微笑道："没关系，嘉明不是坏人。"

原来早在穆岩和老朱结识之前，他就已认识了沈嘉明。

穆岩虽已抵达地球许多年，但始终和分子人一起沉眠于山上，数百架战机，也被他藏于深海之下。那时，他刚从休眠中醒来，独身下山不久，身无分文，又无身份证明，并不适应地球人的生活。只能到处打些零工，活得十分清苦，经常上顿不接下顿。

有一次饿得不行，他站在饭店外驻足观望，却有人一拍他的肩膀，爽朗地笑道："哥们，饿了？走，跟我进去吃。"

那人就是沈嘉明。

沈嘉明不是笨人，跟他交往几次，就感觉这个人不同寻常，所以待他更好。而穆岩也发觉，沈嘉明对一些超能力、超自然现象，充满兴趣。所以经常掏钱款待一些自称"能人异士"的人，即使是被骗了钱，也只是一笑了之。颇有中国古人的豪义之风。

有一次穆岩问他："你为什么想拥有超能力？"

他笑着答道："那样就可以拯救更多的人。"

也许那个时候，沈嘉明真的是怀有英雄梦想的——或许现在也是。只是穆岩不明白，他想成为英雄，只是因为自己，不是为了别人。而当穆岩所拥有晶片的能力，超出他的预期许多倍时，在父亲的劝说下，在巨大利益的诱惑下，沈嘉明虽有挣扎，但还是选择了彻底背弃这个朋友。

然而某一次，穆岩从沈家回来时，却明显有些失神。

老朱问他："怎么了？是不是与他们共同研发晶片的事，有什么不妥？"

穆岩抬起头。他的眼中，居然有略显局促的温柔。

"不是。我……在沈家遇到了一个女人。"

老朱一听就笑了，"噢？说来听听。"

"她……很神秘。总是在深夜，出现在沈家。没人知道她的存在，但我却总是遇见她。"他的脸上也浮现笑意，"每次她出现之后，第二天沈家就会丢东西。珠宝、装饰品、香烟……"

老朱很意外，"她是小偷？"

"不，她不是。"穆岩几乎立刻说道，然后顿了顿又说，"有一次，我白天也遇见了她。看到她把一串珠宝，丢给了一对可怜的正在乞讨的母子。"

老朱微愣之后，笑道："那是劫富济贫了？"

穆岩微笑道："也许吧。但是我告诉过她了，不要再这样。"

"那她怎么说？"

"……咳，她没理我，转身就走了。"

后来，就听穆岩说起了更多的"她"。

她会在很远的地方看他，在他起身去寻时，却瞬间消失。

当他站在研究室里，低头看那些仪器时，她会突然出现，站在他身边问："这些是做什么用的？"他耐心地一项项跟她解释，抬起头，却撞见她清亮好奇的目光。

某一天的深夜，他从沈家离开，没有任何人看见，她跟他并肩走在一起。他们说了一个晚上的话。

同在沈家的青年科学家傅琮思，似乎也察觉了她的踪迹，问过他："你这几天晚上在实验室，有没有看到一个女人？"

穆岩想起她的嘱咐，平生第一次撒了谎，说："没有，我没见过。"

"老朱，我想，我爱上她了。我想要跟这个拥有时空裂缝的孤独的地球女人在一起。"

"我想要跟她一起生活，不想让她再孤独一人。每当我看到她遮住容貌，避开所有人，在空间中穿梭，我的心中都非常难过。"

"等沈家晶片研究结束后，我就同她表白。我想，她一定会答应我。"

"我跟她，会永远在一起。我会陪伴她终老，然后在她死后，永远化为岩石守护。"

"她是我毕生所爱。"

"穆岩，说过那个女人的样貌和名字吗？"谢懂知缓缓地问。

应寒时的目光停在她的脸上，温柔而寂静。

老朱叹了口气，摇头道："没有。似乎那个女孩戒备心很强，穆岩答应她不对任何人提及她的讯息。大概也是怕有人得知她的秘密，进而伤害她吧。不过，他说过那个女孩总是穿着一身黑色的衣服。大概也只有穆岩一个人知道，这个能穿梭空间的女孩是谁吧。"

"后来呢？"谢懂知问。

老朱抬眸看着已经明亮的天色，答道："后来，穆岩就失踪了。没人知道原因，山上的分子人也不知道。他们说，穆岩平时是通过脑电波与他们联系，在那个晚上，突然中断了。但是他们能感觉到，穆岩已死。

"我怀疑这件事与沈家有关，正好沈家马上要重修庄园，我就利用这个机会，帮助那些分子人，进入潜伏了。"

"为什么他们会在今天晚上，突然发难？"谢槿知问。

应寒时代替老朱回答道："他们听见了我们与沈嘉明的对话，他承认杀了穆岩。"

谢槿知大致明白了。沈家父子城府极深，只怕几年来也绝不会对人谈及杀死穆岩的事。且晶片又被他们藏得很好，分子人没了主宰者，一时想要查明真相也不容易，于是选择继续潜伏等候。而且三年的光阴，对他们来说，大概只是弹指一挥间吧。

直至今天，一切水落石出。

"但是我没想到，他们的反应会如此过激。"老朱叹息道，"我以为他们找到真凶报了仇，就会罢手。没想到……穆岩生性纯良，那些分子人苏醒之初，虽然懵懂木讷，但也应该是随他的性子，并且越来越像他。为什么，他们的态度会这么激烈呢？"

"也许，是因为那个女人。"谢槿知轻声说道，"她今晚出现在沈家了，想要救我们却不能。然后她带走了晶片，她应该还受了重伤。也许，那些穆岩们都听到了。"

三人都安静下来。

应寒时抬眸看着老朱，"现在，有办法阻止他们吗？"

老朱沉思片刻，答道："能阻止这些穆岩的，只有那一个穆岩。"

应寒时和谢槿知都静默着。

"穆岩说过，他是通过脑电波与他们联系。因为分子人的结构，即使他本人死去，意识也不会真正死去。但是现在，我们并不知道穆岩的意识在什么地方。穆岩们跟他也断了联系。"

"他的躯体，被冷冻在别墅地下某处了。"应寒时缓缓说道。

"所以他的意识，很可能也被困在那里？"谢槿知看着他，他徐徐点了点头。

老朱赶紧说道："快带我去那里！"

"穆岩的意识，也许还活着？"傅琮思不可思议地望着他们，但眼中已隐有动容。

"是的。"谢懂知点头，"你知道他的躯体被冷冻在哪里吗？"

傅琮思立刻转身，脚步明显因为焦急有些不稳，"跟我来！"

天已经亮了，太阳还未升起。一行人跟着傅琮思，重新进入湖边的那座研究楼。到了地下一层，再继续往下。原来掀开角落的一块地板，还有楼梯通下去。

大概走到地下三四层的深处，暗窄的楼梯到了尽头，出现了一扇门。傅琮思站在门前，低声道："穆岩的尸体，就在里头。当时他被沈氏父子带来的医生解剖了，只剩一副残躯。他们就让我把他冷冻起来，说以后或许还有用。"

庄冲低低骂了一声，林婕掏出手枪，直接对着门上的锁，砰砰砰几枪打烂。而老朱已然老泪纵横，面如青铁。

傅琮思第一个走进去时，林婕忽然冷冷道："你最好有个充足的理由，解释你的为虎作伥、忍辱负重！"

她的语气不无讽刺，傅琮思脚步一顿，答道："我有苦衷。"

铁门被推开，迎面只感觉到阵阵寒气扑来，里面一片白色的阴冷。

谢懂知想起刚才老朱说过的话。穆岩说，想要陪伴那个女人到老，等结束晶片的事，就对她表白。

她忽然感觉到难过。

抬眸，看着身旁应寒时清俊的侧脸。是因为他，还是……因为那个她，自己才会对他们的悲伤，感同身受？

应寒时察觉到她的目光，侧眸看着她。漆黑的眼睛犹如黑夜中最纯净的颜色。他静默不语，只是握住了她的手，牵着她走了进去。

这个冻库里，没有太多东西。除了旁边的几个柜子，就是房间正中，一个极大的方方正正的冷冻柜，看起来正好躺下一个人。

傅琮思凝视着那冷冻柜，嗓音略有些哑："就在那里。"

众人都站在冷冻柜前，老朱的眼泪掉了下来，落在柜面上，轻声道：

"穆岩啊，可算是找到你了。"他伸手想要推开冷冻柜的滑盖，但大约是冻住了，纹丝不动。庄冲和林婕立刻上前，帮他一起推开。

"吱……吱……"滑盖缓缓被推开，一股股的寒气冒了出来。那个人的轮廓露了出来。

他的身体表面，覆盖着一层白布，所以看不清躯体被损伤的情况。只有头露在外头。那是一张跟分子人一模一样的脸。看起来不过二十五六岁，容貌清秀，眉眼干净。只是被冻住的他，脸色呈现死人的青白色。头发、眉毛、眼睫毛上都沾满了雪雾。

大家都静默着，老朱抬手捂住了自己的脸。

"安息。"谢懂知轻声说。

应寒时的眉宇间，一片寂静的温和之色。

过了一会儿，他开口："傅琮思，尝试过连接他的脑电波吗？"

傅琮思摇了摇头，说道："没有。"忽然露出惊讶神色，"难道你想用电脑，对接他的脑部神经元？"

应寒时徐徐颔首。

时间一分一秒紧张流逝。应寒时和傅琮思坐在桌前，两人不断低头讨论，调试电脑仪器，并通过数个传感器，与穆岩的脑部相连。

曾经在图书馆发生低等智能事件时，应寒时就提过，电脑只要找对频率，就能与人的大脑灰质相连，解读其语言。而且他也成功进入了电脑的虚拟世界，"杀死"了它。所以谢懂知很有把握，只要穆岩的意识没有真正死去，应寒时就一定能与他"对话"。

冻库里灯火通明，庄冲找来了几件大衣给大家披上，气氛陷入紧张的寂静中。谢懂知站在应寒时的身旁，望着他专注的侧脸，只是静静等待着。

终于，他抬起头，"捕捉到了。"

大家全围了上来。只见一台电脑屏幕上，监控图上显示微弱的电流起伏，暂时什么也看不出来。而冷柜中的穆岩，依旧纹丝不动，仿如沉眠。

"如何与他对话？"傅琮思问。

应寒时侧眸，看向穆岩，"我想，他的意识能听到我们讲话。"

所有人都是一怔，最后，目光都落在老朱身上。

老朱缓缓点了点头，双手扶着冷柜边缘，凝视着他的脸庞，轻声说："穆岩啊，是我，老朱。"

穆岩依然纹丝不动，电脑屏幕上的微弱电流，也没有任何异样起伏。老朱转头看了眼应寒时，应寒时用目光示意他继续。

"沈氏父子，都已落入分子人手中，你的仇已经报了，可以安心了。"他慢慢说道。

几秒钟后，不可思议的事发生了。电脑屏幕上，以很慢很慢的速度，自动跳出了一行字："不要再让沈氏伤害其他人。"

谢槿知等人心中俱是一震。他真的回应了！

老朱又喜又悲，几乎是立刻答道："不会！他们不能再害人了！穆岩，可是现在，局面失控了。分子人情绪非常激动，要向地球人报仇，不死不休。你能不能阻止他们？这样下去……"

这一回，等了很久，电脑屏幕上依然没有回应。

"穆岩？穆岩？"老朱轻声唤道。

终于，屏幕上缓缓跳出了一行字："我本来可以幸福地在地球生活下去。"

老朱的眼泪再度冒了出来，而看到这句话，其他人都变得越发沉默。

谢槿知的眼眶，忽然有些红了。原来幸福，真的是那么艰难的事吗？

突然间，她整个人都怔住了，然后缓缓地、缓缓地回头。

那个女人，来了。

她站在他们身后，吐着寒气的墙壁旁。依旧是一身黑衣，依旧蒙住脸，只露出似曾相识的清亮双眼。

她没有看他们任何人，只看着冷柜里死去的人。她的眼中，全是泪水。

应寒时等人也察觉了，霍然转头，望着她，一时间谁也没说话。

老朱失声道："是……是你？！"他猛地转头看着穆岩，"穆岩，她……来了！"

穆岩没有任何回应。

谢槿知红着眼眶，看着她。而她抬手捂住了自己的眼睛，却已泪流满面，"穆岩，我终于找到你了。"

没有人说话。

屏幕上像是近乎艰难地跳出五个字："清知，对不起。"

那个叫"清知"的女人，低下了头。她的嗓音极度哽咽："穆岩，让他们收手吧，不要再攻击人类。不要……让他们也遭遇不幸。"

穆岩沉寂了许久。

屏幕上再度出现一行字："答应我，你会幸福地生活下去。"

清知再度哽咽无声，几乎是颤声答道："好，我答应你，我会非常幸福地生活下去。我会让自己拥有很好很完美的生活。再也不会像从前那样……一切都会变得很好很好，很好的。"

谢槿知侧过头去，不看他们，而是望着冷硬结霜的墙壁。倏地手被握住，应寒时的手与她同样冰冷，每一根都与她交缠着。

林婕和庄冲都沉默无声，傅琼思却始终一眨不眨地盯着清知，眼眶也红了。

"他们会停下。"屏幕上终于出现了这样一行字。

但是，没人为这个危机就这样解决，而感到高兴。

"清知，离开吧。"最后一行字。

"好。"清知轻声答道，"再见，穆岩。再见……穆岩……"最后的声音，已经泣不成声。与此同时，她的周身都浮现银色光芒。

应寒时眸色骤然一敛，伸手就朝她肩膀抓起。然而她消失的速度实在太快，顷刻间已消失于空气中。应寒时没有丝毫停留，单手抱起谢槿知，犹如一团凌厉的光电，穿过楼梯，追了出去。

而他们身后，冻库中的电脑屏幕上，所有电流陡然消失，彻底消失，再也没有任何起伏和信号了。

然而当应寒时抱着谢槿知冲出地面，两人就同时愣住了。

黑压压的人，无数的分子人。

从研究楼门口，站满整个庄园，然后延伸到湖边。密密麻麻，足有数千人之多。

一模一样的脸。穆岩的脸。大概所有分子人，都在这一刻赶到了。

就在这时，湖的另一边，银光闪过。那是她跳跃离开的踪迹。但是有成千上万分子人的阻隔，应寒时却无法再追上去了。

应寒时紧紧抱着谢槿知，一起抬头看着她消失的踪迹。

所有分子人，也抬起头，仰望着那如月光般清澈的银光。一道道的银光，越跳越远，最终消失在远方。所有人的眼中，忽然都噙满了泪水。

大地寂静无声，谢槿知靠在应寒时肩头，看着太阳已经从山岭背后升起，淡金色的阳光，是那么温柔而灿烂地照耀在湖面上。

你知不知道？

每当我看到拥有时空裂缝的你，

孤独地穿梭在时空中。

都觉得非常难过。

我想跟你过一辈子。

再也不让你孤独，不让你恐惧，不让你寂寞。

我跨越了多少个光年，才有幸与你相逢。

我想跟你在一起。

永远永远，也不要分开了。

第四十九章

无法言说

早上七八点钟，是普通人一天开始的时间。

但对于夏清知来说，这一生，仿佛已经结束。

寂静而布满灰尘的楼道里，银光浮现。她低着头，站在其中，垂在身侧的双手，微微颤抖着。想要推门回家，竟半天也使不出力气。

吱呀，对面的门打开了，邻居走了出来，是一位四十多岁的妇女，看到夏清知，只是一撇嘴，就骂骂咧咧起来："我说我们小区，都住着些什么人啊？晚上出门，白天回家。一个女孩子不干点正经职业，小区素质真是越来越差了……"

她身后传来丈夫的声音："你就少说两句……"

"你闭嘴！"妇女骂道，看一眼夏清知，又说，"都搁这儿住十几年了，人家爸爸是赌棍，老妈跟人跑了。谁不知道？还整天摆个脸色，给谁看啊？我说就是三代不脱种，早点搬走早点干净！"

夏清知猛地回头，看了他们一眼。

这一眼，冰冷愤恨，只看得妇女一愣，心中竟冒出寒意。

然后，就看到她慢慢地笑了。

"啊！鬼啊！"楼梯间里响起妇女惊恐的叫声，哆哆嗦嗦跌回家里，望着夏清知家空荡荡的屋门，整个人吓得魂飞魄散。因为刚才，她亲眼看到夏清知就这么凭空消失了！

门外，女人的啼哭声和吵闹声不绝于耳。夏清知瘫软无力地靠在沙发里，举目四顾。

家具老旧，墙壁斑驳。但是柜子上却堆满各种东西。

精致的首饰盒，里面堆满钻石项链、翡翠玉镯；造型奇特的灯具、摆件、花瓶；各种雪茄烟的盒子；漂亮的海螺和贝壳；几叠大额钞票……琳琅满目，像是主人特意从各地搜罗的，但又不是很爱惜，所以胡乱扔在那里。

沙发旁的桌子上，还放着个檀木方盒，晶片的光芒透过缝隙，隐隐漏出来。盒子边上，放着件女式白色衬衣，一条浅蓝色的裙子。

夏清知的目光，停在那盒子上。静默良久，她抬头望向桌上的一个相框。

那是在某一天的夜里，她偷偷用手机拍下的。

穆岩一个人站在湖边，侧脸清秀，神色温和。那时他还不认识她，并未察觉她的跟随。

夏清知看着这照片，无知无觉，泪流满面。

天终于黑了下来。

刚刚入夜，街头都是人。夏清知照旧一身黑衣，只是没有戴面纱，而是戴了顶大帽子，遮住了大半脸颊。

她走在人群中，如同每一个夜归的人。很快，就走到了青年旅馆的楼下。

她抬起头，望着旅馆颜色素净的外墙。二楼的那扇窗开着，树枝在窗口轻轻随风晃动。

她站在原地，长久地凝视着，一动不动。

谢槿知睁开眼，首先看到的，是窗外的月亮。

银白皎洁，照耀着繁华空旷的城市。

他们回旅馆后，听说分子人的出现，的确引起一些骚乱。但现在都已平息下来，那些分子人，也都回到了山上。没有市民发现，石柱林曾经改变过。

他们，大概会继续守护"清知"吧？

谢槿知出了一会儿神，转头望着沙发上的应寒时。

回来后，他就一直待在她的房间里。虽然他并不多言，但谢槿知明白他执意寸步不离。

他还在睡。那么高个人，躺在又窄又短的沙发上。衬衫被压得皱皱巴巴的，一只手枕在脑后，另一只手却没处放，勉强搭在沙发边缘上，修长白皙的手指，几乎都要挨到地面了。

谢槿知轻手轻脚下了床，走到他面前，蹲了下来。

她静静地望着他。

看着他清雅如画的眉目，挺拔瘦削的肩膀，她有些不受控制地伸出手，沿着他的眉毛、鼻梁、嘴唇，一点点地往下触碰。

他的脸，他的脖子，他的肩膀与肋骨……

何其有幸遇见你，我多希望今后每一天都能这样拥有你。

过了一会儿，不经意间抬头，却看到他的脸和耳朵，都红了。

谢槿知说："你还要装睡多久？"她小声道，"越来越坏了。"

话音刚落，手指就被他轻轻抓住，他睁开眼，满脸通红，嗓音微哑："你在触碰我，不想让你停止。"

谢槿知的脸也有些烫，抬眸凝视着他。他的肤色净白如玉，身上有清淡好闻的气息，那双眼却如同黑暗苍穹，纯净深邃地望着她。

她低下头，在他唇上轻轻一啄，却被他顺势扣在了胸口。他看着她，一字一字清晰地说："槿知，已经有很多天，你不曾让我……彻底亲近。"

谢槿知胸口的一颗心也滚烫滚烫的，她想起两人疏离那几天，他压抑又强势地对她的那个亲吻；也想起在沈家凉亭里，她坐在他的大腿上，两人只是依偎着厮磨亲昵。

"来……"她轻声召唤。

他抱着她站起来，走到床边，将她放倒。谢槿知整张脸也红着，看着他低下头，整个人也覆上来。身后的尾巴像是不受控制地挣脱出来，摇了几下，就忽然垂下，将她的一只手腕缠住，按在了床上。

室内的每一缕空气，仿佛都沾染着暧昧燥热的味道。他如同之前每一次，吻过她每一寸裸露的皮肤，低低在她耳边唤着："小知……"

谢槿知的身体和心都彻底软掉了，伸手勾住他的脖子，说："应寒时，我真想永远跟你在一起。"

"我们会永远在一起。"他说。

谢槿知看着他的眼睛，不说话。

他明白的，明白她在担心什么。未来悬而未决，那一幕终将到来。

应寒时也凝望着身体下方的她。她依旧如同初遇时那般纤细柔弱，小脸却微微抬起，像是渴望得到他的呵护，却又透着固执的倔强。看得他胸中的情绪阵阵起伏着。

曾经，他从未品尝过爱情。

如今才明了，当男人心中有了女人，她的安静恬美，固然让人心动。

她的哀愁迷茫，却同样令人心甘情愿地为她所困。

他看着她，缓缓说道："槿知，穆岩的话，让我明白了一件事。"

谢槿知微怔。

"我……也可以像他一样，永远保护陪伴心上的人。"他的嗓音温软无比，"曜日人的平均寿命，是150到180年。我的寿命，或许比180年更长一些。你活着的时候，我每天陪伴你。你死之后，我就每天守在你的坟前，注视着你。"

他露出一点清风明月般的笑意，"这样，就是你要的……永远在一起。"

谢槿知伸手就抱住了他，轻声说："笨啊你，不许这样，绝对不许这样。"

他却不说话。

谢槿知的眼眶红了，两人就这么静静地抱着。过了一会儿，她闭上眼，小声说："应寒时，我想把什么都给你。"

她说得很轻也很快，同时就感觉到他的肩膀明显一僵。

谢槿知心跳得极快，抬起头，看向了他。

却是一愣。

他低着头，没有看她，整张脸和耳朵却已通红无比，红得就要滴下血来。连衬衫领口里的脖子根都红了。原本扣在她身体两侧的双手，似乎都有些发红。还有他的眼睛，尽管没有直视她，眼眶却都似乎因她这句话，被逼得有些红了。甚至连身后的尾巴，都不再肆意地舒展，而是勾住了一侧床沿，紧紧地勾住，像是也紧绷着。

谢槿知说这句话也是一时冲动，看他反应这么大，立刻后悔了，退缩了。

她马上改口："别紧张，我开玩笑的。"推开他想要起身。

推不动……

他对她向来柔和，此刻双臂却变得如铁钳般牢固。

他抬起了脸，潮红无比的脸，眼眸却异常清亮漆黑，直视着她。

"槿知……对星流说过的话，不可以反悔。"

谢槿知忽然感到羞窘，避开他的目光，"你这是要无赖。"

"明明是你。"

谢槿知不出声。哪知过了一会儿，忽然感觉到什么毛茸茸的东西，沿着自己的腰，正在往上爬。她低下头，看见了他的尾巴。而他只是看着她。

他缠过她许多次，却从未像今天这样，一圈一圈，一点一点，从她的腰缠上她的背，然后，是胸……绒毛擦过处，只令她每一寸皮肤都激起战栗，呼吸都颤抖起来。

她抬眸望着他，而他的脸依旧绯红，尾巴却坚定无比。

一寸一寸缠绕，挑逗着她。

他竟然……这样的坏。

屋内这么静，空气却好像下一秒就会被点爆。谢槿知的衣衫都被他缠得有些凌乱了，他却缓缓俯身，抱住了她，再没有进一步的举动。

两人的呼吸，都略微急促。

"我不会在这里对你……"

"嗯……"

过了一会儿，响起笃笃笃的敲门声。两人立刻松开，从床上坐起来。谢槿知抬头看到镜中的自己，简直媚眼如丝，衣衫凌乱，脖子上还有吻痕，衣服上甚至还掉了几根他的绒毛。

"你去开门。"她说。

应寒时坐得笔直，闻言不仅不起身，反而侧过脸去，只留竖立通红的兽耳给她。

"去啊。"她催促。

他的双手轻扣在膝盖上，"我……不太方便。"

谢槿知一怔，忽然明白过来。脸也热了起来，"哦"了一声，走向门口。

　　眼角余光，只瞥见应寒时如同雕塑般，静坐在原地不动。她忍不住笑了，心情却柔软得像一根根青草。

　　他真是……

　　这样的好。无法言说的好。

　　她定了定神，打开门，庄冲神色沉肃地站在门外，"傅琮思说他准备好了，可以向我们做出解释。"

第五十章
诺亚方舟

夜色清凉，城市寂静。

谢槿知跟着庄冲和应寒时，走进另一个房间。

从庄园离开时，傅琮思也被带了回来。门打开，就见他双手插裤兜站在窗前，背影清瘦。

他回头望着他们，露出微笑。而他的身后，墙上粘贴着许多报纸、影印件和照片，几台电脑也同时开着。大概这就是他需要的"准备"。

应寒时的目光掠过那些图片资料，开口道："请说吧，你的苦衷。"

傅琮思的神色变得凝重，"你们的天空，没有这样的裂纹，对不对？"

大家都是一怔，抬眸望着窗外的天。从跳跃到这个空间的第一天，他们就知道这个空间不太稳定，所以天空始终会有暗红色的隐约纹路。此时，天色尽黑，那些红纹就像遥远的火光，晕染其中。

"寒时，槿知，我对你们提过。六百年前、三百年前，江城分别发生过两次毁灭性的大洪水。我很羡慕你们的空间，那么稳定那么好。"傅琮思徐徐说道，"所有人都以为，这两次大洪水不过是普通自然灾害。可是一次偶然的机会，我读到一些史料，再结合我的检测结果，发觉事实可能并没有那么简单。"

他抬眸看着他们，"而你们的出现，更加让我证实心中猜测。"

谢槿知三人都听得非常专注。

有些模糊的感觉，从谢槿知心中一闪而过，却又不甚分明，只能等他更详细的解释。而应寒时坐在她身旁，安静如松，眉目清平，却不知他又想到了多少。

傅琮思那镜片后的眼睛，变得锐利。神色也透出几分清傲笃定。

"史料记载，三百年前，中国历史上最后一个封建王朝，江城时称'江州'，七月间，突发洪水。'洪荒之水天上来，其色若碧，其味如盐。''淹没江州十三郡，人畜尽亡，尸横遍野。'"

谢槿知和应寒时都听得一怔，庄冲也愣愣的。

"六百年前，我国最鼎盛的封建王朝。那时江州为九省通衢，富饶安宁，居民夜不闭户。可是史书同样记载：'七月流火，天裂地动。靛青之水，苦咸不得饮，如海波涛。江州尽毁，三十年不得复苏……'"

他的神色已变得沉毅无比，"这两点，是被记录在正史里的。但因为得不到合理解释，所以现在的科学家，更多推断史料不准，或者是古人夸张的形容，抑或是自然光折射造成的现象……可是，我又读了当时的许多野史、文人随笔、县志等，发觉那两次大洪水发生时，各种自然迹象，都与现在的江城十分类似。譬如天空红纹的色泽深度、密度，星空分布，大气浓度等，都几乎是一样的。"

他一口气说了这么多，然后望着他们，暂时沉默下来。

庄冲整个人仿佛都僵住了，定定地望着他，最先给出回应："草……一句都没听懂。"

谢槿知和应寒时却都没说话，显得若有所思。

傅琮思深吸口气，说道："我要说的是，江城地处内陆，即使长江发洪水，又怎么可能淹没整个城市，达到毁灭的程度，三十年无法恢复？为什么所有记载洪水都是从天上来的？而且还是蓝色、咸味的？"

庄冲怔怔地说道："蓝色？咸味？那不是海水吗？"

"是啊。内陆的天空，为什么会突然出现大量海水？"傅琮思几乎是字字千钧地说道，"因为我们身处边界不稳定的空间，因为你们的出现证明了平行空间的确存在。所以我现在可以断定：海水，是从另一个空间过来的。他们的发展，不一定与我们高度平行。并且那里的这个地点，正好是海洋。所以，当空间边界周期性不稳定时，就会产生裂缝，海水大量涌了过来，铺天盖地，造成毁灭性的灾难！"

屋内彻底沉寂下来。

庄冲嘴唇微动，却没有发出声音。因为连他都觉得，傅琮思这个推断尽管匪夷所思，却又十分合理。

谢槿知望着傅琮思清俊坦然的容颜，复又转头，望向窗外的天空，一时震撼无声。应寒时的神色却沉静无比，抬眸看着傅琮思，"你是否有更详尽的证据，证明你的结论？"

傅琮思点了点头，打开电脑，调出许多数据，展示给应寒时看。宇宙背景辐射值、物质密度、普朗克常量变化周期……谢槿知和庄冲并不懂这些，但他俩却交谈得十分专注。

过了一会儿，傅琮思抬起头，说道："我接近沈家，是为了得到他们的资金支持，继续研究这件事，并且试图阻止灾难发生。穆岩和晶片的出现，让我看到了一丝曙光。但我原本打算晶片的研究进展到一定程度，再对穆岩和盘托出，却没想到……杀他的事沈氏父子并未提前对我说，我来不及救他……

"从那之后，我就下定决心，一方面利用沈家的资金，继续研究；另一方面，想办法获得晶片，也许那会是阻止洪水的契机。我想穆岩在天有灵，看到晶片这样使用，也一定会欣慰。"

庄冲问道："你为什么不对外公布，寻求国家支持？何必与沈家为伍？"

傅琮思却苦笑摇头道："我想要公布，但是根本没有科学杂志愿意刊登。科学研究院也禁止我继续研究，认为危言耸听，会造成社会动荡。毕竟平行空间这种事，本身就是存在争议的。曾经的洪水不是洪水，而是另一个空间的海水？这个推断更加没人相信。他们更希望的，是我去从事那些'国家重点科研项目'，更容易获奖，获得社会关注。"

大家都没说话，傅琮思顿了顿，抬头望着窗外的天空。

"我是个科研工作者。毕生追求的，应当是真理，而不是名利和可笑的职称。也许追求真理的人，总是不会被他的时代所接受。但是我一心一意，只想造出能够挽救江城的诺亚方舟。"

谢槿知看向傅琮思的目光，已经发生变化，变得钦佩、感动。庄冲更是肃然起敬。这时却听到应寒时开口了："傅先生，我敬佩你的坚持，并且愿意不遗余力地帮助你阻止这次灾难。"

傅琮思目光动容，点了点头道："多谢。"

谢槿知望着应寒时清俊如玉的侧脸，心头柔软宁静。

"不过，你的推测应当准确，但是用错了方式。"应寒时缓缓说道。

傅琮思微怔，谢槿知和庄冲也感到不解。

应寒时坐得笔直，双手放在膝盖上，不疾不缓地说道："晶片，虽然拥有巨大能量，但并非万能。它更多被用来战斗，或者作为能源开发。海洋之水天上来，铺天盖地，你即使拥有巨大能量，又要如何抗衡？即使是我的光刃，可以击落战舰，却无法劈开海水，阻止它们淹没这个城市。"

傅琮思静默不语。他对来自外星的晶片，了解毕竟不多。之前只期冀着如何将晶片的能量引导出来，抵抗洪水。现在听应寒时所说，却真是找错了方向。

"那……应该如何应对？"他问道，"海水如果真的到来，量会非常大，并且非常突然。江城面积如此之广人口太多，又无法说服政府疏散，可以想的其他办法，我都想了，根本没有办法抗衡……"

他脸色灰冷，陷入沉思，谢槿知和庄冲也不约而同地望向应寒时。

应寒时站了起来，双手负到身后，走到窗口，抬头仰望天空。他的神色沉静无比，眼眸湛黑。谢槿知看到他的手指，在身后轻轻地一下下敲着，知道他在想办法。于是只是安静地望着他。

过了一会儿，他脸上浮现清淡的微笑，转身望着他们，"并非完全没有办决。我想治水，如同用兵。既然无法正面抗衡，那就避其锋芒，将它们先引导到无害的地方，再杀之。"

他们三人都是一愣，傅琮思眼睛一亮，激动道："你的意思难道是……"谢槿知也大约猜到他想的办法，心怦怦地跳着。

应寒时目光清亮，徐徐点头道："我们的战机上都装配有超光速引擎，可以进行平行空间跳跃。它们既然从空间裂缝中来，我们就想办法再打开一条裂缝，把它们引到别的地方去，绕开江城。"

大家心头都太过震撼，说不出话来。傅琮思的嘴唇动了又动，难掩狂喜之色，最后连声问道："那我们要怎么做？应该怎么做？"

应寒时沉吟片刻道："我说的方法，从理论上一定是可行的。具体怎么做，还需要做更详细的数据测算和模拟。"

傅琮思点了点头，但这个突破已经让他喜不自胜，在桌前坐了下来，叹息了一声，又笑了。

谢槿知和庄冲也笑了。

庄冲心头热血沸腾，走过去，颇为好奇地翻看傅琮思收集的那些资料。应寒时重新在谢槿知身旁坐下。谢槿知望着他依旧云淡风轻的样子，笑了。

早知道他心思沉敛，却原来可以这样运筹帷幄、足智多谋。他说治水如同用兵，那么曾经他带领舰队征战时，是否也是这样温润睿智的模样？

正想着，却见他缓缓转头，望着她。

面颊微微发红。

"槿知，你一直盯着我做什么？"

到底刚刚经历了床上的事，两人心中都有些不太平静。谢槿知转头看向一侧，"没什么，随便看看。"

这时，响起了笃笃的敲门声。庄冲走过去开门，林婕走了进来，脸上有微笑。

从刚才就没看到她，现在见她回来，大家并不意外。

不料她走进来后，身后又蹿出一个人。那人站在门口，高大无比，全身裹紧黑色风衣，连一根手指都没露出来，简直就要跟身后的夜色融为一体。

庄冲眸色一怔，露出惊喜的笑。谢槿知也睁大眼睛，应寒时则露出微笑。

果然就见那人反手嘭的一声关上门，然后一把掀开风衣帽子，露出凌厉的金属面孔，望着他们，却把嘴咧得大大地笑了，"亲爱的！小John来给你们助阵了哦！想死我了，么么么么哒！"

扑通一声，一脸震惊的傅琮思从椅子上掉了下来。

萧穹衍非常傲娇地看了一眼这个受惊过度的地球人，然后一转头，先跟庄冲大大拥抱了一下，"小冲冲！"

庄冲张开双臂，任由他的金属脑袋在自己怀里蹭了蹭。然后他扭头走向应寒时，当然是不敢蹭的，右手按住胸口，深深一鞠躬，"指挥官，我来支援了。"

应寒时温和一笑，"嗯。"

萧穹衍又咧开嘴，看向他身边的谢槿知，张开双臂，"小知知！"

谢槿知的笑容格外温柔，也朝他伸出双手，想要抱个满怀……

旁边适时地伸过来一只修长的手，将她往身后轻轻一挡。

谢槿知抬眸看着应寒时。他静坐不动，侧脸平和。手臂却不容置疑地将她的两只手都拦了下来，然后握在掌心，眸色沉静地看着萧穹衍，没说话。

萧穹衍好像这才突然反应过来，"啊"了一声，讪讪地放下手。然后又偷偷抬头看了眼应寒时，低声飞快地说道："我忘了，指挥官下过命令的，只有他一个人可以抱小知。我忘了我忘了对不起。"

谢槿知："……"

庄冲露出微笑，林婕静默不语，似是漠不关心。傅琮思颇有兴味地看着他们。

应寒时的脸颊浮现浅淡红晕，嗓音却沉稳笃定："傅先生，请把情况对萧穹衍再解释一遍吧。"

"好的。"

屋内响起两人交谈的声音，庄冲和林婕也转头过去听。

谢槿知这才感觉应寒时缓缓将她的手松开，约莫没想到会在众人面前被萧穹衍道破，那白皙的脸还红着。

谢槿知小声说："你居然还对他下过这样的命令。"

他的睫毛微微垂下，"嗯。"

居然答得这么坦然，谢槿知慢慢说道："就这么有占有欲啊。"

她的声音很小，就跟根羽毛似的，轻轻撩拨着他的耳朵。应寒时的耳朵立刻也红了，侧眸看着她，静默片刻，缓缓答道："你明白就好。"

谢槿知万没料到会被他反将一军，在他清亮的目光注视下，心中仿佛有阵阵甜意慢慢发酵。她低下头，脸也有些发烫。

很快，傅琮思就把情况跟萧穹衍讲述清楚了。萧穹衍双手叉腰站在屋子当中，想了一会儿，一拍脑袋说："没问题啊！指挥官想的办法简直不能更棒，放心，有指挥官和小John联手天下无敌，一定能把裂缝造出来！"

后半夜，谢懂知坐在旅馆二楼的露台上，喝着杯热咖啡，有些出神。

因为根据傅琮思的话，洪水随时都可能发生。所以应寒时已带着他和萧穹衍，开始了模拟测算工作。

寻找清知的事，也没有放松。根据谢懂知记忆中看到的，清知跳跃离开的几个地点特征，庄冲和林婕外出搜寻了。希望尽快会有线索。

谢懂知默坐了一会儿，听到身后响起脚步声，夹杂着吱呀吱呀的金属声。

谢懂知抬头笑望着他，"你怎么出来了？"

萧穹衍在她身旁坐下，答得理所当然："劳逸结合啊，我出来透透气。等明天天亮了，我可要一直憋在房间里，不见天日了呢。"

谢懂知笑笑，抬手摸了摸他的头。

萧穹衍很享受地在她手心蹭了蹭，然后抬头看着她，"小知，我发现你瘦了呢。还有指挥官也清减了呢。是这段日子，发生了什么不开心的事吗？可以不可以对萧穹衍讲？"

谢懂知安静地看着他。

她所预知的未来，并没有对他提起。可是现在，也不想对小John提起。不想让他也担心伤心。

静默良久，她开口："小John，我想拜托你一件事。"

"好啊好啊。"

她的语气温和无比："将来如果某一天，我死去了。人都是会有那一天的。你答应我，好好照顾应寒时，不要让他一个人生活下去。要让他开始新的生活。"

萧穹衍缓缓睁大了红眼睛。

明明小知说的是最正常不过的事，明明她的语气温柔平淡无比，为什么他的心中，却忽然感觉到难过呢？

他怔怔地望着她，却见她抬起头，仰望星空，唇畔挂着恬静的笑，像是在对他倾诉，却又像是自言自语。

"我曾经以为，两个人只有白头到老，只有相伴一生，才是圆满的爱情。我也以为，只有走过经年累月，水到渠成，才谈得上刻骨铭心的爱。可是现在遇到他，那么好的他，我才明白，真正的爱情，哪怕只有一年一月、一分一秒，这辈子，都忘不了了。"

与此同时，相隔数米的另一个房间里。

傅琼思将几台电脑的数据线连接好，一抬头，却见应寒时坐在电脑前，双手停在键盘上方，迟迟没有落下。眼眸如深潭凝滞，许久纹丝不动。

"应寒时，应寒时？"傅琼思轻声唤他，"怎么了？"

他仿佛这才惊觉，双手放了下来，眼眸微垂，静默不语。

应寒时再次回到谢槿知的房间，夜色已经很深很深了。

天还是黑的，月亮挂在树梢之上，房间里寂静无声。她躺在床上，呼吸轻匀，手放在被子外面，一动不动。

应寒时负手走过去，在床边凝视她片刻，然后在旁边的椅子里，坐了下来。

月光清淡得如同一层薄纱，落在地面上，也落在她的脸上。白皙而宁静的脸庞，像是最柔软的美玉，寸寸清透。

应寒时的一只手放在膝盖上，另一只手抬起，想要触碰她的脸，却又怕惊扰了她，缓缓又放了下来。

夜色静深，他坐在她的床畔，却像是坐在同样寂静的机舱里。脑海中，瞬间想起许多事。

想起十五六岁的年纪，他离家从军。那时便住在拥挤的飞行员机舱里，热闹、忙碌、勤勉、艰苦。但却有最赤诚良善的同伴，虽然后来，他们有的战死，有的退役，有的跟他一样，长留军中，辗转征战。

也想起后来种种，每一次战役，每一次受到嘉奖。坚硬如铁的太空堡垒，银河系边缘无声升起的炮火。他身边的人来了又去，职位越升越高，及至担任凤凰舰队最高指挥官，万千荣誉集于一身，人人说他是帝国当之无愧的少年英雄。

然后，便是他被剥夺军权，被囚禁。如果不是突然爆发的毁灭性灾害，如果不是曜日坠落，他大概会永生被囚禁于地下。再也见不到日月星辰，也不会遇见她，就这样结束一生。

他又抬眸，望向她。脑海中亦想起与她相识以来，那一幕一幕。

她站在宝安寺里，很冷淡地瞧着他，斥责他是骗子。

在大雨的高架桥下，他想要走，她却死死抱住他，几乎挂在他身上，要看清他的面目。

依岚山的山洞里、小溪中、麦田里，他牵着她的手，一步步走过。

在这个空间的宝安寺外，他抱着她坐在那里，她明明醒了，却不肯睁眼，安静地靠在他怀里。

还有刚刚，她对萧穹衍说，曾经我以为，经年累月水到渠成，才谈得上刻骨铭心。现在我知道了，只要与他相爱过一分一秒，这辈子都不会忘记。

应寒时将头缓缓靠在椅子上，闭上了眼睛。

他来自一个已经毁灭的文明，便如同时空中遗漏的细沙，曾经再多荣誉辉煌，终将在这个浩瀚的宇宙里，了无痕迹。如同从未存在过。

然而遇见了她才知道，半生戎马，铁血冤屈，人的渺小生命中再浓厚沉重的颜色，原来都比不过，她的床前，这一地温柔的月光。

次日傍晚，众人齐聚。

谢槿知并不知道应寒时曾经回过房间，望着他那淡淡的黑眼圈，暗暗有些心疼。而他察觉她的注视，目光清澈，若有所思。

"槿知。"他轻声唤道，"我们或许需要你的帮助。"

谢槿知微怔，就听萧穹衍朗声说道："小知知，是这样的。经过测算，我们已经建立了打开时空裂缝的模型。但是呢，我们原先是打算只用战机上的超光速引擎制造裂缝。可是你知道的，战机能制造出的裂缝，是用于跳跃的，只是一瞬间。然而洪水滔滔不绝，可能会持续一段时间。所以，我们需要一条持久存在的时空裂缝。"

谢槿知望着他们，神色沉凝。

持久存在的……时空裂缝？

"小知，你能看到未来，很简单，说明你的身边存在时空裂缝啊。"

这是萧穹衍曾经说过的话。

谢槿知沉思片刻，点头道："需要我怎么做？"

傅琼思答道："我对前两次洪水的资料，做过推测估计，理论上来说，只要这一次洪水的量，跟上一次相当，就不会有危险。我们会建立一个模型，捕捉你身边的时空裂缝，然后利用数台战机的超光速引擎，一起工作，就能打开足够大的、持续的空间裂缝，将洪水引走。"

"好。"谢槿知十分干脆地答道，"我会尽我所能。"

傅琼思说理论上来说，不会有危险。但即使有一定危险，她也肯定会去做。想到这里，她侧头看着应寒时。他也望着她，然后握住了她的手。

两个人之间，已什么都不必多说。

第五十一章
唯一的我

两天后。

天空飘着小雨，如同丝丝点点的细绒。树叶被洗得翠绿，空气湿润清新。

几顶帐篷，坐落其中。

谢懂知站在一顶帐篷里，透过布格小窗，望着外面的雨。

庄冲站在她身后。

"他们就快准备好了。"他说。

"哦。"

他停顿了一会儿，"会有危险。"

"我知道。"

她转头望着这位最亲密的伙伴，脸上有清淡的笑，"不到最后一步，谁也不知道结局是什么。其实何止是我，每个人的命运，不都是注定的？难道就因为我能预见未来，就放弃走好每一步？庄冲，我要控制自己的人生。"

庄冲沉默良久，只吐出一个字："酷。"

谢懂知微微一笑。

"你出去吧，我换个衣服就去见应寒时。我跟他约好了，去溪边走走。"

"好。"他转身挑开帐篷帘子，走了出去。

谢懂知走到水盆前，洗了把脸，闭上了眼睛。

雨声淅沥，打湿了应寒时头顶的树叶，也淋湿了他的衬衣。

但他并不在意，负手站在流淌的溪水旁。脚边是柔软的青草，看落叶随流水而去。

雨声模糊了他的耳朵，但是并不妨碍他听到轻盈的脚步声，渐渐靠近。

他转过头，看到谢槿知微微低着头，长发垂在肩头，双手提着裙摆，走向了他。

他的目光变得柔和，"好几天没有看到你穿这条裙子了。"

她轻轻"嗯"了一声，走到他身旁。

小雨在她的白衬衣上，留下点点斑迹，很快浸透进去。应寒时手边还搭了件薄外套，专门就是为她备着的，展开搭在她的肩头。

"谢谢。"她抬眸看他一眼，白皙纤细的手指，扣在外套上。

应寒时眉目清俊地笑了，负手走在她的前面。

"你说想到溪边走走，踩踩水。但是不许踩太久，会凉。"

"好的。"

她弯腰脱下鞋袜，提在手里，跟在他身后。应寒时听着身后窸窣的踩水声，眉目清和，步履徐徐地陪伴着。

"今天的事，纵然有危险……"他抬头望着远方，"我不会让你受到半点伤害。"

身后的她，似乎沉默了好一会儿，才答道："好，我信你。我一直是信你的。"

不知不觉，两人已走出离营地一段距离了。远处的那几顶帐篷，也被树林挡住看不见了。

她忽然开口："寒时，来树林里准备几天了，我也好几天没洗澡了。这里水很好，我想稍微洗洗，你去外面帮我守着，好不好？"

应寒时微怔，转头看着她。

她提着裙子站在溪水中，目光清亮坦然，似乎还有些许调皮撒娇的笑意。

"不许偷看。"她低声说。

两人对视片刻，应寒时转过脸去，"好。"他迈步走上山坡。

留在原地的她，看着他的身影消失在树丛背后，确定看不见了。她这才缓缓低下头，同时放下了手里的裙子，任由溪水肆意冲湿了它。

谢槿知闭着眼睛站了一会儿，睁开眼，低头看了看手表，跟应寒时约定的时间就要到了。

转身刚想换下睡觉时穿的衣物，就听到帐篷外响起萧穹衍的声音："小知，我可以进来吗？"

"进来。"

他挑开帘子，探了个脑袋进来，笑容可掬道："没什么，就是来给你说一声，半个小时后，我们就行动。"

"这么快？"

"嗯。"他用力点头，"因为这个空间的边界已经不太稳定了啊。我们刚刚测定过，半小时后是最合适的时间。仪器已经调整好了，这个时间一定不能错过。"

"好。"

他又探头四处看了看，"指挥官呢，没跟你在一起？"

谢槿知答道："我和他约好去溪边走走，他应该在那里。"

萧穹衍咧嘴一笑，"好的，那我就不打扰了。祝你们度过一段愉快的时光。走走也好，可以排解压力呢。一切一定都会顺利的。"

谢槿知也微笑点头。

他转头刚要离开，忽然又像是想起什么，回头看着她，"对了，小知，你猜我们的裂缝，最终会把洪水引到哪里？"

"哪里？"

"当当当当！因为数据一直在波动，所以刚刚我们才测定确认了位置，是几光年以外的太空啦！这是个非常完美的地点。如果引入大海里，可能会造成水平面上涨，甚至引发海啸；如果引入大气层，显然也是不行的。太空中就不同了，这些洪水顶多会变成一团星云状的水雾，永远浮动在那里啦。"

他讲完这番话，就兴冲冲地走了，并没有注意到身后的谢槿知脸色一变，然后慢慢地坐了下来。

太空。

萧穹衍说，洪水将被引向太空。

她没去过太空，但是可以想象出那里的环境。

辽阔、阴暗、寂静。

并且是完全没有一点声音。

她有些恍惚地想，必须马上告诉应寒时。结果是刚刚测定的，他应该还不知道。

再想应对的方法。

心突突地跳着，她飞快拿起放在单人床畔的衣服，脱下身上的T恤和睡裤，换上。

换完后，心神不宁地站起来，刚要走向帐篷口，突然一怔。

她的眼前，闪过了一个新的画面。

一个从未见过的画面。

那是一扇紧闭的窗户。黑色的窗帘半掩着，她正从里头向外望。

外头，有一只鸟无声飞过。然后，是一座陌生的高楼。高楼上有面钟，时针指向9点32分。

她闭上眼静默片刻，却看不到更多。于是她走到床畔，拿起背包，翻出一支笔，却没有找到纸，只翻出曾经想要交给应寒时的那张卡片。

卡片的边缘已经有些磨损，字迹却依旧清晰深刻：槿知愿与寒时白头偕老。

她心头一暖，将纸片翻过来，在背面写下"9:32"这个时间。

她将纸片和笔暂时放在床头，起身刚打算离开，不经意间瞥见床头矮凳上，放着的那面小镜子。她的身体陡然顿住，后背蹿起一阵强烈的寒意。

她的衣服……她正穿着的这套衣服……

她缓慢地低下头，看着身上的白色衬衣以及下身的浅蓝色长裙。

整个世界仿佛都寂静下来，耳边只有帐篷外稀疏的水声，像是隔了一个世纪那么远。

她的双手都浸出了冷汗，尽量让自己冷静下来，回忆着。

刚才得知裂缝会通往太空，她有些心神恍惚，拿起床边的衣服，看都没看，下意识就换上了。

但她清楚记得，放在床边的，明明是件长袖T恤和深灰色长裙。谁把它们换走了？

而且……这身象征不幸的裙子，不是早在青年旅馆时，就被她扔掉了吗？

全身彻骨发寒，抬手刚要脱掉，却已来不及了。

狭窄的帐篷里，她清晰地感觉到另一个人的气息，另一个人的存在。

她抬起头，看着就这么出现，站在自己面前的女人。

同样的长发，同样的长裙。而她的那张脸，谢槿知这一生已看了无数次，熟悉得不能再熟悉。

那是跟谢槿知一模一样的脸，只是眼神冷寂无比。

唯一的区别，大概是她没有穿鞋，赤足站在那里。裙子下摆，已经湿了一大片。

两人沉默凝视了一瞬间。

"来……"谢槿知几乎是立刻做出反应，但是呼救声依旧没来得及发出。

她嗓子里刚冒出这一个字，刹那间银光已至她的面前。夏清知冷着脸，握住她的胳膊，银光如同盛开的繁花，在两人身边绽开。谢槿知的眼前，已是物转人移。帐篷、森林、天空、城市……如同流泻的光影，从她俩身边掠过。

仿佛任何东西，都再也停不住。

在夏清知的时空裂缝中，谢槿知只晕眩了很短的时间。

当她再次睁开眼，发现自己已经到了一个陌生的房间里。

她被绳索牢牢绑在了椅子上。而夏清知坐在离她一米外的床上，双手按在床沿，目光清冷。

这大概是夏清知的卧室。布置得很简陋的房间，桌上柜上却堆满了各种东西：珠宝首饰、漂亮的衣物、装饰品……

谢槿知的双手暗暗挣了挣，发现挣不脱。她抬眸看着清知，"你想做什么？"

尽管之前，她对夏清知和穆岩的爱情，是同情的，甚至会感同身受。她也大致猜到，同样拥有时空裂缝的夏清知，会不会就是这个时空中的自己？

　　但是她万没料到，夏清知会突然出现，将她掳走，并且还换上了跟她一样的衣服。

　　谢槿知心中，浮现某个可怕的猜测。

　　难道她是想……

　　"知道吗？"夏清知也抬头看着她，两人甚至连神态语气，都是十分相似的，温婉中带着疏离，"我第一次看到你，你穿的就是这身衣服，站在那个外星人的身边。当时我想，这条裙子，你穿着真漂亮。"

　　"你想做什么？"谢槿知冷声说。

　　夏清知低下头，赤着白皙纤细的双足，一下下踢着床边垂落的被子。

　　"谢槿知，夏清知。我曾经听穆岩讲过平行空间的存在，据说我们俩这样的存在，是千万分之一。"她的双手轻轻攥住床单，"可是我们两个这样相似，为什么命运差这么多呢？"

　　谢槿知静默片刻，答道："每个人都有自己的命运。即使我们相似，也是不同的人，没必要相比。"

　　"是吗？"夏清知笑了笑，说，"我从小……那时候不太能控制裂缝，所以经常走着走着，就走丢了，到了我自己都不认识的地方，吓得大哭。我的爸爸妈妈，因此搬了很多次家，可我还是被人视为异类、怪物，连我爸妈看我的目光，都很古怪。"

　　"当然了。"她淡淡地道，"他们的婚姻，所谓的家，也没有维持多长时间。我就一个人生活了。

　　"我很少出门，我也没有兴趣交朋友。可是看得出来，你生活得很好，你的身边，都是为你好的朋友。

　　"我们拥有同样的裂缝，你活在阳光下，我却生活在黑暗中。

　　"直至遇见了穆岩，我以为这一次，上天终于厚爱，我终于会拥有幸福。可是连他，也死在黑暗中了。"

　　她讲这些话时，语气是非常平静的，目光也显得清亮安静。

　　"我答应过穆岩的，要开始新的生活。完美的、幸福的生活。"她看着谢槿知，"你既然能洞见未来，那你是否看到，我打算对你做什么？"

谢槿知的心头，有阵阵冷意淌过。

夏清知的意图，不需预见。她不相信眼前清秀冷静的女子，会做出这样的事。但是她的目的，已经十分明显。

"你想……成为我？"

"嗯。"她轻声答道，然后抬手捂住了自己的脸，"对不起，谢槿知。对不起，我想过自杀，但是我承诺过穆岩的，怎么办呢？我爱他已经爱到骨子里了，我不能死。我要开始新生活。我再也不想，不想在这个黑暗的空间里，多待一秒钟。我想成为你，我好想成为你。身边有朋友，也许还会有亲人对不对？你的外星爱人，不曾死去。他会永远陪伴你，他也会永远陪伴我。刚才我代替你，去溪边见过他了，他并没有认出我和你的差别。他现在还听我的话，在那里等着，我会马上去他身边。只要你留在这里，只要我跟着他去了那一个空间，清知就会成为槿知。"

谢槿知只感觉到全身的血脉，仿佛都在慢慢凝结。她缓缓地、一字字地说道："你冷静下来，应寒时不是穆岩，你爱的不是他。"

她抬起头，平静地注视着谢槿知，"我知道，我永远也不会爱上他。我很冷静，我要的只是那一份命运。我要这辈子，还可以推倒重来，跟他白头到老。"

"他会认出来的。"谢槿知打断了她，"应寒时会认出来的。你不要做傻事。"

夏清知却只是摇了摇头，不再多说，起身，走到了旁边的厨房里。谢槿知看到她拧开了燃气阀门，然后拔掉了管子。

空气里瞬间弥漫着刺鼻的煤气味。谢槿知这才注意到，每一扇窗户，都是紧闭着的。她心头一震，夏清知竟然……

"对不起。"夏清知低声说，"我要做唯一的槿知。"

银光乍现，她的裙摆消失于空气中。屋内变得空荡荡的，只余谢槿知一人，动弹不得，闻着煤气味道，越来越浓。而当她抬起头，看到黑色窗帘外，飞鸟无声掠过。高楼上的时钟，刚好指向9点32分。

夏清知瞬移到了溪水旁。

周围依旧是安静的，她离开不过几分钟时间。

她弯腰，用水打湿了脸庞和头发，然后提起鞋袜，走上了山坡。

远远的，就看到一个男人背对着她站在树下，似乎依旧等待着。

"我们走吧，寒时。"她说。

第五十二章

予我永恒

空气的味道很刺鼻，让人感到窒息。谢懂知想要移动，却发觉连椅子也被牢牢绑在床脚上，她动不了。

意识渐渐有些恍惚，心跳也急促得厉害。今天引导洪水之后，他们就打算回原来的空间。应寒时难道会带那个女人回去？

还有煤气。如果在封闭的空间里煤气中毒，或者煤气爆炸之后，人的耳朵里，也是听不到声音的吧？

她看到的那一幕，到底是谁抱着谁？

会是应寒时抱着因煤气死亡的她，还是被洪水冲到太空中的夏清知？

正迷迷糊糊地想着，抬眸又看到了窗外的钟。

9:32。是她预见的那个时间。

写有这个时间的纸片，被她留在帐篷里了，会被人看到吗？抑或看到也联想不到被替代的她？

夏清知，夏清知。她怎么可能对自己做了这样的事？

又用力挣扎一遍，还是徒劳。她强迫自己冷静下来，闭上眼，想要看到更多未来，想要看到逃生的办法。

周围变得很静很静。只有厨房里，煤气滋滋轻响着。还有从今晨起就连绵不断的小雨，打在玻璃上的声音。

哗啦——崩裂的巨响传来，像是玻璃大面积被撞碎的声音。

谢懂知倏地睁开眼睛。

通往阳台的玻璃门已全被撞碎，一个人影站在那里。满地都是破碎的玻璃和门框，他全身都被雨淋得湿透了，抬起头看着她。兽耳尖尖立起，尾巴在身后扬起。湿漉漉的短发，紧贴额头，眉眼轮廓更加生动分明。

他用那寂静得仿佛深渊般的双眼望着她。

谢槿知的眼眶一下子湿了，紧咬下唇，不知该哭还是该笑。他只在窗口停顿了一刹那，立刻就如同一阵风一般，掠到她面前，抬手就扯断她身上的绳索。谢槿知立刻跳起来，他一把就将她扣进怀里。

郊外，丛林中。

夏清知走向那个背对她站立的男人，"寒时，我们走吧。"

男人转过头来。

夏清知一愣。

庄冲奇怪地看着她，"连我和应寒时的背影都认不出来了？"他顿了顿，微微一笑，"还是说我的背影跟他一样帅？"

夏清知静默不语。

庄冲迈步走在前面，"快走吧，找你们半天了，应寒时呢？裂缝打开的时间马上就要到了。萧穹衍说呼叫他的通信器，没有反应。"

"哦，我也没看到他。"夏清知答道。

"你是怎么找到我的？"谢槿知仰头看着他。

清新的空气大股大股地涌进来，她已不再感觉难受了。

应寒时单手搂着她的腰，从衬衫口袋里掏出了那张卡片。"槿知愿与寒时白头偕老"几个字，赫然在她眼前。而他凝视着她，翻过面，就是她留下的"9:32"这个时间。

"我找到了那面钟。"他答道。

原来，在溪边时，应寒时就发觉了"她"的不对劲。再回头，发现原地已没有人影。他当机立断就跑到谢槿知的帐篷里，却发现已空空如也，只有落在床上的这张卡片。

谢槿知提过，上次在沈家庄园他也目睹过，夏清知的空间跳跃并非是万能的。她每次只能跳跃既定距离，留下银光痕迹，然后反复跳跃以去往目的地。

　　夏清知的瞬移，和他的步力谁更快，他并不清楚。但是他立刻跃上高空，开始了追赶。

　　他看到的第一道银光，已在几公里外的天空中。

　　然后开始全力飞奔。

　　以从未有过的接近战斗力临界点的速度，在江城高空连续跳跃，追逐那转瞬即逝的银光。此时如果地面有人抬头，会看到雪白的宛如流星飞逝般的光芒。他甚至能感觉到脸和耳朵被风割得微微刺痛，手中的光刃甚至都控制不住时时都有可能甩出。

　　终于，在一道模糊得近乎看不出的银光之后，他看到了对面高楼上的那面大钟，于是立刻从高空跃下，再反复弹起，一幢幢楼，一扇扇窗，寻找起来。

　　终于，在这扇挂着黑色窗帘的玻璃门背后，看到她模糊的剪影。他再无迟疑，心几乎是狂跳着，撞了进去。

　　然后就看到了她，骤然被点亮的双眼，悲喜交加的脸庞。

　　抱着她柔软的娇躯，应寒时心中怜意更盛，低下头，脸与她轻轻贴在一起。

　　谢槿知将他的窄腰抱得紧紧的，但还是不解，"那你是怎么认出她不是我的？"毕竟连她看到，都觉得两人的身形、动作、语气都很相似。到底是应寒时敏锐过人，还是她哪里露出了马脚？

　　应寒时低眸看着她。

　　"槿知，你若仔细看就会明白。她看着我，却像在看另一个人。她永远不会用你这样的眼神看我。"

　　谢槿知心头一震。

　　她以为会是非常惊险侥幸的原因，却没想到答案这样简单。

　　她的眼神吗？

　　她平时是用什么样的眼神看着应寒时？连她自己都未察觉，他却看得那么分明，看进了心里。

"应寒时……"她将脸埋进他怀里。

再也再也不要松手了，再也不要与他分开了。

应寒时任由她抱了一会儿，才松开手，"站在这里别动。"

谢槿知点头，看他走向厨房，关闭了煤气阀门。将煤气罐拎起时，他微怔了一下。

"怎么了？"她问。

他走回她身旁，说："煤气罐已经空了，里面没有多少煤气。"

谢槿知也怔住。

夏清知筹谋已久，不可能犯这样的错误。

她并不想置自己于死地。

"到我背上来。"应寒时说，抬起清亮眼眸，望着远方的天空，"空间裂缝是按照你的身体数据测算的。她身边的裂缝比你更大，很可能会出问题。"

"嗯。"谢槿知跃上他的背，紧紧搂住他的脖子，"我们去阻拦她，她很可能会死。"

他背着她，跃过一座座楼顶。地面有人发现了大声惊呼，但是他们已顾不上了。谢槿知的脸轻贴在他的脖子上，抬起头，看到天空的雨越落越大，乌云也如同一团团化不开的墨，笼罩在头顶，像是预兆着洪水即将到来。

很快两人就被淋得全身湿透，谢槿知脸上全是水，伸手抹干，又替他擦了把脸，却听到他温软的嗓音传来："小知，怕吗？"

"不怕。"她答，"生死对我，本来就不是那么重要的事。"

他没回答，她却看到他的侧脸线条变化，似乎是笑了。

谢槿知将他的脖子搂得更紧，也慢慢笑了。原本她恐惧着这一天的到来，可现在真的到了，跟他在一起，心中竟是洒脱而了无牵挂的。

而他原来也是如此。

"应寒时，你真好。"她轻声说。

说话间，两人已到了那片熟悉的树林。远远望去，就见空地上站着几个人，正是萧穹衍、庄冲、林婕和始终驻守在郊外营地的苏。

看到他俩，大伙儿都是一惊。萧穹衍大力揉了揉自己的眼睛，"小知？！你不是跟傅琮思驾驶战机去天上了吗？还有指挥官，你终于回来了！"

林婕和苏神色都是一震，看了看应寒时，应寒时点了点头，他俩反应过来，复又抬头望着天空。

唯有庄冲，静静凝视谢槿知片刻，上前一步，冷冷逼视，"纳米人？"

谢槿知说："庄冲你给我滚。"

他顿时一僵，"啊……"

应寒时开口："那一个是清知，同样拥有时空裂缝，能够瞬移的女人。萧穹衍，情况如何？"

尽管震惊不已，萧穹衍还是立刻镇定下来，哭丧着脸答道："指挥官，情况很不好。空间裂缝已经打开了，洪水也已开始引导。但是洪水的量，竟然远比我们预料的大，而且小知……不，清知的裂缝，竟然不太稳定。哦，我早该想到的，她的参数跟小知不一样。我们正想着怎么上去援助，清知和傅琮思，肯定就快扛不住了！洪水的量再大，裂缝再波动，他们俩一定会被冲进太空中去的！"

"我去。"应寒时迅速说道，"给我一架战机。"

林婕和苏同时上前一步，"指挥官……"

"你们去了也于事无补。"应寒时打断他们，"你们不懂计算机，战斗力难道能与洪水抗衡吗？"

他俩瞬间噤声。谢槿知望着应寒时，他的嗓音依旧不疾不缓，沉稳笃定。可清俊的脸上，全是果毅而不容人质疑的神色。那乌黑的眼睛里，淡色浮动，如此温润，却又光华迫人。

谢槿知抓住他的胳膊，"我跟你一起去。"

他低头看着她。

她也固执地望着他，"也许替换成我，就能稳定下来。而且我说不定能看见关键的未来。咱们不能分开。"

他反手握住她的手，拉着她跳上了苏刚刚开过来的战机。

天空乌云密布，电闪雷鸣。放眼望去，到处都是混沌一片，白昼却宛如黄昏。下面的江城，也被阴暗覆盖。

应寒时驾驶战机，一个近乎垂直的上冲，就到了云层之中。想起来，这原来是谢槿知第一次看到他开飞机的模样。他坐得笔直，后背紧贴驾驶椅，修长双手搭在驾驶仪上，白色衬衫还往下滴着水，那么清瘦的身影，却令人感到无比沉稳可靠。

窗外，云层如同海浪般滚动着，应寒时穿梭的速度极快，谢槿知只看到一团团云朝机舱撞过来，又瞬间消散。那感觉简直与坐过山车没有差别。

她不得不闭上眼睛。

"怕吗？"他问。

"嗯。"

忽然听到腰间的安全带轻轻一响，弹开了。她睁开眼，却被他握住了胳膊，拉了过去，坐在了他的大腿上。他重新系好安全带，将两个人绑在一起，一连串动作一气呵成。

谢槿知靠在他怀里，闻着他衬衫上潮湿的水汽，哪里还有恐惧？抬起头，看见他依旧专注地望着前方，唇角却有温和安抚的微笑。

"还怕不怕？"

"不怕了，你好好开。"

她把头靠在他的胸口，跟他一起看着前方。

云海中，出现了一道持续的银光。比她之前见过的每一次，都要狭长明亮，几乎要刺痛人的眼睛。就像一道弯月，悬挂在那里。

应寒时驾驶战机，冲进了银光中。

海水。

四处都是碧蓝澄澈的海水，他们明明在天空中，却像是在汪洋大海里。海浪阵阵翻滚，来势凶猛，战机瞬间被打偏了方向。谢槿知感觉到应寒时的手肘猛一使力，才将机头移回原来的方向。

"他们在那里。"应寒时低喝道。谢槿知抬起头，果然看到滚滚波浪中，另一艘战机隐隐冒出头，但又立刻被海水淹没。

应寒时的战机瞬间加速，同时一个凌厉的翻滚，躲过了迎头而来的巨浪。谢槿知瞬间头晕目眩，紧抓着他的衬衫，再定神一看，他们竟已跳出水面，笔直地朝那一艘战机漂流的方向追过去。

海水无边无际。谢槿知知道，现在他们正身处时空裂缝中，所以空间的概念已经不能用常理衡量。也许在地面的江城人看来，这里不过是天空的一团乌云，一道闪电而已。

很快就追上了，远远就望见，那艘战机竟然已破损不堪，机翼折断了一半，机舱的门也半挂着，眼看就会掉落。一个人抓着驾驶椅，随着战机摔来撞去，眼看也要掉出舱门，掉进海洋里。不是傅琮思是谁？

"傅琮思！"应寒时飞快接通通信器，同时将机头朝他靠近，"我开启舱门，你想办法爬过来。"

勉强支撑着的傅琮思，应该是听到了机舱里传来的声音，霍然转头望向了他们，脸上露出苍白而喜悦的笑。

"不，快去救……清知！"他看着他们，像是已洞悉了所有，"她被海浪卷走了！"

应寒时和谢槿知脸色都变了，谢槿知大声喊道："发生了什么事？"

傅琮思用尽全力抓住座椅，咬牙答道："海水的量，太大了！而且越来越大，我发现了她是清知，已经根据她的数据，调整过裂缝了。但是……裂缝打开得太大，我们的战机被海浪撞毁，她身上有裂缝，像是被空间的能量吸走，冲进了海浪里……"说到最后，他居然哽咽着吼道，"先不用管我，救她！应寒时，这是我的选择！"

谢槿知看向应寒时，他的脸色清冷无比，只答了一个字："好。"然后骤然掉转机头，丢下了傅琮思，驶向茫茫海浪。

果然如同傅琮思所说，海水越来越澎湃。无数高墙般的大浪卷起，朝他们的战机迎头砸下来。应寒时的战机却像是鬼魅幽灵，以不可思议的速度和角度，在其中穿梭翻转，堪堪躲过了每一次灭顶之灾。

"在那里！"谢槿知惊呼，顺着她指的方向，只见层层海浪中，一道虚弱的银光一闪而逝。夏清知苍白而坚毅的面孔露出水面，像是正拼尽全力挣扎着，想要瞬移出水面，却又被洪水彻底打落下去。

明明之前她还在加害于自己，可看到她此刻的模样，谢槿知却只觉得肺腑里阵阵哀痛的寒气在翻滚。

救她！

这个念头强烈地冲进脑海里。

然而更大的危机已朝他们袭来。迎面只见一道巨浪平地拔起，宽广得望不见边际，挡在他们和夏清知中间。而他们避无可避，巨浪已迎头砸了下来，如同蓝色透明的狰狞巨兽，扑向自己的猎物。

"哐当——"谢槿知听到了机身崩裂的声音，海水已经从四面八方灌了进来。与此同时，腰间一紧。应寒时抱着她，从座椅上一跃而起，刹那间一道雪白而磅礴的光刃，如同更明亮的月亮升起。劈开他们面前的机舱，也劈开了海面。他们一下子冲出水面，跃上了高空。

谢槿知全身都紧绷着，只能抱紧他的腰身，听着耳边澎湃的海浪声和呼呼风声。应寒时单手抱着她，白皙湿透的脸庞，浮现冷酷神色。抬手就往后丢出一个光刃，砸在水面上。海浪被击起，撞在他的后背上，他竟然如此机敏，借力就往夏清知的方向跃去。

扑通一声，两人掉进海水里。但他的手如同铁钳般箍在谢槿知的腰间，海浪分毫也不能将他俩分开。谢槿知喝了好几口苦咸的海水，眼睛也涨红了。随波逐流间，就看到夏清知在离他们不远的地方。

应寒时单手划水，带着谢槿知，一点点朝夏清知艰难靠近。

夏清知也看到了他们，目光怔然，脸色越发苍白。

"把手给我。"应寒时喊道。

谢槿知直视着她，"我们带你出去！"

眼看周围的浪更大了，夏清知一咬唇，伸出手。应寒时一把握住了她的手，同时手中光刃犹如一把弯刀，划开水面。他借机拉着两个女人，高高跃出水面，逃离了海水的桎梏。

尽管周围环境还很险恶，谢槿知的心却稍稍定下来。因为凭应寒时的能力，她相信他能把她们两个带出去。

应寒时显然也抱着这个念头，牵着她们两人，多次连续跳跃，朝头顶上方那道银色的裂缝出口奔去。

就在这时。

夏清知忽然用力一挣，应寒时猝不及防，她竟从他手里挣脱了。应寒时和谢槿知同时惊诧回头，却见银光浮现，夏清知跳跃离开了。

紧接着一股大浪袭来，应寒时无暇多顾，抱紧谢槿知，用自己的后背迎向了巨浪。听到浪花打在他身上发出的巨响，看着他清毅的容颜在自己脸颊上方，谢槿知心头剧痛，漫天覆地的海水间，只能将他抱得更紧。

好不容易水波暂时平息，她在他怀里抬头望去，却惊讶地看到，一道银光就在不远处。

不，夏清知没有离开。她是要……

只见水波中，一个人影若隐若现，不是傅琮思是谁？他已经被冲进海水里了，而夏清知的身影骤然浮现在他上方的银光中，一把拉住了他的手臂。

她是想要救他。

可她纵然有瞬移的能力，刚才也只是勉强从海浪中脱身。如何还能负担另一个人？她想做什么？

地面上。

萧穹衍等人抬头，望着天空的那片乌云雷电。

林婕的脸色已经非常难看，转身就走向战机，"我去支援他们。"庄冲转身跟着她就走。

"站住。"一向沉默的苏冷声喝道。

萧穹衍都快要哭出来了，摇头道："不，你们不能去，我检测过了，洪水即将达到最后的峰值，裂缝也会变得极不稳定。你们进去也是送死，现在只能看指挥官，能不能把他们救出来了！"

大家都没说话，林婕的脸色灰白一片。就在这时，庄冲"咦"了一声，指着天空，"那是什么？"

众人回头，竟然看到灰暗的苍穹之上，数架他们从未见过的战机，如同离弦之箭，划出一排排银色的流光，升上了天空。

萧穹衍一把抓起胸口的望远镜，看清那些机舱里的人后，惊呆了，"是穆岩，是穆岩们！"

每一架战机上，都坐着同一个面孔。他们表情坚毅，义无反顾，朝裂缝冲去，瞬间就消失在银光里。

海水更加汹涌了，仿佛震怒的巨兽，发出翻天覆地的吼叫。这个空间，似乎也变得混沌一片，摇晃不定。

谢槿知和应寒时陷进了一片巨大的漩涡中。尽管他不断劈开水波，却又不断被更剧烈的水浪缠上来。然而他自始至终都抱紧了她，没有松手。谢槿知紧咬牙关，在他的怀抱里浮浮沉沉，恍惚间却看到无数道流光出现，看到那些战机乘风破浪而来，看到一张张穆岩的面孔闪过。

那些战机中的许多架，瞬间被海浪打得粉碎。许多穆岩掉落，瞬间淹入大海中，不见踪迹。余下的幸存者，艰难地往前穿梭，往前奔赴。

有两架掉头往下，撞开了包裹应寒时和谢槿知的漩涡，然后瞬间就被海浪卷走。应寒时抱着谢槿知，往上高高跃起，光刃变得无比凌厉狠辣，撞开迎面而来的一道道巨浪，带她往出口冲去。

谢槿知趴在他的肩头，模糊摇晃的视线里，却一眼看到了夏清知的银光所在的位置。海平面之上，突然响起傅琮思痛苦的呼喊："不——"

一道前所未有的银光骤然浮现，他竟然被夏清知从海里拉了出来，然后丢进了那道堪堪打开的时空裂缝中。傅琮思的身影瞬间消失不见，夏清知却如同断了线的风筝，被滚滚海水带往了更远的地方。她的身后，最后几架已被海浪打得破损不堪的战机，疯狂地不顾一切地追逐着。

然后一架架陨落。

陡然间，一道巨大的裂缝打开，刺眼的银光几乎覆盖整个海面。夏清知的身影只在那银光中一闪，就跌落进去。几个穆岩跳出机舱，飞身朝她扑去，却只有一个人，抓住了她的衣袂，也追进了裂缝中。其他几个，都淹没在海浪里。

更多的海浪，覆盖灌进了裂缝，夏清知和穆岩的身影，消失不见。

应寒时带着谢槿知，一点点艰难地靠近裂缝出口。

海浪已经变成滔天巨浪，从各个方向凶猛地朝他们吞噬过来，仿佛一片沸腾的蓝色火海。谢槿知的头死死抵在应寒时的胸膛，看着他的光刃一次次劈开巨浪，但是那些巨浪又立刻合拢，朝他们追逐过来。

他说过的，即使是他的光刃，也是劈不开磅礴海水的。

可现在，他一次次发动攻势，宛如疾风骤雨与海啸的对抗，护得她身旁短暂的安全。

她一次次听着巨浪打在他背部的声音。因为头被他牢牢按在胸口，看不见他的脸，却听到几声骨头断裂的脆响，听到他微不可闻的闷哼声。

"你别管我了！"她突然哭喊道，"你自己逃吧。"

"不行。"他只答了两个字。

谢槿知哭了出来，然后就听到又一阵大浪打来，狠狠撞上他的背。然后她就闻到咸湿的血腥味，在他们身边蔓延开。很快，就有鲜血从他脸上滴落，掉在她的脸上。

恍恍惚惚间，谢槿知听到他在耳边说道："对不起，救不了……他们。"

谢槿知心如刀割。

清知，清知，那个同样拥有时空裂缝的女人，这个空间里的另一个她。

早在发现煤气瓶是空的时，她就有了猜疑。

夏清知的裂缝远强于她，她能穿越空间，焉知她不能同时预见未来？

夏清知今日突然出现，到底是真的想要替代她，还是想要……

由自己迎来死亡那一幕？

谢槿知，再也无从知晓她心中的答案了。

深黑的天空，犹如永远望不见尽头的深渊。

群星闪耀，光芒清澈而冷冽。

大片大片淡蓝色的水雾，浮动在空旷中。

夏清知也在其中。

在掉进太空后的几秒钟，她就失去了知觉。眼球爆裂，心脏停止。浅蓝色长裙上染满血迹。

最后一个穆岩跌落过来时，看到的已是这样的她。

他的眼球也在几秒钟后爆裂了，所有毛细血管全部扩张裂开。但在那之前，他漂浮过去，将她抱进了怀里。

然后低下头，跪在了万籁俱寂的虚空中，一滴泪掉落下来。

他们会这样永恒地漂浮下去，再也不会停止了。

第五十三章

各自珍重

山谷间，水流潺潺。因为落过大雨，到处都是湿的，树叶上，泥土里，岩石表面……萧穹衍一行人，往密林深处穿行。

"你看清楚了吗？是不是在这边？"萧穹衍嗔怪地问。

苏言简意赅："是。指挥官抱着个人，就是往这个方向跳离裂缝。"

这时走在最前的林婕忽然脚步一顿，失声道："在那里！"

众人循声望去，只见一片寂寂流动的水潭前，应寒时仰面躺在块巨石上，像是耗尽了所有力气，眼眸紧闭，脸色苍白，尾巴和耳朵也没有显露出来。谢槿知被他单手搂着，趴在他的胸口，也是一动不动。

大家连忙跑过去，萧穹衍探了探两人鼻息，松了口气，"谢天谢地，他们还活着。"

一个小时后，他们与傅琮思在一片树林中道别。

傅琮思被夏清知丢进裂缝后，转眼间就跌落在地面。虽然精疲力竭，身上也有多处撞伤，但是没有什么大碍。

此刻，他脸色灰白，眼眶通红地望着萧穹衍等人。

萧穹衍说："傅教授，我们要回那个空间去了。指挥官和小知还没醒来，他们需要得到救治。另外，根据夏清知在帐篷里留下的地址信息，我们在她家找到了晶片，一并带走了。"

傅琮思点了点头，似乎有千言万语，但最终只是说："谢谢你们为这个空间所做的一切事。保重。"

众人齐声答道："保重。"

傅琮思看着他们转身，走向停在空地上的战机。很快，战机如同一道璀璨的流星，划过雨后碧蓝的天空，消失不见。

傅琮思的周围静悄悄的，他低下头，看到沾着水珠的青草，随风微微摆动着。头顶，有鸟儿清脆的叫声。他转身，步履蹒跚地走下了山。

正是下午光景，城市的街道车水马龙，很是热闹。只是他的衣衫早被洪水侵蚀得破损不堪，又加上他神色恍惚，许多人看到他，都绕开走。

他看到人们的反应，只是淡淡地笑笑。走过一家电器行时，他停下脚步，听到电视里正在播报新闻：

"今天下午2点30分，有网友爆料在西郊看到数艘UFO，并提供给我台模糊不清的画面。我们来看一看……

"真的有UFO存在吗？这个话题在科学界一直没有定论。不过经过调查，大部分所谓UFO的照片和录像，都是伪造的，或者是目击者误把飞机、甚至风筝，当成了UFO……

"为此，我台专门咨询了中科院著名天体物理专家。专家表示，UFO的存在是有可能的。不过今天下午多名网友目击的所谓的'UFO'，很可能是雷电天气，云层折射光造成的一些虚影。原来真相，就是这么简单。在此，我们郑重提醒广大市民，雷雨天气，请注意安全出行……"

"原来真相，就是这么简单……"傅琮思在嘴里默念这句话，慢慢摇头失笑。

等走到分岔路口，他却停步了。

他不知道该往哪里去。

这几年，他都是住在沈家。如今沈家父子已死，庄园已毁，成为当地警方的一宗悬案。沈家，是不能也不愿去了。

应寒时他们，也已经走了。暂时落脚的青年旅馆，也是人去楼空。

而清知……他的眼中泛起泪水，他连这个可怜又可敬的女人，住在哪里，她的家是什么模样，都不清楚。

最后，他懵懵懂懂，居然走到了昔日就职的研究所门外。

这是国内最好的一家研究所。高大气派的楼群，严肃整洁的建筑。门口还有大棵大棵的梧桐树，繁盛依旧。

他在一棵树下，席地坐了下来。终于明白，自己为什么会回到这里。

曾经，他也是一名受所有人尊重的、体面的科研工作者。曾经，抵御洪水制造诺亚方舟，是他坚韧固执的梦想。

今天，这个梦想终于实现了。所以他回到这里，他可以无愧地对自己说，他做到了。

正安静地坐着，他就看到几个人从研究所大门走了出来。他们大多没有看到他，或者看到了也没认出。只有一个跟他曾经相熟的同事，迟疑地看着他，然后落后几步，走了过来，"傅琮思？"

他竟然也不想起身了，抬头看着他，微笑道："我是。"

那同事非常吃惊，将他上下打量一番，问道："你怎么变成这样……现在在做什么？"

他平静地答道："没做什么了。"

同事叹了口气，拍拍他的肩膀说："琮思，如果外面混得不开心，就回所里吧。你是我们那一批中，资质最好的。院领导也经常念起你，你如果回来，肯定也有位置。你看，你以前总说今年的夏天，会发生毁灭性的洪水，还说什么平行空间，扯那些科幻的玩意儿。你看，现在夏天都要过完了，不还是什么都没有发生吗？也不会有人因为灾害死去。听我的劝，回来吧。"

谁知傅琮思听完他的话，却笑了，跌跌撞撞地站起来，眼中却涌起泪水。

"对，什么都没有发生……也不会有人死去。"他重复同事的话，又哭又笑，甩开同事的手，转身就朝长长的、绿树成荫的街道走去。

同事望着他孤单的身影，静默良久，低声骂道："神经病！"

傅琮思沿着街道一直走一直走，沿途车流穿梭，阳光灿烂。有相拥的情侣从他身边走过，他们脸上的笑容是那么幸福；也有老人一脸溺爱地看着孩童，嬉笑奔跑在蓝天之下。这个世界，依旧喧嚣而宁静。

傅琮思看着看着，忽然就笑了，满足地笑了。

数月后，傅琮思成了一名普通的中学教师，教授物理和数学。终其一生，默默无闻，却培养出无数优秀的学生，更有数人成为国内著名天体物理学家。

这是后话。

"小知。"

"知。"

"快醒醒，重伤的指挥官还等着你去呵护疼爱呢。"

"知，你什么时候才会醒？"

蒙蒙眬眬中，谢槿知听到有人在喊自己。那是两个人的声音，一直在她耳边喋喋不休，吵个不停。

她的头阵阵发疼，想要关掉耳朵，不再听他们的声音。

等等！

指挥官？应寒时？

她睁开眼睛，首先看到的是素净的、似曾相识的天花板。阳光从旁边照射过来，她看到了窗外平静的湖水。

这是……应寒时的家？

床畔，萧穹衍高大精壮的金属身躯，正背对着她忙碌着。听到床上的轻微响动，他的身躯陡然一僵，转头望向她，露出惊喜交加的笑容，"小知！你终于醒了！"

谢槿知浅浅地笑了笑，撑着床勉力坐起来，"我们回来了？"

萧穹衍马上跑过来扶住她，"是的，我们回来了。你躺了整整两天两夜，动作要慢一点，不然会摔倒的。"

谢槿知抓住他的胳膊，抬头望着他，"应寒时呢？"

萧穹衍的眼睛垂了下来，"还在昏迷中。小知你一会儿看到不许难过，他受的伤比你重多了。"

谢槿知一下子跳下床，"带我去见他。"

推开房间的门，首先看到一室寂静的阳光。庄冲、苏、丹尼尔等人得知她醒来，都过来了。但是他们跟萧穹衍一起站在应寒时的门外，没有跟进去打扰。

谢槿知一个人走进房间里。

他就躺在洁白的大床上，盖着薄薄的被子。谢槿知从没见过他这个样子，上身没有穿衣服，露出精瘦结实的肩膀，上面缠满了绷带。黑发垂落额头，遮住了他的眉。那双眼轻合着，呼吸缓慢而均匀。

谢槿知在他床畔坐了下来，目光分毫不移地盯着他。想要触碰他，却又怕让他不适。

"放心，指挥官只断了十二根骨头。"萧穹衍在门口小声说道，"而且他的身体恢复速度很快，再过几天就能长好。"

断了……十二根吗？

她盯着他过分苍白的脸。同样的遭遇，她在他怀里，却一根骨头都没有断，只是受了点皮肉伤。

他用身体替她挡住了所有洪水啊。

"他为什么还不醒？"她问道。

"这个……洪水的撞击力量确实太大了，到底是血肉之躯，大脑会受不了的。他可能还会昏迷几天。"

谢槿知轻轻地"哦"了一声，抬眸望去，却见半张残破的纸片，放在他的枕头边上。上面依稀有几个字："愿与寒时白头偕老。"她记得这张卡片是被他放在衬衫口袋里的，大概是被萧穹衍他们拿了出来。

"小知，你亲他一下。"站在萧穹衍背后的庄冲忽然开口，"亲一下，说不定就醒了。"

丹尼尔和苏都是微微一笑，萧穹衍眼睛一亮，"真的吗真的吗？我要看我要看……"却被庄冲一把拉开，然后庄冲朝谢槿知郑重地点了点头，关上了门，替她挡住了所有打扰的视线。

室内变得安静无比。

谢槿知望着他清澈的容颜，静默片刻，低下头，在他唇上轻轻一吻。

他一动不动，依旧安睡着。传说中公主用吻唤醒王子的画面，并未出现。

谢槿知脱了鞋，爬上了床，也躺了下来。然后轻轻握住他的一只手，整个人都蜷在他的身旁，慢慢闭上了眼睛。

"应寒时，你快点醒，我要跟你在一起。你要的一切，都给你。"

第五十四章

占有一切

应寒时在梦中，又回到了那间牢房里。

周围漆黑阴暗，只有一点光，从天花板投射下来。他穿着褴褛的衣衫，双手双脚也锁着枷铐，坐在牢房的一角。

时间仿佛是静止的。他在心中默数分分秒秒，到了傍晚，终于有人拉开墙角的一扇小门，送了食物进来。

"星流大人，请用吧。"狱卒还算恭敬的声音传来。

"多谢。曜日星，怎么样了？"他问道。

狱卒沉默了一会儿，叹了口气说："大人，情况很不好。据科学院报道的数据，更多的耀斑爆发，黑暗正在吞噬我们的恒星。听说富人们已经驾驶私家飞船逃逸了……可是我们这样的人，是注定要死在这里的吧。"顿了顿又说，"星流大人，你……应该也会被带到安全的地方去吧？"

应寒时没有回答，只是抬起满是灰黑的脸，望着头顶那一点亮光。

后来某一天，他听到狱卒在外面哭泣的声音。

"发生了什么事？"他问。

狱卒拉开小门，哭泣着回答："大人，皇帝陛下死了！曜日帝国，真正沦亡了……"

应寒时心头一震。

皇帝陛下，这个于他而言，如芒在背般的名字。他清楚地记得，十八岁那年升任指挥官时，在帝都议事厅中，远远看到皇帝的模样。他比应寒时大不了几岁，略显苍白的英俊的脸，端坐于王座上。少年帝君，出了名的心思深沉，喜怒不形于色。

他对应寒时说的第一句话是："星流，我听说过你，你很好。"那时，皇帝的脸上有清淡的笑。

是他，给予了应寒时莫大的权力，多次破格提拔，让星流自由地驰骋在星空中。然而也是他，在应寒时抵达军事生涯顶峰时，将他一举拉下，锁进深牢。

星流，是帝国的星流。

但也是皇帝掌中的星流。

当日，逮捕令刚刚下达时，整座太空堡垒上都跟炸翻了锅一样。心腹们簇拥着应寒时，进入指挥室。有人提出大胆的建议："指挥官，我们起义吧！绝不能让你蒙受不白冤屈！"

可是立刻就遭到反驳："起义？怎么起义？即使星流大人战斗力超群，可是皇帝陛下战斗力大陆第一。如何与之为敌？"

是的，如果说还有星流战胜不了的人，那一定是皇族了。可怕的皇族基因，是奠定帝国文明的基石。已经很多年没有人见过皇族出手，但传说即使是星流的光刃，也完全无法与皇帝的战力争辉。

而且关键是，应寒时绝无反叛之心。

他阻止了所有人继续说下去，只是摘下了胸口的舰队指挥官徽章，然后负手说道："我跟他们去帝都。"

"皇帝陛下，怎么会死去？"他问狱卒。

狱卒长叹了口气，在黑暗中答道："据说是皇帝陛下的护卫舰队，在逃逸离开曜日星系时，与反叛军指挥官林的舰队，正面遭遇了。本来以皇帝陛下的战斗力和护卫队的实力，是绝对可以歼灭对方的。可是就在双方激战之际，曜日爆发了新一轮的耀斑，皇族护卫队全军覆没。皇帝陛下和林的指挥舰撞在一起，双方甚至进行了登陆作战……最后，有人看到，只有林驾驶战机，逃了出来。皇帝陛下陨落了，甚至连一点尸骨都没有找到……"

听完后，应寒时沉默了很久。他从未想过，在全国人心中至高无上的帝君，会这样死于一场意外。

后来却慢慢了悟。世事无常，命运弄人，宇宙轮回，不正是如此？达到科技军事实力巅峰的曜日文明，会毫无端倪地毁于一颗星星的沉沦。它那强大无比的统治者，亦重蹈了这样的命运，就像是某种注定。而也许在几亿年之后，在曜日星所在的位置，一颗新的星星会诞生。人类会从爬行进化为直立，然后开始缓慢而重复地建设自己的文明。

再后来，狱卒也没有再来了。因为灾难已经降临这颗星球，整座监狱都崩裂倒塌了。他在被埋葬前，终于挥出光刃，劈开黑暗，只身跃上地面。抬头却只见昔日繁华的帝都，满目疮痍，一片凋零。

他如同每一个无家可归的人们，在街上游荡着。不知不觉，走到了专门用于起降飞船的空间港。这里也是寂静一片，只零星停了几艘破败船只。

他走到了凤凰舰队的专用港口前，看到一艘孤零零的飞船停在那里，竟然是他麾下的"星光号"。而指挥室里，亮着灯。

他缓缓踏进飞船，穿过舰桥，走过飞行员休息舱，没有一个人。直至到了指挥室门口，看到小John矗立在窗前，一脸迷失地仰望着星空。

更多的记忆片段，在脑海中重重叠叠。而那个二十二岁的星流，仿佛寂静站立其中。

直至，一缕朦胧而明亮的光，慢慢扩大，笼罩住了他。恍惚间有个女孩坐在他身边，轻声说："应寒时，你快点醒，你要的一切，都给你。"

阴霾瞬间散去，他想要睁眼看清她，却总是不行。唯有脸，因她的话变得滚烫滚烫。

"一切吗？"他低喃。

又安静了许久，他轻声答道："明白了。闭上眼睛，让我……"

让我占有你的一切。

"指挥官？你在跟我说话吗？你醒了吗？"萧穹衍那熟悉的声音，在他耳边逐渐变得清晰。

应寒时睁开眼睛。阳光笼罩着整个房间，视野里明亮无比。萧穹衍单膝跪在床边，双眼紧闭着，金属手指还攥着床单一角，身体微微颤抖，非常紧张的样子。

"……小John，你在做什么？"

萧穹衍偷偷把眼睛睁开一条缝，声音也可怜兮兮的："指挥官，这也是我想问你的话，你想对小John做什么？"

应寒时静默片刻，垂眸淡道："你站远一点，再跟我说话。"脸上，梦中的潮红依旧未褪。

萧穹衍立刻如释重负又忐忑不安地站起来，往后退了好几步。

"情况如何？"应寒时问。

萧穹衍立刻把这几天的事都跟他汇报了一遍，然后说道："晶片我已经保管好了，一切进展都很顺利。"

应寒时点了点头，抬眸看了看四周，问道："槿知呢？"

萧穹衍却莞尔一笑，答道："这几天她一直在陪伴你，24小时都不曾离开。甚至晚上就睡在你的床上呢。可是，我们不得不承认，她连续旷工太多天了，再这么下去，工作就保不住了。所以今天一早，她跟庄冲一块去图书馆上班了。"

应寒时眼中也露出淡淡的笑。

"据说今天下午，她和庄冲还要向馆长做深刻检讨呢。"萧穹衍颇感好玩地说。应寒时闻言坐了起来，感觉到身上伤口牵扯得有些疼痛，他微蹙眉头。

萧穹衍立刻弯腰扶住他，"老天，虽说你快痊愈了，但还是要当心哦，不可以有太剧烈的活动。"

"嗯。"应寒时示意他不必搀扶，自己下了床，从床头拿起件干净衬衣套上，又拿起车钥匙，走向了门口。

萧穹衍早料到他一醒就会去找心上人，所以也不意外。他和庄冲打赌的事情是：应寒时醒来后，会不会像渴望主人夸奖的小狗一样，奔向谢槿知……咳咳，这个比喻实在是对指挥官的冒犯，但请原谅他们俩暂时想不到更合适的词汇。

现在看来，应寒时虽然第一时间要去见她，但神色沉静，不疾不缓。萧穹衍跟在他身后出了门，心想，指挥官果然还是很成熟的、自控能力很强的男人。

他站在保时捷后，微笑目送应寒时上了车。

"指挥官，小心伤口哦……"他挥了挥手。突然一阵前所未有的剧烈引擎声传来，轮胎摩擦地面发出尖锐声响，保时捷嗖的一声飙了出去，转眼就消失在视野里。

"咳咳……"萧穹衍呛了满口的尾气和烟尘，默默放下手。

他要收回之前的评价。

指挥官分明是非常渴望着，朝槿知奔过去了！

谢槿知托着下巴，看着身旁的冉好，拿笔在纸上罗列。

"做饭给他吃？"冉好问。

谢槿知摇头道："我做饭能吃吗？"

"也是。"冉好想了想，又写下几条，"织毛衣？刮胡子？买水果？实在不行叠千纸鹤？"

谢槿知还是摇了摇头。自应寒时昏迷后，她很想为他做点什么。但问题是……萧穹衍太能干了，根本不需要她，也插不上手。她用手指点了点纸面，"昨天晚上，萧穹衍连一千个千纸鹤都折好了，许愿应寒时早点醒来。你说我还能做什么？"

冉好扑哧一笑，"我真想早点见到这个机器人。"

既然跟应寒时确定了关系，谢槿知还是把秘密跟最好的朋友分享了。冉好虽然性格跳脱，大事上嘴却很严，所以谢槿知是放心她的。两个女人聊到爱情，言谈话语间，谢槿知明显感觉到她跟那名流浪汉，好像真的有点事了。可对于这件事，冉好却死活不肯多说了，只摇了摇头，脸又有些不正常的红晕，说："不提也罢。"

关于"槿知如何照顾男朋友"这个话题，两个女人又琢磨了一会儿，冉好忽然眼睛一亮，不怀好意地笑了，"他受伤了，嘿嘿，你可以给他擦拭身体啊？"

谢槿知抬眸看她一眼，淡道："你怎么总往那方面想？"

冉好却兀自思维发散着，"说真的，你家那位看着瘦是瘦了点，但是身材好像很不错。"她用手肘碰了谢槿知一下，"有腹肌吗？"

谢槿知的手指在桌上轻轻叩了两下，答道："当然。"

冉好低低地"哇"了一声，眼神更猥琐了，"那有人鱼线吗？"

谢槿知想了想，脸有点烫了，回答得却淡定无比："浅浅。"

冉好愣是花了两秒钟才反应过来，又"哇"了一声。

谢槿知却又扫她一眼，"冉好，你太色了。"然后拿起桌上的书，继续看了起来。

冉好看着她的模样，又好气又好笑，"明明是你自己很嘚瑟好吗？"

谢槿知微笑不语。

相距几十米外的楼下，应寒时停好了车，却负手站在车边，没有挪动步子。

刚刚平息下来的脸，又……红了。

静默良久，感觉那差点跳脱而出的尾巴和兽耳，终于听话地服帖下去，这才上了楼。

"知，该去做检讨了。"庄冲合上电脑盖，站了起来。

"哦。"

馆长的办公楼，在院内僻静的角落。谢槿知和庄冲各自念完了检讨，就立在白墙下，听着馆长喋喋不休又苦口婆心的劝导。

"我知道，你们两个想法多，跟别人也有些不一样……"馆长说道，"但是连续请假十多天，打电话还打不通。检讨也都只写了八百字！槿知写得勉强还过得去，庄冲，你这份检讨是从网上下载的吧？我都百度到了……"

庄冲："咳……"

谢槿知百无聊赖地听着，脸上是无比安静乖顺的表情，眼睛却越过馆长，望着门外树上的叶子。一片、两片、三片、四片……应寒时什么时候才会醒？

走廊里响起了某个人的脚步声。谢槿知忽然怔住，盯着门口，不动了。

馆长察觉了她的明显走神，有点生气，"谢槿知，看哪儿呢？"

谢槿知没答，她看着门外，负手站在阳光下的应寒时。

他的肤色明显还有点苍白，敞开的衬衫领口里还能看到绷带。就这么微笑望着她，眼睛里有清潭般的颜色。阳光斑驳地落在他的身上，整个人有种安静而洁净的光泽。

馆长和庄冲也注意到了他，馆长一愣，庄冲缓缓地笑了。

应寒时也看向他们，微微颔首道："抱歉，打扰了。"然后目光又回到谢槿知脸上。

谢槿知将手里的检讨书往桌上一丢，转身走向他。

馆长说道："哎？还没说完呢，你去哪儿？"眼睁睁地看着她走出门外。

庄冲却眼疾手快地一把关上屋门，然后淡淡道："馆长，你也曾年轻过。来，我陪你继续。"

馆长："……"

谢槿知心跳得极快，抬头望着他，却说不出任何话来。这几天见惯了他躺在床上的安静模样，脑海中也时常想起在洪水中时，他坚毅清瘦的背影。如今他真的站在了她的面前，温润清逸依旧，只是明显瘦削了几分。

应寒时的目光中也似有暗流涌动。他低下头，一伸手，将她拉进怀里。谢槿知抱着他的腰，闻着他身上的气息，一动不动。

过了一会儿，他低下头，寻找到她的唇，吻了上来。这竟然是个十分热烈的吻。他的一只手不知何时滑到她的脑后，轻轻按住。舌头刚撬开她的唇，就长驱直入，完全占据了主动。

谢槿知的脑子刹那空白，什么也不去想，只沉溺在他的亲吻里，身体和心仿佛同时微微颤抖着。

"应寒时……"她含混地念着他的名字。

他却没有回答，只是低头亲她。明明眉目间全是清澈的温柔，动作却带了难得的强势，让她只能在他怀中承受，不能移动抗拒半分。

"咳……"终于，有职员从他们身后走过，带着笑意轻咳出声。

谢槿知这才脸色绯红地推开他。他的脸也微红着，眼眸却沉黑动人，慢慢松开了她。

"你全好了？"她小声问。

"嗯。"

"什么时候醒的？"

"刚刚。"

谢槿知唇角微勾。刚刚才醒吗？她真后悔今天来上班了。

"你……还有多久下班？"他问道。

"还有两个小时。"她忍不住笑道，"我好像不能再旷工了。"

他负手而立，微微一笑。目光却始终胶着在她脸上，"那我去楼下等你？"

"好。那我继续去挨训。"

她转身正欲走回馆长办公室，却又被他拉进怀里。他忽然又在她耳朵上亲了一下，令她全身一麻猝不及防，他这才垂眸，松手放她进了办公室。

被馆长训完后，谢槿知回到馆厅继续上班。但这剩下的一个多小时，对她而言当真是度日如年。下班铃一响，她就拿起早已收拾好的包，快步走出门外。冉好望着她的背影，叹了口气，转头对庄冲说："槿知这次真的是一头栽进去了。"

一下楼，谢槿知就看到应寒时和他的车。他负手站在夕阳里，身影清瘦。她放慢脚步，将包拎在身后，一晃一晃的，走了过去。

他看着她走近，脸上的红晕似乎更浓了些，却不说话，只替她拉开车门，看着她坐了进去。

车子徐徐发动，驶出图书馆，进入晚高峰的车流中。阳光还很灿烂，透过车窗，洒进来一片柔和的光。

谢槿知问他："伤口还疼吗？"

其实是有些疼的，应寒时答："不疼。"

谢槿知放下心来，抬头看了看前方，"我们现在去哪儿？"

他静默了几秒钟。

"去你家待着？"他嗓音温软道。

谢槿知原以为会去他家，但转念一想就点了点头。林婕他们都暂住在他家，现在这个时候，她也不想被任何人打扰。

车子平稳地向前行驶，他忽然又开口："槿知，我可以……听到你的承诺了吗？"

谢槿知心头怦的一跳，抬眸看看他。他的眼睛看着前方，双手安静地搭在方向盘上，侧脸微红。似乎从今天两人相见开始，他那清俊的脸，就没有安稳过。

见她不出声，他又轻声道："小知……对我许诺。"嗓音中有难得的固执和强势。

谢槿知垂眸看着放在膝盖上的双手。窗户被她开了条缝，有一缕风吹进来，吹散额头的发丝。

"我愿意一生一世跟星流在一起。"

谢槿知的家本就离得近，很快就到了。应寒时停好车，谢槿知牵着他的手上楼。正是傍晚时分，楼道里寂静阴凉，仿佛整个世界只剩他们两个。

谢槿知打开门，领他走进去，"你先坐，我给你倒水。"

手被他握住了。

谢槿知站在一地夕阳中，抬头看着他。房间本就狭窄，如今多了一个他，更显拥挤。他高高大大地立在她面前，面容寂静无比。两人一时都没说话。阳光镀在彼此清晰的轮廓上，他抬起手，沿着她的脸、嘴唇、脖子和手臂，一点点触碰下来。那柔软微凉的手指，令谢槿知的心都微微战栗。

然后他侧过脸，嘴唇代替手指，一寸寸开始往下吻。

可是谢槿知上了一天班，自己都能闻到身上的汗味，他却是清淡好闻的。于是她推开他，"我先去洗个澡。"

他静了一会儿，又在她脖子上吻了一下，才抬起绯红的脸，说："好。

这样的亲昵缠绵，早在去平行空间前，两人就有过好几次。可不知怎的，今天谢槿知心里却莫名有些惴惴的。很快，她就心不在焉地冲完了澡，换了条舒服凉快的裙子出来。一抬头，就看到应寒时安静地坐在床上。

窗外暮色降临，屋子里暗暗的。他没有开灯，衬衫下摆垂落出来，最上面的纽扣都解开了。一双长腿向前舒展着，更显高大笔挺。尖尖的兽耳竖立在黑色短发间，身后的尾巴轻轻摇着。那白皙清净的脸庞染满绯红，眼睛里却像沉淀着星光，一眨不眨地望着她。

谢槿知刚要微笑，陡然一僵。

无数画面，浮光掠影般从她眼前闪过。

怔然之后，她抬起滚烫的脸，望着他。身体里每一寸血脉，仿佛都在跳动。她的喉咙阵阵发干，垂落的指尖也有点颤抖。

她慢慢地、慢慢地走到他面前。望着他俊雅干净的面容，却突然有临阵脱逃的冲动。谁知脚步刚一顿，他竟像是察觉了她神色有异，一伸手，就把她拉到双腿间站着。

谢槿知僵着，闻着他胸口衬衫的味道，一动不动。而他也静默着，过了一会儿，缓缓将她的头按在怀里，然后脸慢慢低了下来。

"槿知，刚才看到了什么？"他的声音就在她耳边，低低的，有点哑，有点涩。

谢槿知不吭声，唯有心跳越发的快，跟他胸口的心跳声一样快。

"是不是看到了……我想对你做的事？"

第五十五章

怀中月光

房间里的光线晦暗不明，他那么清醇干净的嗓音，却也有了几分隐约的危险气息。谢槿知的脸靠在他的脖子上，小声说道："人不可貌相……"

这意有所指的话，令应寒时一静。然后他缓缓低下头，跟她额头轻触额头。谢槿知的呼吸也有点急，看着他沉默地抬起手，修长的手指落在衬衣上，一颗一颗开始解纽扣。

谢槿知脑海里倏地又闪过那些画面，他……即将将她压在身下做的那些事。于是脸越发的烫，阵阵热潮直往脑子里钻。她轻声问："你会吗？"

应寒时的手一顿。

"槿知……不要这样质疑一个成熟的男人。"

谢槿知说："哦……"

"在军校时，我各科都是第一名。包括种族遗传学和人体生物学。"他的嗓音淡然而笃定。

谢槿知却笑道："这样啊……"

他听出了她的戏谑之意，静默片刻，解开了最后一颗衬衫纽扣，然后将她按在了自己结实的胸口。

"小坏蛋。"他低声说。谢槿知没料到他会说出这么肉麻的话，但他心思纯直，此时此刻这么唤她，语气自然而然，温柔又无奈。只听得她心头一颤。

然而她很快也笑不出来了。因为应寒时的手探入了她的裙子下摆，摸索起来。

那是从未有男人触碰过的地方，隔着胸衣，谢槿知也能感觉到他的手指，干燥而柔软，轻轻地、温柔地揉捏着。谢槿知的呼吸一点点急促起来，低下头，把脸更深地埋在他怀里。关键是，他在做这么过分的事，却似乎比她更加羞窘，另一只手搂着她的腰，脸埋在她的肩窝里。

过了一会儿，他的手指移到她背后，解了半天，却解不开。

"小知，帮我解开。"他亲吻着她的耳朵。

谢槿知低声答："自己想办法。"他的手指一顿，然后谢槿知就听到他微哑着嗓子，说了声"对不起"。

嘣的一声轻响，胸衣被扯断了。谢槿知窘迫地说道："你居然……"他不吭声，手指已绕回前面，那样真实地包裹住了她。谢槿知的呼吸瞬间变得断续，尽管一切都在裙子里看不到，她却能想象出，他平日那白皙而骨节分明的手指，总是负在身后的安静的手，此刻是如何肆虐着。

这样痛苦而甜蜜的煎熬，持续了好一会儿，他却又不满足了。手上动作不停，嗓音却更低："小知，我可以……亲它吗？"

"不可以！"她的声音微微有些颤抖。

他静了一会儿，手指停下，双手都在裙子里，握住了她的腰。然后忽然低下头，撩开裙摆钻了进去。

谢槿知全身彻底软了，随着他的唇舌在裙子下的游移，低喘出声。

"应寒时……"她的手按在他的肩上，想要推，可是推不动。过了一会儿，反而被他扣住双手，推倒在床上。

裙子和他的衬衫，都被丢在了地上。床头的一盏小灯打开，谢槿知仰面躺着，眼神蒙眬地看着他的模样。那俊脸已红得不像样子，眼眸却暗沉无比。无端端令谢槿知想起他每次战斗干掉敌人时的眼神……

"小知……"

他压住了她，却没有马上行动，那柔软的嗓音里，有一丝罕见的压抑和难熬。

"你可不可以……先安抚我的尾巴？"

谢槿知的目光落在他身后高高扬起的尾巴上，约莫是察觉到她的目光，那尾巴立刻大幅度摇摆起来。

谢槿知问他："……怎么安抚？"

"握住就好。"话音未落，那尾巴就急不可耐地蹿到她眼前。

谢槿知忽然笑了，抬眸望着他，"咦？你以前……不是不喜欢我握吗？"任他的尾巴尖怎么在她手边打转，就是不动手。

他看着她，忽然身子又往下一沉，然后脸转到一边去。这个动作，足以让谢槿知清晰地感觉到他身体某处的变化，微微一僵。

"因为你每次握住，我……就会这样。"他缓缓地说。

谢槿知尴尬不语。过了一会儿，侧过头，在他脖子上轻轻一吻，然后握住了那尾巴的末梢，用掌心轻轻摩挲了几下。他的身体明显一抖，整个人明显紧绷起来，脸也始终没有转过来看她。谢槿知鬼迷心窍般地低下头，在他的尾巴上，落下一吻。

刚轻轻地啵了一下，那尾巴却如同惊弓之鸟般，从她掌心倏地滑走。应寒时霍然转头，一把扣住了她双手手腕，黑眸近在咫尺地盯着她。

谢槿知微微一笑。

他不出声，刚才落荒而逃的尾巴，却卷土重来。谢槿知感觉到那柔滑的尾巴，沿着自己的大腿，开始一点点往上缠，于是又笑不出来了。在平行空间，他就缠过她一次。可这一次的感觉，完全不同。

他缠得很紧，从大腿根，到腰，再到被他彻底侵略过的胸部。谢槿知的呼吸慢慢又急了，因为他分明是将她"绑"住了，背部甚至离开了床面，整个人被迫弓起，迎向了他的身体。

谢槿知的声音终于有点抖了："应寒时，你怎么这么坏……"

他伸手接住了她的腰，然后将她往自己怀里摁，像是要摁到身体里去。

"我……喜欢这样缠着你。"那嗓音压抑又温柔，"你愿意吗？"

谢槿知只觉得整个人都要融化在他的声音里，涩涩地"嗯"了一声，伸手勾住他的脖子，让他的身体彻底覆盖上来。

夜色深深，寂静又浓厚。风吹起窗帘一角，窸窣作响。谢槿知抱着应寒时的肩膀，低低的喘息声如同呜咽。他是这样温柔，她的每一声闷哼，都会引来他低头细细亲吻安抚。可他身下的动作，又是全然不同的强势坚定。谢槿知已全然被他掌控，抬眉低头，都是他清朗而深邃的眉目。

"小知……"他在她耳边含混轻唤。

回答的，却只有她不像样子的残喘。见她面色绯红异常，他的攻势变得更加缠绵而猛烈。谢槿知连脚趾都轻抵在他的小腿上，指甲也要抠进他的背里。

"应寒时……"她头一次在他怀里，哀求而惊惶地叫他的名字，也不知道是想要逃开，还是想要更多。他却越发坚定，原本清澈的眼睛里仿佛有晦暗的火，坚定地带她往更远更惊心动魄的地方去。

她闭上眼睛，却仿佛看到大片大片的木棉花，在迷乱夜色中骤然盛开；看到一条蜿蜒清亮的溪流，淌过她战栗的身体，也淌到他的身体里。她将他抱得更紧，仿佛一缕落入他怀中的柔软月光，任他紧握，任他驰骋其中，无法抗拒，只能颤抖。

"应寒时……"

"嗯……"

"应寒时……"

"嗯。"

"应寒时……"

她一遍遍叫着他的名字，他一遍遍地耐心应着。深夜的房间里，只有他俩低低的声音。像某种确认，又像某种许诺。后来，她就不叫了，彻底舒展在他身下，任由他肆意地、不知满足地占有着。

凌晨四点钟，谢槿知裹着被子，蜷在靠墙的床角。屋内依旧只有一盏橘黄小灯，应寒时就坐在灯畔，背对着她，在系衬衫上的纽扣。

过了一会儿，他转过身来，单手撑在她的枕头上，另一只手轻轻扯她的被子。谢槿知紧抓着不放，睁着微红的湿湿的眼睛看着他，"你想干什么？"

他眉目低垂，嗓音温和无比地说："你不是说……酸痛？我只看一看。"

"不行。"谢槿知断然拒绝，"刚才那次你也说只抱着我睡，什么都不做了。结果呢？"

应寒时脸颊微红，手指扣在被子上没动。谢槿知淡淡地哼了一声，说："堂堂星流，一言九鼎，还说什么星流说过的话，都是不可撤销，永以为诺。可你居然说话不算话。"

应寒时静默地听着她的指责，然后伸手握住了她散落在被子外的一缕黑发。

"对不起。这的确是我……平生第一次，言而无信。"

他这么说，谢槿知却连那点小脾气都没有了，闷闷地看着他，嗓音却柔软下来，带着一点点慵懒："大家都是第一次，你就不知道克制一点吗？"

应寒时却抬眸，望着床边的灯，修长的双手轻握成拳，放在膝盖上，"小知，如果我没有克制……那我们现在，还没结束。"

谢槿知的脸一下子又烫了，埋在被子里，不说话了。过了几秒钟，却听到咕噜噜的声音，从被子里传来。

"我饿了，要去吃东西。"她说。

他点头，微笑地看着她，"好，我也饿了。"

谢槿知扫他一眼，"那是，你当然饿了。"

应寒时："……"

清晨，天还是黑的，街上只有几盏稀疏的灯。公交车却已开始运营，驶过街头发出轰隆隆的声音。天气微凉，谢槿知披了件薄外套，应寒时只穿简单的衬衫长裤，掌心却是暖的。

他牵着她的手，徐徐走在街头。谢槿知抬起头，看到月亮还没降下去，缀在云层中，像半边莹白的玉。就如同现在的他和她，亲密又温柔。

常去的那家早点摊，已经摆出来了。瘦瘦的摊主正在烧水，看到他俩很意外，"哟，是你们来了。这么早，包子还没蒸出来呢，但是有粉。"

"那就下两碗粉吧。"谢槿知答。两人在一张小方桌旁坐了下来。摊主开始忙碌，谢槿知刚要拿筷子，应寒时的手比她更快伸过去，拿起两双筷子，低头细细地将一点毛刺磨干净，然后放了一双在她面前。

谢槿知微微一笑，拿起筷子在手里把玩着。应寒时又拎起桌上的小茶壶，倒了两杯水，然后缓缓放下，说道："今天开始，搬去我家住，好不好？"

谢槿知愣了一下，摇头道："不好，我习惯一个人住。"这是她的心里话。

应寒时端起茶杯，垂下眼眸，慢慢喝着，不出声了。

谢槿知又有点心疼，手指在桌上随意画了两下，然后说道："我给你把钥匙。"

应寒时微怔，她解释道："我家的钥匙。"

他手里的茶杯慢慢放下来，眼眸中浮现清澈而喜悦的光泽，"好，我今晚就……搬过来。"

谢槿知说："……应寒时，我不是要你搬过来！我说了习惯一个人住。给你钥匙……"她顿了顿，"你想过来时，就过来。"

他静了一会儿，答道："你是我的女人，我每天都想过来。"这话说得安静又笃定，谢槿知一时竟无言以对。

这时摊主已经端了两碗粉过来，她就含混道："……再说吧。"

吃完早饭，天亮了一些，起了淡淡的薄雾。但是离上班时间还很早。应寒时问她："现在想去哪里？"

谢槿知的困意这时却上来了，答道："回家补眠。"

于是两人又回到她家里。谢槿知再次钻进被子里，睡眼蒙眬地望着床边的他，"你不困吗？"

他摇头道："前几天睡得太多。你睡吧，我在这里陪你。"

"嗯。"谢槿知动了动，调整了个舒服的睡姿，一抬头，却见他的目光落在自己脖子上。她低头，就看到脖子、锁骨上，好几枚鲜红的吻痕。

"都怪你。"她小声说。

"嗯。"他轻声答。

谢槿知看了他几秒钟，将一只手从被子里伸出来，让他握住，然后闭上了眼睛。

大概真是累极了，很快她的呼吸就变得均匀悠长。应寒时将她的手放入被子里，又低头在她脸颊亲了一下，她沉睡着，丝毫未觉。

他看了她一会儿。有洁白的日光，从窗户投射进来，照在她身上。她的脖子下方的皮肤，十分细致白皙。那一点点吻痕，犹如晶莹白雪上的朱砂，颜色触目惊心。

静默片刻，他低下头，含住一小片光嫩的皮肤，吸了几下，又用牙齿细细地噬。再抬头，那里已多了枚吻痕。而她只是微蹙眉头，大概以为被蚊子咬了，抬手摸了摸，倒头继续睡。

他低下头，又咬住一口。

一口，一口，又一口……

过了许久，他缓缓抬起头。而身下的她，脖子上、肩膀上、锁骨上，已布满吻痕。能下嘴的地方，他都已下嘴。

注视了一会儿自己的所作所为，应寒时将绯红的脸，徐徐转向了另一侧。

她醒来后，必然又要怪他了……

咚咚咚——很轻的敲门声。

谢槿知住的是个大开间，床就在客厅里，不过中间挂了道薄薄的帘子。应寒时起身，将帘子拉上，隔开视线，这才走过去开门。

一身黑色风衣的萧穹衍探脑探脑进来，应寒时抬手比了个噤声的手势，"她还在睡。"萧穹衍会意地点了点头，轻轻带上房门。

主仆两人直接走到阳台上，关上推拉门，避免吵到她。萧穹衍放下手里的医药箱，拖了把椅子过来，然后说："苏开车送我过来的，他在楼下等。"

"好。"

应寒时在椅子里坐下，背对着萧穹衍，缓缓脱掉了衬衣。萧穹衍倒吸了一口凉气，一脸不可思议地说："老天！怎么会这样？伤口全部又裂开流血了。"应寒时没出声，唯有耳朵微微红了。

萧穹衍有些生气地一边处理伤口，一边说："指挥官，你昨晚到底做了什么？难道杀死了五只S级生化怪兽吗？不是说了，不能剧烈运动吗？"

应寒时抬眸看着远方，静默片刻，嗓音里有了一点笑意："小John，有些事，你不会懂。"

萧穹衍被他说得更加困惑，但他也听得出来，应寒时今天早上很高兴，非常高兴。于是萧穹衍也莫名地高兴起来，哼着歌，替他把伤口重新包扎好。

"OK了。"他收拾好医药箱，问道，"指挥官，你跟我们一起回家吗？"

应寒时穿好衬衣站起来，"不了。我送她上班，再回来。"

他黏谢槿知，这一点萧穹衍早已习惯，于是点了点头，两人动作轻徐地又走回客厅。哪知萧穹衍眼睛很尖，透过那道帘子的缝隙，一眼看到床上的谢槿知，脖子上全是点点红痕。

"啊！"他惊呼一声，"小知也受伤了？"

应寒时循着他的目光望去，眸色一怔，一把扯过帘子，遮了个严严实实，"你不用管。"

萧穹衍奇怪地看着他，"可是她……"看着应寒时沉静的眼神，他乖觉地住了嘴，"哦……"有些不甘心地往门口走了几步，他突然露出顿悟的表情，看着应寒时，"我知道你们昨天做了什么了！"

应寒时脚步一顿，将双手缓缓负起到身后，低声问："我们……做什么了？"

萧穹衍眼珠一转，得意地笑道："老实讲，你昨晚是不是带小知去爬山了？所以伤口才会裂开啊，还让小知摔跤了对不对？才红了那么一大片呢！指挥官，你真是太不小心了。"

应寒时静静矗立片刻，低头笑了，"嗯，我是带她去爬山了。"萧穹衍自觉猜中了答案，高高兴兴地往外走，却听应寒时温软的嗓音低低地道，"我们爬了好几次。"

"哦……"

帘子背后，谢槿知睁着眼睛。她早被萧穹衍一惊一乍的声音吵醒了。

只是……

我们爬了好几次。

她的脸微微发烫。

应寒时真是越学越坏了。

晨雾逐渐散去，阳光照亮了街道。这个城市仿佛也恢复了生机，四处是车水马龙。

瘦老板的早点摊前，客人也越来越多，忙得不可开交。不过，经过的人再多，有的人，还是一眼就会被人记住。譬如天没亮时，那对清秀斯文的情侣。又譬如此刻，坐在角落方桌旁的，这个男人。

男人三十余岁，十分高大挺拔，穿着简单的灰色衬衫和黑色长裤，显得很是英挺。他的轮廓很饱满，眉眼鼻梁都像是工笔勾勒般深刻清晰。衬衫挽起半截，露出结实的小臂，搁在小桌上。他一个人坐着，面色沉静无波，让人感觉难以接近。若说唯一违和之处，就是他左颊上，贴了张小小的创可贴。创可贴上还被人用笔画了个小小的笑脸。

瘦老板迎上去，语气不自觉就客气了几分："您吃点什么？"

男人静默几秒钟，伸手在裤兜里掏了掏，只掏出了一张五元纸币，丢在桌上，"这些钱够吃什么？"

瘦老板虽然意外他居然这么穷，但还是和气地答道："一笼包子，加一杯豆浆；或者一碗粉，加半笼包子。"

"一碗粉，加半笼包子。"男人言简意赅。

"好哪！"瘦老板收了钱，就给他张罗去了。

早点很快端上来了，男人拿起筷子，低下头，气度沉稳地吃着。过了一会儿，却有两个跟他穿着同样灰色衬衣、黑色长裤的年轻男人，走到桌旁坐了下来。男人抬眸看了他们一眼，神色淡然地继续吃。

"指挥官。"

"林指挥官。"

他们轻声唤道。

"嗯。"阿诺德·林已吃完了粉，放下筷子，用手拿起小笼包，一个个慢慢往嘴里放。

"最近情况如何？"他问。

一名手下答道："侦察兵传来消息：星流指挥官已经从平行空间回来了，并且得到了新的晶片。"

男人慢条斯理地把五个包子都吃完，才答道："知道了。"

"接下来我们怎么做？他们已经拥有两块晶片了。"手下问。

"我自有安排。"林抽出纸巾擦了擦手指，看向他们，"让你们带钱过来，带了吗？"

"带了。"一名手下从怀里掏出个大的牛皮纸信封，双手递给了他，"这里是十万现金。您说过，不必太多。"

"嗯。"林接过信封，淡淡地说道，"今天就先这样，你们走吧。"

两名手下对视一眼，其中一人迟疑道："指挥官，您不跟我们一起回去吗？"

"暂时不。"

"可是指挥官，请您一定不要再像这次这样走失了，甚至还流浪街头。大家都非常担心。如果有需要，请让医务兵可以就近跟随您。毕竟上一次与皇帝陛下决一死战，遭遇耀斑辐射后，您的大脑就一直未能痊愈，时常忘事……"其中一人忧心忡忡地说道，但是撞上林冷淡的视线，立刻又闭了嘴。

这时，另一人却盯着不远处的街头，轻咳一声说："指挥官，您的女人来了。"

林缓缓回头，看一眼不远处匆匆走来的女人，淡淡地说道："你们先走吧。"

他俩立刻站起来，"是。"身影迅速隐没进人群中。

林坐在原地不动，低下头，慢慢喝水。

冉好走到他跟前时，看到的就是这副气定神闲的模样。她微蹙眉头，看着那两个远去的人影，没好气地说道："木头，你大早上跑出来，跟谁偷偷见面呢？"

林答道："以前的下属。你吃什么？"

冉好在他身旁坐下来，招手说道："老板，来一笼包子。"然后斜睟看着他，"哟，你还有下属呢？"

林也不生气，手指慢慢转动茶杯，淡笑答道："有，还很多。"他的语气半真半假，冉好一时也分辨不出来，干脆懒得深想了。

热腾腾的包子端了上来，冉好这人脾气来得快去得也快，又欢喜起来，舀了两大勺辣椒酱，放在碟子里，正要开吃，辣椒碟却被人拿走，放到了一边。

冉好瞪着他，"你干吗呀？"

林抬眸回道："太多了。"

冉好有点不可思议，"你管我？"伸手要将辣椒碟拿过来，却被他按住了手。他的力气大得惊人，一时她的手被他牢牢握在掌心，动弹不得。

"我为什么不能管你？"他用那沉黑的眼睛看着她，这意有所指的话，让冉好的脸慢慢红了，松开了辣椒碟，他才缓缓地把她的手松开。

冉好低下头，用筷子夹起包子，一口口寡淡无味地吃着。他在旁静静地看着，若有所思的样子。

"喂，木头，你什么时候愿意去见我的朋友？"她小声问道。

林笑了笑，却语气疏淡道："我说过，不喜欢跟陌生人见面，也不要跟你朋友提我的事。"冉好有些丧气，但是从一开始她就知道，这个男人的脾气是很怪的。若说开始那些天，她还对他颐指气使，现在不知怎的，也不敢真的惹他发脾气。

她用筷子在盘子里戳啊戳，不高兴了。林静默注视片刻，说："你不是想出去玩吗？过几天我带你去。"

冉好又瞪他一眼，"说得轻巧，哪来的钱？我真是……对了，昨天给你的二十块钱零花，用完了吧？"

"用完了。"他淡淡地答，看她一眼，眼中到底闪过丝笑意，将那牛皮纸信封，丢到她面前，"这些钱你拿去交房租，再买你喜欢的那个包。剩下的我们俩去旅游。"

冉好拿起信封翻了翻，瞪大眼睛，却有些紧张起来，压低声音问："这些钱哪里来的？"

他扫她一眼，站起来，"我想起来，自己还有些赚钱的营生。你去上班，我还有别的事。"谁知刚走了两步，衣袖却被人紧紧抓住了。他低下头，首先看到扣在衬衫上的白皙纤细的手指，然后是冉好轻咬下唇的模样。

"木头，你是不是要不辞而别了？"她轻声问，"电视里都是这么演的，落难的有钱男人，一旦恢复记忆，就会回去原来的生活了。"见他不出声，冉好一把将那装钱的信封丢进他怀里，"你要走就走，这几万块我还真的不差。"

林静默注视她片刻，忽地抬手，就将她扣在了旁边的墙上，引来许多人的目光。冉好瞪大眼睛看着他，眼眶忽然有点湿了，他却低下头，冰凉的唇，重重吻住了她，略带胡楂的下巴，刺得她微微的疼。

冉好被他吻得全身都在颤抖，想要抗拒，却被他扣住了两个手腕，动弹不得，只能如同被囚禁的白兔，在大灰狼的怀里承受。

"唔……"

过了好一会儿，他才松开她，眼眸深邃，语气却平淡道："女人，不要干涉男人的事。晚上做个排骨汤，我回来吃。"

冉好怔怔地望着他，"哦……"他却已转身走远了。

天气晴朗，日光明媚。谢槿知戴着白手套，站在书架间整理。庄冲在工作台前值班，冉好虽然也在工作台前，但不知道在发什么呆。

周围静悄悄的，微尘在空气中飞扬。谢槿知忙碌了一会儿，动作慢慢停住了，站在那里发起了呆。

昨天晚上，没有做安全措施。

当时他和她情绪都有点激动，也有点冲动，几乎是不顾一切地在一起了。中间她虽然有想起这个问题，但是想到这几天是她的安全期，就抱着侥幸心理，继续放纵彼此了。

万一……要是怀上了怎么办啊？

不知道会生个什么出来……

谢槿知默默纠结着，又抬头看了看墙上的日历。今天是周末了，他说下班会来接她。周末两天他们又可以在一起了。但是如果……安全措施一定要做好。

同样的日光下，应寒时站在家中，面朝湖水沉思着。

过了一会儿，他面颊微红，转头问道："小John，你擅长网购，替我买点东西。"

"哦，好啊，小John乐意效劳。"萧穹衍笑眯眯地把电脑搬过来，"需要买什么？"

应寒时不说话，只抬起骨节分明的手指，在键盘输入了用品名称。萧穹衍爽快地答了声："好哪！"他在电脑上搜索了一会儿，就抬起头，"报告指挥官，我选好了，你看可以吗？"

应寒时扫了一眼屏幕，冈本003。他并不了解这些东西，不过萧穹衍的信息搜集分析能力是最强的，选的自然可靠。于是他点头道："买吧。"

萧穹衍拍下十盒，又说道："同城旗舰店，今晚可以送到。"

应寒时微微笑道："很好。"

萧穹衍得了表扬，也高兴起来，推开电脑，想起今晚应寒时还要去接谢槿知，又苦口婆心地劝道："对了指挥官，今晚不要再剧烈运动，不要再去爬山了哦！"

应寒时的目光先落在他脸上，然后落在屏幕上的订单画面。他静默片刻，最后转过脸去，避开萧穹衍纯洁无邪的目光，缓缓答道："我……自有分寸。"

身为男人，他会有分寸。

爬慢些……就是了。

第五十六章

甜蜜的他

　　谢槿知下了楼，远远就看到应寒时站在树荫下。身旁的冉好狭促地笑了笑，说："槿知，他黏得可真紧，我看你这回是要被这男人吃得死死的了。"

　　谢槿知低骂道："乱讲，快去跟你的犀利哥相会吧。"

　　冉好果然一副被点中死穴的模样，转头就走了。

　　谢槿知走过去，问道："什么时候来的？"

　　应寒时眸中有淡淡的笑，牵起她的手，"刚到。"

　　"我们去哪儿？"

　　他带她上了车，说："去吃晚饭？"

　　"好啊。"

　　应寒时在外面吃饭的次数并不多，所以谢槿知做主挑了附近一家粤菜馆。图书馆下班早，还没到高峰饭点，餐厅里人不多。两人寻了个僻静角落坐下，谢槿知翻看菜单。

　　"有什么想吃的？"她问。

　　"你定。"

　　"哦。"

　　谢槿知低头看了一会儿，终于还是抬头望着他，"应寒时，你能不能不要老是盯着我？"原本目光一直落在她身上的应寒时，闻言微微有些窘，转过脸去。谢槿知又笑了笑，这才招手叫来服务员。他伤口未愈，她点的都是几个清淡的菜。不过最后又加了盘麻辣小龙虾，自己吃。

　　菜一端上来，谢槿知就戴上一次性手套，专心剥虾子。应寒时原本没觉得有什么，也安静地吃着她点的那几道清淡可口的菜。过了一会儿，他抬起头，就见她面前堆满虾壳，嘴唇也吃得通红。那一整盘火辣的虾，居然被她吃掉了一大半。

她平日里温婉又安静，有时还有些凶。但应寒时还是第一次看到她这样大快朵颐的爽快样子，觉得新鲜又可爱。但眼看她竟跟个馋嘴孩子似的，专攻虾子吃个不停，他静默片刻，在她再次伸手前，将虾子端起，放到了一旁。

谢槿知抬头看着他，嘴唇红得像一小撮火苗，"怎么了？"

"不要吃太多。"他温和地解释道。谢槿知又瞥他一眼，站起来，伸手将那盘虾子又拿回去，放到自己面前，然后又拿起一只，慢条斯理地剥了起来，"应寒时，控制欲不要那么强，你有时候像个小老头似的。但是我不想被你管得死死的。"

这话她说得轻巧淡然，应寒时的脸却微微一红。头顶垂落的小灯，柔和朦胧。谢槿知望着他的模样，忍不住笑了。而他沉默了一会儿，忽然起身，从桌子对面坐到了她身边。

谢槿知斜眸看着他。他一只手臂搭在了她身后的沙发上，另一只手伸过来，轻轻取走了她手里的龙虾。谢槿知被他半圈在怀里，能够清晰地闻到他衬衫上干净的气息，微微一怔。他却已低下头，俊脸覆盖过来，在她唇上轻轻一吻。

"小知……听我的话。"微微低哑的嗓音，明明是在管她，却又像是在哄她。

谢槿知的脸忽然烫了起来，心也扑通扑通跳得不稳。看着他乌黑的眼睛近在咫尺，大有她不听话就继续亲她的架势。

谢槿知将手里的虾子一丢，抽纸巾擦了擦手，小声说："我不吃了，你坐回去。"

"嗯。"他这才起身，又坐回对面。

接下来，谢槿知一边喝着清淡的汤，一边望着他温润清雅的眉目，心想，他其实最坏了。

要怎么形容呢？

纯到深处自然黑?

吃饭的餐厅就在一栋商厦里，两人走出来，对面就是人潮涌动的电影院。谢槿知望了两眼，说："我想看电影。"

一直以来，她对外出观影都兴致缺缺，更喜欢跟他两个人在家里看电视。不过她这么说，应寒时看着她答道："好。"

其实谢槿知的想法很简单。突然很想跟他做一些普通情侣会做的事。

因为是临时买票，好的位置已经卖完了。两人干脆在最后一排的边角位置，坐了下来。这个时间，上座率只有一半，他们周围的座位都空着，倒也清静无人打扰。

光线很快暗下来，满场寂静，屏幕上的光影开始闪烁。谢槿知看了一会儿，就把头靠在应寒时的肩上。他的肩膀虽然略硬，但是却让她感到舒服。过了几秒钟，他偏头吻了下来。

谢槿知完全看不到画面了，跟他在黑暗中脸轻贴着脸，唇舌纠缠着。

"晚上……去我家，好吗?"他在她耳边碎语，"明天早上我送你上班。"

谢槿知安静了一会儿，回道："嗯。"

他得到首肯，手慢慢搂住了她的腰，将她从座椅上拉过来，抱起放到了大腿上。谢槿知斜他一眼，想要挣脱下来，却被他紧紧扣在怀里。谢槿知心跳如鼓擂，也不挣了，窝在他怀里，继续看电影。他却低头，只看着她。

于是这一场电影下来，两人根本就没看几个镜头，一直就这样小声说话，眉目凝视，耳鬓厮磨。到散场时，应寒时牵起她的手，第一个离开这繁华喧嚣的地方。

夜色如水，黑色保时捷轻盈奔驰在夜风中。谢槿知望着身旁戴着白手套、动作沉稳开车的应寒时，开口道："要不还是去我家吧，你家很多人。"

"不必在意。"他说，"我会命令他们不要打扰。"

谢槿知沉默了一下，还是有点别扭。他却轻声说："槿知，那不一样。"她不解地望着他。

"我的女人……应该跟我回家。"他缓缓地说道。

谢槿知这才明白过来。他是在说，去她家还是去他家，是不一样的。他是男人，要占据主导权。

她忽然笑了出来，把头探过去，在他脸颊上亲了一下。

早就知道，他温柔如水的外表下，内心住着个纯爷们。现在看来，他真的是很想以"一家之主"自居啊……

走进别墅，就见大家都在客厅里。苏和丹尼尔坐在电脑前打游戏，林婕靠在沙发里抽烟看电视。萧穹衍系着围裙，来来回回地忙碌着。

谢槿知心想，他这里还真成外星人大本营了。

见他们回来，苏和丹尼尔都笑着打招呼，林婕也淡淡地点头。萧穹衍则凑上来，"啊，我们马上要开餐了，一起吗？"

应寒时径直牵着谢槿知的手，上了二楼，"不用，我们吃过了。"走了两步，又顿住，转头看着萧穹衍，"小John，我和槿知想两个人待着，除非紧急情况，不要打扰。"

"哦……"萧穹衍一脸似懂非懂的样子。

谢槿知微窘，神色却淡定。抬眸望去，苏和丹尼尔面带善意的笑容，林婕却只用那漆黑深沉的眼睛望着她和应寒时，脸上没有任何表情。谢槿知神色平淡地回望着她，然后就看到她转过头去，起身走向阳台。

天已经黑了，湖边山色浓重。半掩的窗帘，透进来些月光，更显得寂静。谢槿知躺在床上，看着应寒时立在黑暗里，脱下了衬衣。

明明有过一夜经验，可谢槿知依然会觉得紧张。他俯身下来，堪称熟练地抱着她亲了一会儿，手就钻进了她的上衣里。感觉他的手指目标非常明确地滑到了胸衣上，谢槿知立刻说："慢点，我来……"话没讲完，胸衣已非常顺利地被他解开了。

谢槿知眨眨眼睛，"你……"

那双清亮沉静的眼睛，在黑暗中凝视着她，"我学会了。"

"……哦。"这么快。

"我现在……"他低头亲了她一下，"单手能够解开最复杂的款式。"

"……"

事实证明，这个在军校各科都考第一名的男人，这个据说单兵机械操作全国领先的男人，一夜之间，启蒙之后，学会的岂止是解内衣而已？

昏暗的光线里，他覆盖下来。谢槿知整个人，都被他那清淡温柔的气息笼罩着，就像身处一个只属于他们俩的小天地里。他完全没有了昨晚的急切和生涩，也不再一个劲地进攻，而是……极有耐心的，慢慢品尝。

他会缓慢地进出，让她慢慢呻吟出声；也会忽然加速，让她一颗心如同坐过山车般，随他的节奏起起伏伏；更会辗转厮磨，让她头一次尝到挑逗的滋味……结果进行了许久，第一次还没结束。谢槿知涨着绯红的脸，抓住他的肩膀说："应寒时，你不能这样……"

他似乎怔了一下，然而在这件事上，即使是温柔好讲话的星流，也有自己的判断和坚持。他凝视着她眼中的情欲，然后轻轻反握住她的手，扣在床上。

"我能。"他轻声说。

剩下的，只有谢槿知低低的呜咽声。

终于，第一次结束了。他从背后环抱住她，躺在床上。谢槿知蜷成一团，缓了很久，闷闷地坚决地说道："我疼，今天再也不要了。"

应寒时沉默了一会儿，也知道她初经人事，很可能无法再承受了。

而且……的确是因他……红肿了。

他的脸微微一红，又觉得愧疚，低声答道："好，我今晚不会再要你了。"谢槿知这才低低地"嗯"了一声，知道他必然会以她的感受为先，不会食言。

只是时间尚早，两人也没有睡意，就抱着说话。谢槿知在他怀里，慵懒又放松。应寒时却不太轻松。

正是血气方刚的年纪，此刻温香软玉在怀，对应寒时来说，才刚尝了个开头，就被叫停。过了一会儿，就感觉难以自持。谢槿知当然察觉到他身体又有了变化，立刻说道："这次说话要算话，应寒时。"

"嗯。"他的嗓音略哑，抱着她一动不动。

过了一会儿他在她耳边说："小知，能不能……摸摸它？"他的声音透着难得的压抑和难耐，听得谢槿知的心突地一跳。见她不说话，他就低头开始轻轻咬她的耳朵，咬得她浑身不自在。

谢槿知的脸红了，但到底是有些怜惜他，转过来，伸手轻轻握住，动作生涩地摩挲了几下，"这样……可以了吧？"

应寒时全身都僵住了。

他本意……本意只是让她摸摸尾巴，可是她……

白皙的俊脸瞬间潮红如血，他抬起漆黑晦暗的眼看着她。谢槿知有点没反应过来……转眼间，已经被他翻身压在了床上。

"应寒时你！"她抗议道。

"不，我不会让你再疼的。"他哑着嗓子轻声说，"不会再进去……我就亲一亲……亲一亲……"他连眼睛都红了。

谢槿知半信半疑道："哦……"

然而这晚过后，谢槿知才知道，不让男人得到满足，会有多麻烦。哪怕他平日里俊雅又良善。应寒时的确恪守承诺，这晚没有再要她。可是一整晚都将她桎梏在身下，抱得紧紧的，瞎子都能看出，他有多难受。而她的每一寸皮肤，几乎都被他亲过摸过占有过，就跟饮鸩止渴般，一遍又一遍，整晚都没有消停过，只亲得谢槿知神魂颠倒，差点就松了口。

天明时，谢槿知睁眼醒来。人依旧在他怀里，被他从后面抱住。她轻手轻脚地转身，看着他沉睡的样子。

后半夜她都睡着了，迷迷糊糊间只感觉到他还在亲吻她的身体，也感觉到他始终紧绷着不得纾解。此刻他终于眉目安详地睡在她身旁，谢槿知忍不住笑了。

过了一会儿，却听到咚咚咚的敲门声。她刚要起床，应寒时已经醒了，示意她继续睡，自己披了衣服坐起来，"什么事？"

萧穹衍洪亮的声音传来："指挥官，有事情要跟你汇报！"

谢槿知心疼应寒时没睡多久，毫不留情地说："让他一边待着去。"

应寒时微微一笑，门外的萧穹衍却耳朵尖听到了，大声说："指挥官，是紧急情况！"

应寒时立刻走过去，打开门。谢槿知也穿好衣服起身，跟了过去。

"什么事？"他问。

谢槿知也问道："是不是反叛军有什么事？"

萧穹衍的面色却有些古怪，好像兴奋又紧张的样子。他摇了摇头，变戏法似的从身后拿出个平板电脑，放到他们面前，"指挥官，出大事了，你的身份暴露了！"

谢槿知和应寒时同时一怔，只见屏幕上是个新闻页面，一行黑色醒目的标题："特大爆料：江城惊现外星人！"下方配的图片，是一个男人负手侧立在黑夜中。兽耳尖尖，长尾盘旋，侧脸轮廓分明。虽然画面有些模糊，看起来是偷拍的。但还是轻易就能辨认出，正是应寒时的照片。

第五十七章

半兽的我

谢槿知从未想过，应寒时的身份，会有暴露的一天。这感觉就像是晴天霹雳，让人摸不着头脑。

应寒时已经伸手接过萧穹衍的电脑，"我看看。"

三人在书桌旁坐下，谢槿知依偎在他身旁，看着屏幕。原来萧穹衍打开的，是一条长微博，粗略一扫，才几个小时，已经有上万条转发，两万多条评论。博主名字叫作"寻找真相的老白"，还加了V，认证信息是"自由撰稿人、记者、作家"。

萧穹衍却在旁边嘀咕道："就是个忘恩负义的家伙！"

谢槿知和应寒时一起往下看。

老白声称在两年前，见过"神秘男子"一面。原来那年秋天，他驾驶汽车往西部旅游，却遭遇了公路山体塌方，连人带车都被埋了，差点没命。

就在那时，"神秘男子"出现了。

老白在微博中描述："……他穿白衬衣黑色长裤，一看就衣着考究，拥有良好的家境和教养。我当时迷迷糊糊，以为是好心路人。结果他单手就掀开了压在我车上的几吨重的岩石，把我救了出来……

"我当时很惊讶也很感激，出于记者的职业敏感，我闭着眼睛装睡，偷偷观察他。他把我安置在公路旁后，就走到另外几辆遇难轿车旁，非常轻松地把其他昏迷的人都救了出来……

"我以为我眼花了，因为他的身后，有一根长长的尾巴，非常灵活，甚至还帮助他掀开了一辆大卡车……我非常确定，他不是人类。"

"他写的是真的吗？"谢槿知看看他俩。

　　应寒时点了点头，萧穹衍也答道："是的啊，那年是指挥官带我去青海湖钓鱼，遇到塌方，他就去帮把手咯。"说完又叹了口气，"小知，你知道的，他就是烂得不能再烂的好人，遇到谁有困难都会去帮忙。这些年他伸手援助过的人不计其数。事实上对于他能隐藏身份到现在，我已经觉得很惊讶了……"

　　应寒时行事坦荡无愧，但在心爱的女人面前，被他这样吐槽，还是微觉尴尬。抬眸看了萧穹衍一眼，目光有些严厉。萧穹衍立刻讪讪地闭了嘴。

　　谢槿知继续往下看。原来那次事件后，老白就一直在追查应寒时的事。慢慢的，居然也让他查出应寒时很可能居住在江城。而一次偶然的机会，他得知G省依岚山附近有些异常，于是就跟了过去。

　　然后就拍到了那一组应寒时半兽态的照片。据说是他匍匐在稻田中好几个晚上，偷偷拍到的。

　　在长微博的最后，老白写道："我追查他，不为私利，不为出名，只想证实一件事：地球上是否有外星人。因为追寻真相，是每个新闻工作者最根本的使命。"

　　"现在怎么办？"萧穹衍问，"要我黑掉这条微博，和所有转载吗？"

　　谢槿知心情一松。是了，他俩是顶级黑客，处理这次危机应该很容易。只是这个"老白"的出现，让人感觉很不安稳。

　　应寒时站了起来，负手沉吟片刻，答道："不，暂时什么都不做。我们删掉这条微博，他还可以再发。不仅打草惊蛇，还有可能引起更多人的猜疑。你尽快找出这个人，我们一次性将问题解决。"

　　萧穹衍恍然大悟道："是。"他俩说话间，谢槿知在电脑前坐了下来，刷新页面，发现这个外星人话题，已经登上了热门话题榜第五名。她又点开下面的评论，却发现热门评论并非质疑长微博的真实性，而是如出一辙的……

　　"Cosplay？但这个男人真的帅得像个外星人。同意的赞我！"

"真的是外星人吗？求带我离开地球！"

"太帅了，那侧脸那小眼神，看得姐心跳加速。"

"我只想说一句话：君子温润如玉，遗世独立。"

"这是我的外星老公，原博你不经我同意就发布，我要让老公代表星星消灭你！"

"求人肉，求偶遇，求献身。"

"求献身。"

"求献身。"

"请让他用尾巴缠住我！"

……

谢槿知慢慢地看着。应寒时原本不过把这当成一次闹剧，也不会放在心上。可现在跟她一起看着这些评论，俊脸慢慢就红了。

"槿知，这些你不必看。"他说。

谢槿知却看得目不转睛，"唔，我再看看。"

见劝不动她，应寒时抬眸看了眼萧穹衍，示意他把电脑拿走。

萧穹衍递给他一个"已领会"的眼神，然后开口特别苦口婆心地劝道："小知，你完全不必因为这些评论生气。因为指挥官根本不会看这些女人。"

这话听着顺耳，应寒时静默不动。

谢槿知轻轻"哦"了一声。

萧穹衍再接再厉地说道："当然啦。要知道从前，指挥官就经常被人偷拍、跟踪、示爱，他已经习惯啦！每次回帝都，几乎万人空巷，很多女孩都想一睹他的风姿。网络热门话题排行榜从来都是第一名呢，现在才第五！想当年，全国至少有一半未婚女孩梦想嫁给他，另一半想嫁给皇帝陛下。甚至还有女孩伪装成服务员，潜入他下榻的酒店，穿得很暴露想要爬床呢，每次我都要费力气丢出去。所以比起从前，现在不过是些小风小浪，你实在不必担忧呢……"

这番话他说得流利极了，谢槿知听得都愣住了。而应寒时的脸彻底红了，语气却清冷无比："小John，闭嘴。"萧穹衍吐了吐舌头，应寒时伸手从谢槿知手里取走鼠标，将电脑拿起来递给他，"你先出去。"

"哦……"萧穹衍委委屈屈地走了。

房间里重新安静下来。应寒时的手摁在桌边，低头看着她，"你……不高兴了？"

谢槿知也谈不上不高兴，只是……

她抬头望着他，"以前真的有很多女人喜欢你？"其实这个问题根本不用问。他年轻、能干、俊朗，身居高位，为人又正直，必然是许多女孩的梦中情人。就像现在，仅仅一张侧脸照片，都能引来女孩们的臆想和好感。

他答道："我不清楚。"

"怎么会不清楚呢？"

他用那漆黑如墨的眼睛望着她，"因为我并不在意。"

谢槿知轻轻"哦"了一声，手却被他握住了。

"那你什么时候开始在意我的？"她又问。

应寒时沉默了一会儿，答道："第二次遇见你的时候。"

谢槿知诧异地望着他，"第二次？是什么时候？"

他的脸又有点红，嗓音却是温软清爽的："那天下了雨，你一个人去图书馆查探，我……开车跟着你回家。"

谢槿知问道："然后呢？"

他顿了顿，说："你一个人走在雨中，看起来很冷淡，也很安静。"

谢槿知琢磨了一下他的话，问道："所以……你喜欢我冷淡的样子？"

应寒时也怔了一下，说："……是的。"

谢槿知忍不住笑了，"哦，这样啊。"

应寒时也察觉出她笑容里的戏谑之意，静默片刻，抬手就将她扣进怀里。

"有多喜欢？"她把脸埋在他胸口，小声问。

他轻声答道："非常喜欢。"

然而事态发展的迅速程度，超出了所有人的预料。这天，谢槿知还是照常去上班了。毕竟这个阶段，天塌下来她都不能旷工了。可到了中午，她再刷微博，已经有五万条转发，上了热门话题第一名。

之前应寒时黏她黏得紧，从馆长到门卫，几乎都见过他。于是谢槿知人在馆厅里，就能感觉不少同事的目光有些异样。冉好和庄冲两个知情人，更是一副如临大敌的模样，时不时跑来问她怎么办。谢槿知告诉他们，等应寒时行动，静观其变。

中午吃完饭，谢槿知去了一家眼镜店，买了副男士墨镜。结果看到连店员都在刷这条微博，还兴奋地感叹："真的好帅！"

"不会真的是外星人吧？地球人气质哪有这么好？"

下午，下班铃一响，谢槿知就跑下楼。远远就看到应寒时的车停在那里，人倒是没出来。谢槿知立刻跑过去，上了车。

应寒时依旧是沉静温和的样子，说道："抱歉，刚才我开在路上，就被人认出来了。所以没有下车去楼下接你。"

谢槿知点头，心想，那是因为你的车也太骚包醒目了。别人会多看几眼，再有看过那条微博的，不就发现了你。

车子徐徐驶入车流，她问："萧穹衍查出那个'老白'了吗？"

他回答道："快了。老白是在一家网吧发布的消息，萧穹衍正在追查他的住址和身份信息。"

"这件事，会跟反叛军、阿诺德·林有关系吗？"她又问。

"现在还不清楚。"应寒时语气清冷，"不过，他应该是很乐意看到我惹上麻烦的。"

谢槿知点了点头，从包里拿出那副墨镜，递给他，"暂时戴着吧。"

应寒时并不喜欢戴这种东西，但还是听话地戴上。然后双手搭在方向盘上，继续开着。

谢槿知一时竟看怔住了。墨镜之下，他的下颌线条清晰干净得让人侧目。

静默片刻，她探头过去，在他侧脸一吻，"你的确很招女人喜欢。"

"小知……"

她却倾身过去，靠在他的肩上，闭上了眼睛。

　　暮色降临，车子驶入小区时，两人发现了不对劲。前方应寒时的别墅周围，站了一群人，不少人还举着照相机、摄像机。别墅区的几个保安努力维持秩序，似乎想要驱赶他们，但是没什么效果。

　　应寒时缓缓将车停下，与此同时手机响起，是萧穹衍打过来的："糟糕了指挥官，可能是咱们的邻居，在网上发了你的地址。现在楼下全是人，你和小知暂时不要回来。林婕他们出去找老白了，没办法接应你们。"

　　"我们已经回来了。"应寒时放下电话。

　　谢槿知看着那熙熙攘攘的人群，还有不少是年轻女孩，举着手机在拍别墅。天色已经暗了，那些陌生人脸上的表情却是兴奋而期待，就像是等着看一场好戏。谢槿知却忽然觉得，离这些跟她一样的地球人，离这个环境，都非常遥远。

　　"怎么办？"她问。

　　应寒时刚要掉头，这时却有一名保安看到了他的车，跑了过来，"应先生，对不起，我们赶不走这些人……"他看应寒时的目光，明显也有些异样。

　　谢槿知答道："行了，你先走吧。"

　　然而已经太晚了，前方有记者发现了保安的举动，和他们的车，"在那里！"人群瞬间涌动，呼啦啦全都围了过来。

　　嘭嘭嘭——他们大力地拍着车窗，谢槿知抬头望去，到处都是陌生的脸，叽叽呱呱全都在大声说话，"应先生，你真的是外星人吗？"

　　"应先生，这次热门微博，是你的自我炒作吗？"

　　"这是你的地球女朋友吗？"

　　"真相到底是什么？"

　　而那些女孩，也拼命挤进来，看到应寒时的真容，全露出兴奋羞涩的表情，"好帅啊！"拿着手机一个劲地拍。

　　应寒时抬手挡住脸，从谢槿知的角度，只能看到他微抿的嘴唇。

　　"槿知，跟紧我。"他说。

　　"嗯。"

　　谢槿知只觉得这一切真的就是一场可笑的闹剧，一场飞来横祸。既然避无可避，她现在只想跟他快点回到屋里去。

他推开车门下车，引来更多闪光灯和惊呼声。谢槿知看着他面色静漠无比，伸手分开人群。那些人似乎也不敢靠他太近，让出了一条路。这一幕让谢槿知心里忽然微微刺痛。

他走到副驾，拉开门把她接了出来。他们见状又围了上来，对着她一顿猛拍。应寒时将她扣进怀里，缓缓说道："请你们让开，我们要回家。"

可是回答他的，是一片更加刺耳的迫问声。

谢槿知低着头，任由他拉着，往别墅的方向走。那群人始终挤着围着他们，所以走得很慢。就在这时传来"啊""啊"两声惊呼，两个女孩大概是被人撞到了，朝地上摔了下去。可旁边正是片花圃，带刺的玫瑰丛和岩石夹杂在一起。眼看两个女孩头就要撞在岩石上了，应寒时眼疾手快，一把扶住她们。旁边的人们一阵惊呼，却没人伸手相助，而是响起更密集的拍照声。

"多谢！"

"谢谢你！谢谢你！"两个女孩也吓了一跳，连声道谢，望着他脸却红了。

应寒时迅速松开她们，脸色清冷而平静。

谢槿知刚要伸手重新牵住他，忽然就感觉到身旁有人非常用力地撞了她一下，她的脚步一个踉跄，就没能握住他的手。而他在这时霍然回头寻找她。

谢槿知身旁站着两个举着照相机的男人，身手快如闪电，放下相机，手就扣在了她的肩上。谢槿知还没来得及发出惊呼，就感觉到两股大力朝自己肩头袭来。她的脚尖已经离地，被他们拖着往后迅速倒退。树木和建筑如同光影般从眼前掠过，眨眼间竟然离人群有数十米远。

谢槿知心头冒出一股寒气，失声喊道："应寒时不要！"但是已经晚了，两个男人唇角同时微勾，刹那令谢槿知想起曾经在依岚山袭击顾霁生的纳米人。他们手掌一翻，同时露出雪亮的匕首，朝谢槿知的胸口刺去。

一团银色光影，疾如流星快若闪电，从人群中跃出，朝他们冲过来。两个纳米人的刀刃还没碰到谢槿知的皮肤，就被他揪起衣领，扔了出去，重重撞在树上，滑落下来。

　　然而他们的目的也许已经达到了。

　　人群爆发出强烈的惊呼声。

　　谢槿知的眼前，光影消失，他清澈如明月般的轮廓浮现。许是刚才爆发的速度太快，兽耳于黑发中安静竖立着，身后的尾巴也轻轻摇动着。

　　"尾巴！尾巴出来了！"

　　"妖怪！"

　　"他真的是外星人！"

　　他们手里的照相机几乎闪成了一片，个个脸上呈现兴奋和惧怕交织的神色，一时也不敢靠近。连旁边的保安，全都大惊失色地拿出手机拍了起来。

　　应寒时双手负在身后，清瘦挺拔的背影矗立在夜色中，也矗立在他们看怪物般的目光里。然而他眉目沉静，竟是如此处变不惊，将她的手一牵，低声道："我们回家。"

　　谢槿知跟着他往家里走，这一次再没有人敢围堵上来了。可是她望着他的背影，望着他静静垂落的尾巴，忽然感到说不出的难过。

　　她一点也不想看到他这样孤独地站立在世人的视线里。

第五十八章

平凡人生

　　谢槿知站在窗口，静黑的天空笼罩山岭和湖畔，远处的城市灯火通明。她站了一会儿，听到背后响起脚步声。

　　应寒时负手凝望着她，"小知，为什么不下去吃饭？"

　　谢槿知用手指轻扯着窗帘，说："不想吃，你不用管我。"

　　应寒时垂眸静立片刻，伸手就把她拉进怀里。谢槿知的脸轻贴他的胸口，不说话。

　　"再不吃，我就亲手喂。"他说。

　　谢槿知抬头望着他，"这句话谁教你的？"

　　"……庄冲。"

　　谢槿知忍不住笑了。

　　他的眼睛里也有非常温和的笑意，"小知，无论何时，不要对自己的身体不好。"

　　谢槿知轻轻"嗯"了一声，又问："寒时，你是不是习惯了被别人委屈？你为什么一点也不生气？你……难过吗？"

　　他握住了她的肩膀，答道："我并非软弱可欺，我是个男人。但是，人生在世，有些事需要男人去在意，有些事却只是过眼云烟，我不需要放在心上。"

　　谢槿知微怔。

　　一直以来，她都觉得他太过善良纯直，有时也会替他感到不甘。可此刻听了他的话，她忽然明白，他的良善，并非单纯不懂世事，而是一种静如深水的通透坚定。

她伸手抱住了他，"嗯，你特别特别男人。"

应寒时还没被她用这么重的语气夸奖过，而且夸奖的还是他最在意的方面。他的脸慢慢红了，尾巴也跳出来，轻轻摇着。

谢槿知顺手握住他的尾巴，在手指上缠了两圈，又问："现在我们怎么办？"

他任由她随意玩弄着尾巴，脸色微红，嗓音却沉静地答道："萧穹衍已经追查出'老白'的下落。等你吃完饭，我们去找他。"

谢槿知的神色也变得肃然，"好。"

楼下的那些人，终究被保安们驱散了。但黑暗中是否还有窥探者，不得而知。那两名反叛军的纳米人，也趁乱逃走了。

谢槿知和应寒时都没有去看网上的新闻，但是从萧穹衍和庄冲的脸色看，情况必定很糟糕。谢槿知在应寒时的陪伴下吃了饭，他就背着她跳窗而出，开另一辆车，离开了小区。

大约半个小时后，他们抵达目的地——一个普通的住宅小区。按照萧穹衍费了很大力气查出的线索，"老白"就非常隐秘地住在这里。

夜色深了，小区里十分寂静，灯火稀疏。应寒时带着谢槿知上了楼，没有坐电梯，而是走楼梯。

老白就住在18楼。到了16楼拐角时，应寒时忽然停步，抬头仔细聆听。

白梓辰坐在颜色老旧肮脏的沙发里，一根又一根猛抽着烟。一旁的方桌上，几个男人正在打牌，哗啦啦的洗牌声和笑骂声不绝于耳。

平心而论，身为文化人的白梓辰，很讨厌这些托关系花钱雇来的打手混混。但是现在，他需要他们。

这几天，他一直被某种焦躁而兴奋的情绪冲击着。正如他在长微博中所写，在与应寒时萍水相逢后，他一直渴望着再找到他，揭露他身上的秘密，得到自己想要得到的一切。其实仅凭一条尾巴和超能力，他并不能判定应寒时就是外星人。但他很清楚，"外星人"的假设，更能引起公众的兴趣，效果更轰动。

现在，这一点已经得到证实。据说甚至已经有人，找出了应寒时的住址，拍到了更多的照片。但是白梓辰并不急着凑上去。

他要的，是更大的独家新闻。这件事一旦成了，他就会成为江城乃至全国最出名的记者。

他又深深地吸了口烟，目光落在房间里，那个一人多高、方方正正的金属牢笼上。里面连锁链都已准备好，可以牢牢绑住那个外星人的四肢。

他推测，应寒时一定会找上自己。所以他才偷偷租了这套房子，又请了七八个打手过来。尽管依据当年所见，应寒时的力气大得惊人，但他现在这么多人，又都是狠手，搞定他应该没问题。

事实上，在白梓辰心中，根本不相信外星人的存在，他更倾向于应寒时不过是个基因突变、长着尾巴、力气大一点的怪胎而已。以前国外不是没有过新生胎儿长有尾巴的报道。不过现在，这个怪胎就是他一举成名的筹码。

他又有些厌恶地转头，看着那些打手，脸上却带着笑，"各位大哥，你们打牌归打牌，时刻还是警惕点。他随时有可能来。但如果来了，注意不要伤到他，关键是抓到关进笼子去。等研究完了，我还是会放了他的。"

打手们一片哄笑，答道："好。"也不知是不是在笑话"抓外星人"这件事太荒谬。

白梓辰有些烦躁地打开电脑，浏览网络上最新的进展。耳边闹哄哄的，以至于客厅的门被人推开的那一声轻响，他也没注意到。

打手们也没注意，洗牌声越来越大。

过了一会儿，白梓辰突然怔住，身体微微有些发僵，心跳也猛地加速。他抬起头，望向门口的方向。然而眼前骤然出现一片洁白而磅礴的光芒，无声无息地朝他侵袭过来。他看到所有打手同时如遭重击，哼都没哼一声，就栽倒在白光里。而他眼前一黑，也昏了过去。

白梓辰再次醒来时，发现自己在笼子里。他吓得浑身冷汗，踉跄着爬起来，望着笼外的一男一女。

　　应寒时没有看他，站在窗前，神色静漠。谢槿知坐在一把椅子里，眼神清冷，"你有没有良心？他救过你的命，你却妄想把他当成动物一样关起来？"

　　白梓辰这时却镇定下来，一脸坦然地答道："我要追寻真相。你……真的是外星人？"

　　应寒时未答，谢槿知也没理他，而是扫一眼屋内的设施，淡淡地说道："追寻真相？可这些摄像头，还有你电脑里那些准备好的新闻稿，都告诉我们，你打算24小时直播！"

　　白梓辰说不出话来，最后哽哽地说："那也是为了真相……"

　　应寒时终于侧头，看了过来。与他的目光相触，白梓辰心头居然一颤。然后就听他静若流水般的声音响起："我不杀没有攻击力的平民，你也罪不至死。但是你的所作所为，已经伤害到我身边的人。我必须让你付出代价。"

　　白梓辰害怕起来，大喊道："你们想干什么？现在可是法治社会，新闻自由……"话没说完，应寒时的手已经伸入牢笼，将他抓了出来。白梓辰"啊"的一声惊呼，应寒时已提起他，影如流光，跃出窗外。

　　谢槿知等了几分钟，就见他俩跃回了屋内。应寒时丢开他，神色淡然。白梓辰整张脸却已吓白，一落地，就瘫软下来，然后窝在墙角拼命呕吐。

　　看到他被折腾成这副模样，谢槿知心中倒升起一丝快意。应寒时说道："如果还有下次，我不会再接住你。"言下之意，下一次就会要他的命。

　　白梓辰慌忙点头道："不会了，不会了，我什么也不会做了……"

　　应寒时注视着他的眼睛，过了一会儿，转头对谢槿知说："你去楼梯间等我。"

　　"好。"

　　谢槿知等了一阵，就看到他从楼梯走了下来。两人没有多说，下楼上车。

　　夜色很深了，公路上的车流却依然川流不息。谢槿知靠在椅子里，有些漫无目地望着外面的灯。片刻后，听到他开口："我断了他一双腿。"

　　谢槿知沉默了几秒钟，"哦"了一声。

　　应寒时的侧面在夜色里，寂静得像一幅画，他缓缓说道："他的眼神太闪烁，我必须让他吃到苦头，不敢再犯，也无法再跟踪我。他电脑上的数据和所有资料，我都已经销毁。断了源头，就可以通知萧穹衍，屏蔽网上所有相关消息。以后，网络上不会有任何痕迹。"

谢槿知点了点头。她相信他的判断，只是这样的他，透着种熟悉又陌生的冷冽。那也是让她心动的。

而且她以前也见过，网络上闹得多火的事件，一旦被压下去，销声匿迹。过几天，公众的视线就会自然而然地转移。再过半年甚至几个月，都不会有人再提起。

只是，这件事终究还是破坏了他们原本平静的生活。

她抬头望着前方，那么多的高楼大厦，车流灯光，他们的车却是孤独而安静的。她轻声说："去我家吧，不会有人打扰。"

"好。"

如果两个人的孤独是爱你的一部分，那我心甘情愿。

应寒时把车停在离她家不远的街角，然后背着她跳过屋顶，跃进窗户，这样不会被任何人看见。屋子里很暗，两人都没去开灯。谢槿知抱着他，躺倒在床上，轻声说："寒时，你让人忍不住就想要满足你。"他在黑暗中不说话，但是她知道，一定又被自己的话撩得脸红了。

"你确定……要满足我？"他问。

谢槿知慢悠悠地答："拼了。"

一室暗淡中，两个人都笑了。他扣住了她的双手，低头吻了下来。

第五十九章

度蜜月吧

手机铃响时，谢槿知睁开眼睛，发现自己躺在卧室的沙发里。

她愣了有一秒钟，因为之前她是在阳台上打盹。是应寒时抱她进来的？她笑了笑，从口袋里摸出手机，看到来电显示，抿了抿嘴。

"喂，馆长，你好。"

馆长的语气有些踌躇地说道："小谢啊，你好。给你打个电话，问问你这几天怎么样？"

谢槿知一听就明白怎么回事，语气平静地答："都挺好的。"

馆长轻咳一声，说："是这样，馆里这两天也来了一些记者，还有不明真相的围观群众。我看，如果你不方便，这两天就在家里休息，不要来上班了。等事情过去了，再来报到。怎么样？"

谢槿知沉默了一下，说："馆长，对不起，给你添麻烦了。"

馆长立刻说："没事没事，你不要有心理负担。我是不信那些异想天开的事情，一个人在家照顾好自己。"

谢槿知笑了，"谢谢你馆长。哦，对了……"

馆长问道："什么？"

"能算带薪假期吗？"

电话那头的馆长明显愣住了，几乎是从牙缝里挤出一个字："……算！"

挂了电话，谢槿知的心情忽然变得很好。这人生，让你感到温暖的人，永远存在。

她起身刚要下楼，手机却再次响了。其实自从外星人的消息爆出来后，这两天她已接到很多电话了。拿起手机一看，却怔住了，心头也是一跳。

"喂。"

"槿知。"谢槿行低沉的声音在那头响起，"在干什么？"

"在家休息呢。"

"最近工作忙不忙？"

"不忙。你呢？"

"我也不太忙。"他答道，"所以你什么时候有时间，可以带他来见我。"

谢槿知不说话了。谢教授也沉默了一会儿，然后平平静静地说道："槿知，我知道他是。"

谢槿知还是不吭声。

谢教授问："你们有什么打算？"

谢槿知却反问道："你有什么打算？你们官方，会有什么动作吗？"

"不会。"他的声音里倒是有了一点淡然的笑意，"这种消息，历来就传得很多。加之网上的消息，你们不是都压下去了吗？官方向来是权威的、谨慎的，安定为主的，我们还不至于去理会民间这些捕风捉影的事。"

谢槿知松了口气，下意识地说道："谢谢你。"

谢教授却说："有件事，我要向你道歉。"

谢槿知微征。

谢教授简单道明了原委。原来那白梓辰倒也神通广大，他当日之所以会追去依岚山，是从谢教授单位的一名研究员口中，听了那边的磁场波动异常。就凭着这么点蛛丝马迹，没想到真的让他撞见了应寒时。

"那名研究员，我已经向上级申请，调离原来的岗位。"他说道，"这样不谨慎的性格，不适合科研工作。相关资料数据，我也会亲自保管，不会再让更多人接触到。"

听完这番话，谢槿知心里却有些不安稳。原本风马牛不相及的两件事，却联系在一起，造成了他们今日的麻烦。世事冥冥中仿佛真的有注定，该来的还是会来。

然而对于谢槿行，她却是真心实意地感激，"谢谢你，哥。等这件事彻底过去了，我就带他来见你。"

谢槿知下了楼，没瞧见应寒时，倒看到萧穹衍和庄冲两个，脑袋凑在电脑前，很兴奋的样子。她走过去问道："在干什么？"

萧穹衍把电脑推给她，"小知，快看我们的杰作。"

谢槿知看了一会儿，笑了。原来他们竟然用白梓辰的微博号和各种公众号，发了道歉长文。大意是这一切不过是自己请来的演员，自导自演的一出戏。目的就是获得公众关注。现在真相被"某些正义人士"戳穿，他迫于无奈，也受到良心谴责，不得不承认真相。他愿意承担所有责任，还请大家不要再去打扰那些无辜演员们的生活。刚发布了几十分钟，评论已经有五千条，绝大多数都是骂白梓辰的。当然，肯定也会有那天目睹应寒时变身的人，发表评论。但萧穹衍怎么会让这种评论出现在网上呢？

谢槿知想了想，觉得他俩这一招还真的可行。网络世界，是非黑白本就是辨不清的。热度下去了，真相混淆了，慢慢就过去了。

"干得不错。"她夸奖道。

萧穹衍咧嘴笑了，庄冲也淡淡笑了。

"不过……"谢槿知话锋一转，"你们连应寒时一起黑了。之前别人都以为他是异能、外星人。现在全当他是幼稚的Cosplay狂人。"

庄冲一怔，萧穹衍说："啊……"他们都没想到这一点。

谢槿知微微一笑，又对庄冲说："我被停职了，过一段才能去上班。"

萧穹衍眨巴着眼睛，满是心疼地看着她。庄冲静默片刻，说："也好。要不要出去走走？"

谢槿知觉得这倒是个好提议，点了点头道："我想想。"

庄冲淡笑道："想去哪里？我，都可以。"

萧穹衍也凑上来，"我也去我也去！小知你一定要挑个荒凉没人的地方，小John就可以跟去啦！"

谢槿知："……"她看他们一眼，起身走了。

旅游，谢槿知的确心动了，也正好离开江城避避风头。但她可不想带这两个拖油瓶去。

她想跟应寒时两个人去。

他的书房在一楼最僻静处。谢槿知推开门，就看到他坐在书桌前，手里拿着本书在看《十万个冷笑话》。

听到动静，他放下书，转头望着她。谢槿知走到桌旁坐下，趴了下来，偏头看着他问："你为什么总是在看这些书？"

他温和地笑了，"这些书会让我心情平静。"

"那你讲个……你觉得最好笑的笑话给我听。"

他安静了几秒钟，缓缓开口："某一天，有个人遇见了上帝。上帝心血来潮，问他有什么愿望。他想，猫有九条命，于是就请求上帝赐给他九条命。上帝答应了。"

谢槿知从没看过笑话书，倒听得很认真。

"后来有一天，这个人觉得无聊，就想去死一次，反正有九条命。他去卧轨了。然而火车开过后，他还是死掉了。"

谢槿知奇怪地问："为什么？"

应寒时的眼睛里浮现清亮的笑意，"因为……火车有10节。"

谢槿知过了一会儿才笑出来，"应寒时，真的很冷。"他却淡笑不语。

她又伸手，摸了摸他的脸，问："你说这些书让你平静。你这个人已经够平静了，还要平静什么？"

他怔了一下，微微低下头，握住了她的手。

"小知，你昨晚说过要满足我。"

谢槿知的脸顿时一烫，想要把手抽回来，却被他握得更紧。然后就听到他说道："我以为……你真的会。"

谢槿知闷闷地答："那我后来的确受不了了……对不起。"

两人都静了一会儿，他起身将她抱进怀里，低声说："没关系。"

亲了几下，她抬起头说："应寒时，我们出去走走吧，找个没人认识我们的地方待几天。"

"好。"

"但是不要带别人，尤其是萧穹衍和庄冲，就我们两个人去。"

他轻声答："好。"

既然决定了出游，接下来就是安排行程了。这种琐碎的事，谢懂知自然是没什么耐心的。应寒时专程把萧穹衍叫进了书房里，庄冲也跟了进来。

应寒时负手站在窗前，似乎在思忖什么。萧穹衍高高兴兴地说："我刚才就在查资料啦，现在是旅游淡季，你们想去哪里都很方便清静。"

应寒时转过身，脸颊有些红，黑眸也沉沉的，"小John，庄冲，我想在这次外出时，向她求婚。"

"啊啊啊啊——"萧穹衍发出喜悦的惊呼，"太好了指挥官，你终于要结婚了！"

庄冲眸色微怔，旋即也露出淡淡的笑，朝应寒时颔首道："恭喜。"

应寒时微微笑着，整个人仿佛也沉浸在某种温和的光泽中。

"求婚需要什么？我马上去准备。"萧穹衍兴奋极了。

庄冲的手臂搭在沙发上，手指轻轻敲了敲，淡淡地说道："简单。钻戒、玫瑰、西装、月光以及Kingsize大床房。"他说得太快太押韵，以致萧穹衍听得有些迷糊。

应寒时却郑重地点头道："多谢，我记下了。"

气氛如此愉快，萧穹衍忽然联想到另一件事，"啊！如果结了婚，就可以有宝宝了。指挥官，我真的好期待好期待，看到你们生出一只长着尾巴的小小知呢！"

庄冲呆了一下，应寒时再度负手眺望窗外，笑意清澈，"我也非常期待。"

"等一下。"庄冲忽然说道，"你确定你可以结婚？"

应寒时和萧穹衍同时愣住了。庄冲一字一句地道："我记得，应寒时的身份证是伪造的吧，而且也没有户口。小John你说过，他的身份证可以应付一般的检查，但如果有人寻根究底仔细查，肯定是不行的。你们外星人终究还是不清楚，我们的户籍审查制度，是非常严格的。结婚要户口本和身份证，生孩子还要经过层层审批，到双方户籍所在地开证明开准生证！"

应寒时和萧穹衍都一动不动地站着。因为在曜日帝国，男女只要双方自愿，就可以到任一电子结婚设备上，去登记结婚。完全不需要别人来……审批？

"所以……"庄冲掷地有声地说出了最终结论，"你和她没办法登记结婚。将来生了孩子，也只能跟着谢槿知落户口。并且，户口本上永远也不能出现父亲的名字！"

暮色降临时，萧穹衍从应寒时的书房退了出来。关上门前，他又抬起头，看着指挥官矗立在窗前的身影，看起来是那么的安静而落寞。

萧穹衍突然觉得心酸极了。甚至比帝国历348年，小行星上20万居民聚集在指挥官府邸前，那时指挥官的背影，还要落寞。

戎马半生的指挥官，终于要有孩子了，却不能落在自己名下。银河系最男人的男人，来到地球后，居然受制于地球人繁杂的结婚制度，不能得到名分。这跟……入赘给地球人，有什么差别？

他闷闷地想了半天，终究还是想不出更好的办法，只能安慰自己：对象是心爱的槿知，说不定指挥官是愿意入赘的啊。

他走回客厅的工作台，打算继续查找旅游资料。打开电脑盖，轻轻"咦"了一声。屏幕上打开了一个页面，是云南某个古镇的旅游资料。他抬头看了看客厅里其他人，林婕坐在沙发里看电视，庄冲带着丹尼尔在打游戏，苏在看另一台电视。一定是他们中间的谁，刚才用过他的电脑啦。

萧穹衍坐下来，扫了两页这个页面，突然发现这个叫"沙渡"的古镇很不错呢。符合应寒时刚才提出的要求：山清水秀，古朴安静，而且旅游没怎么开发，游客很少。关键是，他还发现页面上画着很多看起来很好吃的美食。

萧穹衍看得津津有味，他几乎可以想象出应寒时站在古镇的屋顶上，沐浴着月光，向谢槿知求婚，最后抱得美人归的场景了——虽然他最终无法得到结婚证。

萧穹衍立刻开动马力，上网搜集这个古镇的所有相关资料。

同样的夜色，也笼罩着这城市的每一个角落。

　　冉好住的是自己家的房子，不过没跟父母住在一起。夜深人静，她洗完了澡，坐在电脑前刷淘宝。

　　身后响起脚步声，有人靠近，在她身旁坐下，问："在干什么？"

　　闻着他身上浓烈的男性气息，她的脸慢慢热了，答道："在逛淘宝。"

　　"淘宝……是什么？"他慢慢地问。

　　她却以为他是故意在装傻，没答，转过脸去，"你困了就去睡，我再玩会儿。"

　　他没动，过了一会儿，整个人从后面覆盖上来，一只手扣住她握鼠标的手，另一只手握住了她放在键盘上的手。

　　"怎么玩？教教我。"他嗓音低沉地说。

　　靠在他怀里，冉好的心跳骤然加速，"木头，别靠得这么近。别忘了，我是你的房东……"

　　"嗯，房东……"他低头忽然咬了一下她的耳朵，只咬得她全身一颤，从他怀里跳了起来，电脑也丢到一旁，满脸通红地看着他。

　　看着她窘迫的模样，他却笑了，双臂舒展搭在沙发上，淡淡地说道："你不是想去旅游吗？明天去请假，我带你去，算是抵之前的房租。"

　　冉好眼睛一亮，但又故意端着，"那得看什么地方，我也不一定愿意去。"

　　他笑了笑，慢慢答道："云南，沙渡古镇。"

　　冉好来了兴趣，"哦？"

　　云南，沙渡。

　　偏僻的、游人稀少的古镇。很美的地方，古镇背后就是重重大山，宛如天堑。

　　也是反叛军主力最终集结之地。

第六十章

明年今日

　　天空的颜色格外透亮。狭窄的街道两旁，都是古旧的木房子。它们被岁月侵蚀成黄土一样的色泽。阳光照耀下，每一扇门，每一面窗，都透着寂静。

　　谢槿知与应寒时牵手走在街头，镇上的人非常少，偶尔才看到几个妇人背着背篓缠着头巾走过。也许因为是淡季，店铺大多关着门。即使开着门的，也没看到几个人。

　　"这里还真是清静。"谢槿知说。

　　应寒时微微一笑。这倒正合两人心意了。

　　墙头时常有鲜花和紫藤伸出来，分外亮眼。街上也不是完全安静的，许多人家都养着狗。当他们走过，时常听到院内传来狗吠声。

　　他们今天早上才抵达云南，现在快到中午，也有些饿了，就沿着街道找吃的。好不容易看到家开门的旅馆，叫"楠子旅馆"，正要走进去，冷不丁门口伏着的一只大黑狗，汪汪叫着就朝他们扑过来。

　　谢槿知吓了一跳，应寒时已一把拉住她，护在身后。那狗看着神态极凶，牙齿尖露，眼看就要咬到应寒时的裤腿。

　　"当心！"谢槿知低呼。

　　可他的神态非常平和，抬手示意她没事，只注视着那大黑狗。一人一狗居然对视起来。说来也奇怪，前一秒狗还恨不得一口将他们吃下去的模样，下一秒，竟整个萎靡了，低声呜咽着趴了下来，很温驯的样子。

　　应寒时淡淡一笑。

　　谢槿知不会傻到以为是他的沉稳气场折服了狗，稍微一想，明白其中奥妙。她也露出微笑，伸手摸了摸他的头，"真棒。"

"槿知……别这样。"他微微有些窘。

"哦。"

一个年轻女人从屋里跑出来，满脸歉意，"对不起，是不是狗吓到你们了？"她立刻斥喝了几句，那狗伏得更低了。

"要住宿吗？我这里有空房间，也很干净。80元一天。"她说。

谢槿知看她人长得清秀，收拾得也爽利，讲话又柔和，不由得生出几分好感。

这时一个五六岁的小男孩从屋里跑出来，抱住女人的大腿，喊了声"妈妈"，怯生生地看着他们，眼睛又黑又亮。

谢槿知对孩子是有偏爱的，微笑地说："那我们看看房间。"

转头看向应寒时，他的眉目亦很温和，点头说："好。"

女人让孩子自己在一楼看电视，带他们上了二楼。沿着气味清洌的木楼梯往上走，谢槿知很快喜欢上这里。看得出老板娘很用心，处处打扫得一尘不染。白墙上挂满干花，窗棂上贴着剪纸。虽然简单，却素净灵秀。加上本就是全木的楼阁，感觉就像走进了民国时的民居。

老板娘自我介绍叫"叶子"，她老公叫陈楠，所以旅馆取名"楠子"。因是淡季，而且这里的旅游本就没开发起来，整个旅馆没有其他客人。叶子领他们走到正朝南阳光最好的一个房间门口，微笑地说："你们看看行不行，这是最大的房间。"

谢槿知和应寒时走进去。房间里的摆设挺简单，但是格局通畅，风格雅致。木床、木架子和木柜，旁边还有个木榻榻米。一根木棍支起老式推窗，窗帘是深蓝色的。

谢槿知觉得很不错，刚要说"就住这里"，身旁负手而立的应寒时却极为温和地先开口了："请问……你们是否还有Kingsize的大床房？"

叶子愣了一下。

谢槿知微微尴尬，立刻对她说："不用理他的话，我们就住这里。"拿出身份证和几张纸币给她。

叶子下楼去办入住手续了，谢槿知拉着他在床边坐下来，说："难道这床还不够大？我们每晚是怎么睡的？"

应寒时脸颊微红，点了点头道："够了。"

他每晚都是抱着她睡，几乎将她整个圈在怀里。谢槿知每次醒来，就看到两人只占了半张床，另外一半都空着。昨天早上她还在抗议，这样睡既不舒服又浪费空间。

但是抗议无效。有些事情上，他就是不听她的。

谢槿知也听庄冲讲了结婚证和户口本的难题，现在又听他提到Kingsize大床，于是看着他问道："应寒时，你很在乎名分吗？"

"在乎。"他答道。

"为什么？"

"因为这是你的母星的认可形式，认可你是我的妻子。"

谢槿知知道他有时候挺一板一眼的，譬如总是郑重其事地许诺，现在又这么在乎"来自妻子母星的认可"。不过谢槿知却不太在意这些，她觉得只要两个人矢志不渝，其他都不重要。于是她想了想，安慰道："其实也没关系。你想，现在大家都以为你是Cosplay高手，那就是艺术家。艺术家相爱了就是不结婚，这很正常。"说完她自己都笑了。

应寒时静默片刻，将她扣进怀里，"小知，你很过分……"

"唔……"

午饭就在旅馆里吃的。叶子的手艺出乎意料的好，炝螺肉、鸡豆凉粉、小瓜炒蛋和青菜汤，清爽又可口。谢槿知专门拍了照，发给萧穹衍和庄冲。

这次他们的行程，只有自己人知道。一是避免被人打扰，二是要提防反叛军。所以谢槿知把照片发在只有萧穹衍、庄冲、她和应寒时在的微信群里。

萧穹衍回复："看起来好好吃哦，我也好想去！"

庄冲道："别想了，她已然抛弃我们。"

谢槿知看得笑了，一旁的应寒时说："小知，吃饭不要玩手机。"

"哦。"她放下手机，看到一个年轻男人走进院子里。约莫二十五六岁，高高瘦瘦，皮肤黝黑，眉眼端正。穿着短袖衬衣和短裤，还缠着白色头巾。

站在屋檐下的叶子朝他露出笑容，一旁的小男孩志志高高兴兴地跑过去抱住男人的腿，"爸爸！"

这男人应该就是叶子的老公陈楠了。他抱起志志，看了眼他们。应寒时和谢槿知都朝他点了点头，他脸上没太多表情，抱着孩子去廊下喂狗了。叶子有些不好意思地说："我老公不太说话，你们别在意。"

午间的院子寂静无比，风吹过门窗发出呼呼的声音。谢槿知和应寒时吃了一会儿，就见叶子走向他们父子身边。陈楠拿了包肉骨头，一块块丢给那大狗。志志在边上看着。叶子伸手摸了摸陈楠的头，"今天头还疼吗？"

陈楠的嗓音很低沉，答道："有点。"

"一会儿去屋里躺着，我给你揉好不好？"

"好。"

他俩的对话声很细碎，孩子也不吵不闹，站在爸爸和妈妈身边。谢槿知望着他们，脑海中却只浮现一句话：岁月静好。

她轻声说："我们以后也这样生活。"

应寒时没有说话，只是轻轻握住她的手，眼眸静黑如水。

吃完饭，两人打算出去走走。叶子热心地给他们推荐了一些地方，然后郑重地叮嘱道："但是不要往山里去，尤其是石绫寺那边。那边总是塌方，很危险，已经被村民们封起来了。"

谢槿知自然答应下来。

午后的天空有些阴了，古镇更显沧桑灰黄。谢槿知和应寒时走了一段，就到了镇上的集市。

其实所谓的集市，只是片宽敞的空地。停了几辆面包车，周围的树上拴着十多匹马和骡子，几个农民坐在地上抽烟。旁边还有些卖小玩意儿的小贩。偶尔有几个当地居民过来询问购买，显得有些冷清。

谢槿知拉着应寒时的手，漫无目的地走在其中。路过那几头骡子时，她多看了几眼。它们的眼睛黑黑亮亮，表情呆呆的，倒是很有趣。她问其中一个农民："我能骑一下吗？"

农民扬了下手，示意她可以骑。应寒时动作利落地托她上了骡子，谢槿知握着缰绳，坐得笔直，也不敢乱动。望着他眼中温柔的笑意，她也笑了。

这时农民站起来，用生涩的普通话说道："这头骡子可好呢，能吃又壮实，买一头回家吧，只要900元。买一头嘛。"

他眼中满是期盼地望着应寒时，应寒时顿时露出歉意的表情，"对不起，我们家里确实用不上……"

谢槿知连忙跳下来，"对不起，我们不买。"拉着他的手走了。

离开了那些马和骡子，两人对望一眼，都笑了。又逛了一会儿，却什么都没买。这时谢槿知注意到前面有个老奶奶，坐在张小板凳上，面前是个篮子。篮子里是些彩线编织的头花。老奶奶年纪已经非常大了，至少有八十岁，满脸都是皱纹，看起来却非常慈祥。她穿着也非常简朴，一看经济条件就不太好。看到他俩，老奶奶用沙哑的声音，有些腼腆又局促地招呼道："一块钱一个，买一个啰？"

谢槿知和应寒时对视一眼，什么也不用说，却已读懂对方同样的心情。谢槿知走过去，在老奶奶面前蹲下，应寒时站在她身后。她问："奶奶，是您自己编的？"老奶奶笑着点头。谢槿知看篮子中一共不过20多个头花，每个都搭配许多种彩线，做得也算精致。每个必然要花费老奶奶很多时间，却只卖一块钱一个。

"我们都买了吧。"她说。

老奶奶很高兴，立刻拿出塑料袋给她装。

应寒时却只安静地站着，目光温和地望着她们。

谢槿知付了钱，刚要接过袋子离开，老奶奶却做了个手势，说："我给你……"她示意要给谢槿知绑辫子。

谢槿知有点意外，但是看着老奶奶慈祥而感激的目光，不忍拒绝，点了点头，对应寒时说："等我一会儿。"

"好。"

她背朝着老奶奶蹲了下来。老奶奶拿起梳子，轻轻梳着她的长发，动作温柔又细致。谢槿知一抬头，就看到应寒时目不转睛地盯着自己。莫名的，居然有点不好意思。

"你别看。"她小声说。

他微微地笑了。

过了一会儿，他却走到她身后。

谢槿知问："你看什么？难道你还会梳？"

结果就听到他温软的声音响起："我来给她梳。"谢槿知怔住。

老奶奶看着这对小儿女的情致，笑着松开了手。然后谢槿知就感觉到那熟悉的微凉的手指，插进了自己的发梢。

"你会？"她偏头想要看他。

"别动。"

于是谢槿知不动了。过了好一阵子，他才松开手，"好了。"谢槿知站起来，却发现他满脸通红。谢槿知有些不解，也有些好笑，现在他的抵抗能力不是强很多了吗？绑个头发也能脸红？

老奶奶递了面镜子过来，又笑着对应寒时竖起了大拇指。他微笑不语。谢槿知看那镜中，一头柔顺黑发依旧披落肩头，只是梳了个她从未见过的发髻，清新又好看。

"你怎么会梳这个？"她问。

"以前看别人梳过。"

谢槿知也就不意外了，跟她相比，他向来心灵手巧，动手能力强大。全帝国机械操作第一嘛，梳个头发自然不在话下。

"挺好看的。"她夸奖道。他注视着她，眉目间似有清澈的柔光。

两人告别了老奶奶，往集市外走。谢槿知不是个喜欢自拍的人，今天却拍了张侧脸，露出头发，然后发到了微信群里，于是就落后了应寒时几步。

她输入："怎样？"

庄冲道："什么怎样？"

这呆子。

萧穹衍道："啊，小知，这是曜日星球的新娘发髻呀，真好看。"

　　谢槿知一怔，抬起头，望着前方的应寒时。似乎察觉到她没跟上来，他缓缓转身，也望着她。脸依旧微红着，负在身后的双手修长白皙。

　　谢槿知心中仿佛有阵阵热流蔓延着。像潮水，一股一股，轻轻撞着，然后水花四溅在她心上，又泯灭进心湖里。她走过去，挽起他的手，"走吧，还有很多地方没去呢。"

　　不多时，他们走到了一个开着门的小院前。里面有两三个男人，对着画板在画画。旁边还凌乱地放着许多幅画。谢槿知在网上看过，这里应该就是供流浪画者们落脚、作画的地方，牵着他的手走进去。

　　那几个画者穿着气质都很随意懒散，有的还光着脚，踩在院子里破破旧旧的石板上。也没人管他俩，只专心作画。谢槿知看那些画都很漂亮鲜活，多了几分喜欢。应寒时也认真端详着。

　　转了一圈，到了一位画人物的画者前。一看他画的就是当地孩子，肤色黝黑，笑容纯真，栩栩如生，让人看到就忍不住会心地笑了。

　　谢槿知看着看着，忽然一怔，眼眸也有片刻的涣散。应寒时低声询问："怎么了？"

　　她抬起头，却微微一笑，"寒时，我们请他帮我们画一幅肖像，好不好？"

　　应寒时虽有点意外，但望着她温柔的目光，点了点头。

　　跟画者谈好了价格，谢槿知和应寒时按照他的吩咐，并肩坐在了一张木椅上。天虽然是阴的，却有徐徐的风，透过院门吹在两人脸上。谢槿知一动不动，也没有更亲昵的动作，只是跟他牵着手。而她的脑海中，浮现刚才看到的未来——

　　窗帘拂动的房间里，应寒时拿着一幅画，一动不动地坐着。画上，正是他俩并肩坐在这小院中的样子。

　　她微微笑了。

　　应寒时亦以标准军姿坐着，眼眸直视前方。周围是这样宁静，她馨香的气息就在身旁，时光仿佛也定格在这一刻。

　　过了好久，画者才抬头收笔，"好了。"两人起身走过去，只见画上的他们惟妙惟肖，似乎连她眼中隐隐的笑意，和他眼中的柔光，都画了出来。

而且现在天阴了，画者却画上了夕阳，色彩处理得非常好，昏黄的光照在两人身上，更添宁静美好。

谢槿知非常喜欢，连声道谢，应寒时也郑重道："多谢。"

画者也很满意，笑着说："要不要写上你们的名字，何年何月何日？"

这个提议，谢槿知觉得很有意义，就跟画者借了笔。她虽然动手能力不强，字却是写得不错。馆长每次要手写什么东西，都会抓她过去。

"星流与槿知2015年9月14日于云南沙渡"。

应寒时在旁边安静地注视着，她在画的右下角，留下这样一行娟秀清隽的字迹。

回到旅馆，也才下午四五点钟。整座楼里静悄悄的，叶子带着志志睡在廊下的凉榻上。没看到陈楠。

谢槿知和应寒时动作很轻地上了楼，将画放置好。奔波了一天，也有些累了，两人上床说了一会儿话，就相拥睡着了。

到傍晚时，谢槿知被雨声惊醒了，抬头只见推窗外雨水涟涟，淅沥入耳。而身旁的床铺是空的。

他下楼了？

谢槿知坐起来，趴在窗口往下望，一眼就看到应寒时的身影。原来叶子在院子里晾晒着一些药材，好几大簸箩。突降雨水，她正在把簸箩往走廊里移，应寒时也在帮忙。而志志吃着冰棍站在走廊里。

谢槿知单手托着下巴，遥遥看着应寒时被水打湿的衬衣，还有他迈着长腿跑动的身影，慢慢笑了。就这样看得目不转睛。

暮色低沉，笼罩着古镇的屋顶。天地间是这样的安静，只有雨的声音。谢槿知看得出了神。

"嘀嘀嘀嘀嘀——"急促清晰的警报声，突然出现在她身畔。谢槿知微愣之后，眼眸倏地睁大。同一瞬间，地面上的应寒时霍然抬头，手里的药材哐当落地，身影迅速化作一团光影，朝她的方向飞扑过来。

电光石火间，谢槿知的脑海中闪过许多念头。

怎么会有警报？怎么可能有警报？

她的背包放在桌上，背包里有个小型纳米人探测仪，报警声正是探测仪发出的。这探测仪是出发前萧穹衍给他们带上的，说这在曜日星其实是常见设备。否则能够随心所欲变身的纳米人，早就统治曜日星了。槿知也觉得合理。而且自从顾霁生出事后，萧穹衍就很注意这一点。当日林婕三人现身，走过飞船舰桥时，就已经经过了探测仪扫描，否则应寒时不可能毫无防备地让他们踏上飞船。

而在古镇这一路，他们都带着探测仪。进入旅馆时，遇到叶子一家三口，探测仪没有发出警报；进入房间，也没有发出警报；在集市和画院流连，也没有发出警报。甚至刚才他俩回到房间睡下，也没有任何警报。房间的摆设物件也没有任何变化。

可是就在这一瞬间，警报突然响起，说明纳米人已骤然逼近。可是她的身边，明明什么变化也没有，没有多出任何供纳米人伪装的东西。

寒意瞬间席卷谢槿知的全身，这只有她一人的房间，仿佛也突然变得空旷阴冷。

突然间，谢槿知眸色一怔，明白过来，转身就想往房间深处逃。

然而已经来不及了。

一切都发生在微秒计算的时间里。应寒时已如流光般跃至半空，被雨水打湿的脸庞冷峻无比。可在他之前，谢槿知面前的窗外，那一幕从天空刚刚落下的雨帘，骤然停在半空中。

然后转头朝她扑来。

第六十一章
她在哪里

在这一瞬间，谢槿知的眼前，同时发生了很多事。

一道紫色光刃，劈向应寒时，犹如一轮色泽诡异的弯月。也成功阻隔在她和应寒时之间。楼下的恶犬大声吠叫。雨滴们已贴到了她脸上，组合成一个模糊的人形，如同梦魇般，将她扑倒在地。

她感觉到一股大力拽着自己肩头，纳米人飞快地把她往房间深处拖。

"应寒时——"她大喊道。

哐当一声巨响，背后那面窗户，被纳米人撞得破裂。谢槿知顿时失重，被他抓着，坠落进夜色里。

应寒时被紫色光刃阻拦，眼睛里寒意顿生。他的足尖在地面快速一点，再次跃起，手中洁白而磅礴的光刃浮现，瞬间照亮整个院落。叶子搂着孩子，瑟瑟地躲到了屋檐下。陡然间被人捂了嘴抓住，惊惶间抬头望去，看到身后不知何时多了两个男人，脸色冷酷至极，左颊上都有十字形图案。

"她已经落入我手中。"

应寒时抬起头，看到屋顶上站着的十多个男人。全都是灰色军衬衫黑色长裤，左颊十字刻纹。他们手里都端着光子枪炮，对准应寒时。刚才讲话的，正是为首的阿诺德·林。

他戴着白色指挥官手套，双手负在身后。看着应寒时，他慢慢地笑了，"星流的战力，无人能敌。但是这一局，你输了。如果再上前一步，我杀了她。"

应寒时全身已被雨淋得湿透，站在原地，一动不动。手心的光刃，若隐若现。

"你如果伤她分毫……"他说，"星流会用剩下的生命，追杀所有反叛军人。"

林静默不语。士兵们的脸色却微微变了。

然后林笑了笑，说："明早五点，正东方向20公里的树林，带两块晶片过来，交换你的女人。"

说完他就转身跳下屋顶，士兵们同时撤退。偌大的院子，瞬间变得空空荡荡，连叶子母子也被他们挟持走。唯有大雨，依旧滂沱落下。

应寒时纵身跃起，落在谢槿知之前待过的房间。房间里阴冷安静，洞开的窗外，夜空与大雨无边无际，哪里还有她的身影？

应寒时在这片黑暗的寂静中站了一会儿，从湿透的裤兜里摸出手机。

"小John，你一个人，带晶片过来。"

反叛军如今的大本营，位于古镇背后的崇山峻岭中。天堑般的地形，让他们可以隐藏得很好。而之所以选择这里，还有一个原因——这里本就是当初林带着部下们，登陆地球的地点。他自己所搭乘的飞机，就坠落在当地的古庙附近。不过残骸立刻被掩埋到地下深处。

夜半时分，林坐在一顶帐篷里，慢慢喝着茶，嘴角有一丝笑意。

一名士兵走进来，神色有些古怪，"指挥官，冉小姐一直吵着要见你，还摔了很多东西。"

林的眼中也浮现笑意，他可以想象出此刻妤毛撒泼的模样。他淡淡道："不见。告诉她，听话待着。忙完正事，我会去找她。"

士兵领命出去了。过了一会儿，另外一个人走了进来，神色凝重，"指挥官，情况不对。纳米人没有带谢槿知回来，几个落脚地点也没有找到他们。"

林一怔，放下茶杯，"他们是什么时候失踪的？"

手下答道："得手之后，纳米人应当带谢槿知，与我们在古镇外的接应地点会合。但是他们没有出现。为了躲避地球人和应寒时，临时机动改变接应地点也是有可能的。然而我们刚才找了其他几个地点，也没有。"

林听完后，神色变得有些深沉。他生性多疑谨慎，纳米人是他私人护卫，不可能背叛。谢槿知手无缚鸡之力，怎么可能逃脱？

这是他最重要的一块筹码，却丢失了。不能不令他怀疑……

难道已被应寒时将计就计，这是他设下的某种圈套？

沉思片刻，他做了决定，不再等应寒时前来。

"立刻离开这里，撤往山中。"

一道浅淡的银光，在古镇的上空一闪而逝。此刻若有人抬头眺望，也不过以为那是隐约的闪电罢了。

萧穹衍驾驶着一架战机，几乎是撞停在地面上。然后他急急忙忙推开舱门，跳下来。一抬头，就看到了应寒时。

雨下得很大，院里的地上全是水。整座小楼都黑灯瞎火，只有走廊里亮着盏灯。应寒时坐在一张长椅里，橘黄的灯光照在他身上。他坐得很直，背靠着墙，头微微低着，使得萧穹衍看不清他的面目，只见模糊而清俊的轮廓。他的双手平平搭在膝盖上，水滴沿着他的衣袖、裤腿，慢慢滴落。旁边的地上，已湿了一圈。

萧穹衍突然就心疼得不行，砰砰砰踩着石板地面跑过去，蹲在了他的面前，"指挥官……"

应寒时的身体这才动了，微微往前一倾，低头看着他问道："晶片带过来了？"

他的嗓音依旧温软，只是带着点干涩。萧穹衍听得更难受了，点头道："嗯，在我身上。"

应寒时站起来，萧穹衍也立刻跟着站起来。

"去找个地方隐蔽起来，藏好晶片待命。我知道这是你擅长的。"他缓缓说道。

萧穹衍知道他要一个人去反叛军大本营赴约了，心里又急又难过，但他的决定，一定是取胜概率最大的，于是点头道："是！指挥官……你一定要小心。"

应寒时已经走进了大雨中，闻言停步转头，脸上露出了一点微笑。

"我会救她回来。"

萧穹衍的双手紧握成拳，都快哭出来了，用力地点了点头。

山中，漆黑不见五指。树林和山峰影影绰绰，像许多人站在黑暗里。

还没有到约定的时间，但并不代表应寒时不打算有所行动。他沿着林间穿行，身影如同鬼魅，没有发出一点声音。他的脑海中，却浮现谢槿知抬头对他微笑的模样。寒意仿佛随着夜色，无声浸入肺腑间。

然而距离还有几公里时，他却忽然闻到风中有浓烈的血腥味。这完全在他意料之外，心中的不安亦更强烈，加快步伐，向约定地点奔去。

然而，当他抵达约定地点附近，落在一棵枝叶繁密的大树上，望着地面的情形，眼眸顿时变得深邃清寒。

地上，躺了七八具反叛军尸体。并且状况十分糟糕，血肉模糊，肢体断裂，他们身下的草地，几乎都被鲜血浸透。这片林子里，充斥着血腥味。

应寒时从树上跃下，落在其中一具尸体旁查看。这样的惨状，更像是遭遇了野兽的突然袭击。他正要起身查看其他尸体，目光落在死者撕裂的肩膀上，却是一怔。

那里有一圈清晰的人类齿纹，咬得非常深，并且咬掉了那里的一块肉。他静默片刻，再仔细翻看，果然在死者全身发现了许多咬痕，不仅咬去了血肉，有的地方甚至深可见白骨。其他几具尸体的状况也是如此。

应寒时站起来，缓缓地往密林深处走。就在这时，密集的引擎声传来，树木哗哗作响。他骤然加速，冲过去，一抬头就看到几架反叛军战机，升上了夜空。

"林——"他大喊一声，如何会让他们就这么离开？他高高跃起，手中光刃浮现，瞬间照亮山岭，也照亮那几架战机。一个巨大的光刃飞出，撞向了其中一架战机。浮光中，那战机驾驶员露出惊恐神色，虽然光刃不至于摧毁战斗机，却将他们生生撞得飞了出去，轰的一声，撞在一旁岩壁上，瞬间变成火团，燃烧坠毁了。

"星流！"高空中，响起林的声音，伴随着螺旋桨的呼啸声，"你不必再追我们了，她已不在我手上。"

应寒时双手光刃浮动，冷声道："她在哪里？"

夜色中，林却似乎冷笑着，说："你已经看到，我们也遭受了袭击。那是一群怪物。而她，也落入了他们手中。她现在在那座古庙——石绫寺里。你不马上去，就救不了她了。"

话音刚落，几架战机盘旋而去。而应寒时立在原地，手中光刃瞬间熄灭，山林陷入一片漆黑中。

萧穹衍给自己找的藏身地点，是高山上的一个山洞。这里漆黑又阴冷，风吹着洞口呜呜响。他的感觉实在是糟透了。

他坐不住，迈着长腿在山洞里走来走去。一会儿又凑到数台电脑前，看他一路安装或者入侵的那些监控画面。嗯，镇口的寨门，黑漆漆静悄悄的；主街上挂着几盏幽幽的红灯笼，也没有人影……好像鬼片场景。

咦？

他揉了揉眼睛，刚才好像看到一片黑影，从镜头前掠过。速度之快，连他的金属眼都没看清楚。他有些胆战心惊，但又带着置之死地而后生的勇气，在电脑前坐下来，调成减速回放模式。

原来那不是一片黑影，是几道模糊的人影。因为速度太快，才让人看不清。

可是，人类的奔跑怎么会有这样敏捷的速度？

莫非是反叛军来偷袭了？他心头一凛，移动鼠标，将画面速度放得更慢。终于捕捉到了，那几个人定格的样子。

然后他怔了怔。

这几个人……不是反叛军。可是看着好奇怪啊。

他们的打扮和样貌，一看就是本地男人。缠着头巾，穿着短衫短裤。皮肤黝黑，轮廓有些板硬。可是他们的身上染满了鲜血，脸上、手上也都是。甚至连牙齿上都有。而且他们的表情看起来都怪怪的，很木然的样子。

萧穹衍又把画面往前调了调，看到了为首的一个人，怀里还抱着个女人。他身后的一个人，手里则抱着个小孩。萧穹衍认得为首那人！事实上接到应寒时的命令赶来后，他就把应寒时和谢懂知这一路接触过的人的资料，全都收集备份好了。这个人，正是楠子旅馆的老板陈楠，而那女人和孩子，就是叶子和志志。

萧穹衍隐隐觉得自己发现了了不起的大事件，又机警地将画面切换到楠子旅馆里。旅馆里的监控自然也被他入侵了。

等了一会儿，就看到旅馆的门被推开。这次只有陈楠一个人走进来。他怀里抱着叶子，背上背着孩子，很慢很慢地走进来，侧脸就像冷硬的雕塑，没有任何表情。旁边的黑犬狂叫着追过来，他看了眼狗，走向里屋，关上了门。

明明是很安静的画面，却看得萧穹衍莫名紧张起来。他立刻接通与应寒时的通信，竹筒倒豆子似的一股脑汇报给他："指挥官，我发现了一堆异常的人……"

天空沉黑得像个大窟窿，倒扣在山岭之上。应寒时负手站在一片草丛里，听完萧穹衍的话，沉思片刻，说："我知道了。"

结束通信，他抬起头，望向山下的古镇。夜色中，它的轮廓模糊不清。

而林说的石绫寺，在更远的深山中。他清楚记得，昨天中午，叶子叮嘱过他们不要往那边去。而一直头疼的陈楠，阴郁而沉默。

古镇、古庙、那些人以及林，藏着什么秘密？

谢槿知，又在哪里？

然而应寒时不会就这样相信林的话——谢槿知在古庙里。

两人交手多年，给对方设套无数次。论起来，林在他手里吃的亏更多一些。以林的狡猾狠辣，绝不会这么好心，白白把谢槿知的下落告诉他。

但是有一点，应寒时可以确定——谢槿知的确已不在林的手里。否则无论如何，林不会放弃这次得到晶片的机会。

静默片刻，他的身影瞬间化作一团光影，直赴山下古镇。

凌晨四点，也许是一天中最黑暗安静的时分。偌大的旅馆里，只有一楼的某个房间亮着灯。昏黄的灯光，从窗口渐渐向夜色里晕染，最后融于黑暗。

陈楠坐在床畔，望着床上的一大一小。他们还昏迷着，脸色有些苍白，但是呼吸平稳。

陈楠有些痴痴地坐着，不说话，也不动。黑狗趴在他的腿边，那狗永远是凶悍冷酷的模样，似乎感觉不到主人们的不幸。

过了一会儿，陈楠低下头，双手按住。疼痛感如同滚滚潮水般袭来，顷刻间他的意识又有些迷失，嘴里也发出痛苦的呻吟："啊……"

他用力捶自己的头，想要变得清醒。然而鼻翼间，却清晰地闻到身上沾着的，那新鲜的血腥味。这气味让他不自觉地分泌出口水，口水越来越多，舌头也吐了出来，开始一滴滴落在地上，而他的感觉，兴奋又压抑，痛苦又刺激……

吱呀一声，门被人从外面推开。以黑犬的警觉，竟然没听到那人的脚步声。这时才霍地从地上站起来，望着那人开始狂吠。

然而才叫了一声，它就立刻伏低在地上，就像是被来人吓退了。

陈楠抬起头，他的瞳仁已经扩大，眼珠也变成灰褐色。他看着应寒时，紧抿着嘴，喉咙里却发出嘶嘶的低吼声。

应寒时站在门口，也看着他。

"谢懂知，在哪里？"他缓缓地问。

陈楠突然从地上跃起，扑向了他。速度之快，令应寒时也微微一怔。陈楠张大嘴，露出异常尖利的牙齿，同时张开双臂抓向他，五指已变成了黑色锐利的爪。

应寒时一把扣住他的咽喉，将他摔向了旁边的墙。普通人若是被他这么一摔，不是重伤也是昏迷了。可这陈楠摔得头破血流，掉落在地，却像是感觉不到痛苦，眼睛里昏暗一片，迅速爬起来，又向他扑来。

野兽。

应寒时脑海中出现这个词。第二次，他没有再手下留情，力道更大，将陈楠摔向墙角。这次他终于爬不起来了，匍匐在地上，像动物一样呼哧、呼哧喘着气。

应寒时缓步走到他面前，再次问道："谢懂知在哪里？跟我一起的那个女孩？"

陈楠忽然又抱住头，很痛苦煎熬的样子，"啊……"他从喉咙里发出断续的呻吟，像是用尽全力挤出了三个字，"不……知……道……"

应寒时负在身后的双手，慢慢收紧。

忽然，院内传来杂乱密集的脚步声。应寒时回头，透过半掩的门，看到那一张张跟陈楠相似的，野兽般的脸，足足有十余人。他们看到应寒时，都露出更加狰狞的表情，然后朝他扑来。

应寒时身影如电般避开，跳出了窗外，径直跃上屋顶，飞掠着朝深山的方向去了。而他身后，那些男人四肢并用，竟也敏捷地蹿上屋顶，朝着他的方向，发出低低的压抑的吼叫。

等应寒时离得远了，通信器里才传来萧穹衍惊魂未定的声音："卧槽，居然是变异人。"

若是平时，应寒时必然要责备他说脏话。但今天，他望着浓墨一样的夜色，只是静静"嗯"了一声。

萧穹衍也知道他挂念着谢槿知，于是努力思考分析说："指挥官，这里怎么会出现变异人呢？我查过刚才那些人的户籍资料和档案，他们都是土生土长的本地人，之前许多年也从未发生过类似异常事件。"

"能查出他们变异的原因吗？"应寒时问。

萧穹衍答道："这要对他们的身体做扫描分析，才能得出准确结果。不过，变异会有几种原因。一种，是他们被人注入了野兽的基因，才变得这么凶猛残忍；二是他们遭遇过某种辐射，发生了变异。你知道这在以前的战争里，咱们见过不少。辐射会引起人类畸形、性格改变、生理改变。甚至产生战斗力超强的异种怪物，都是有可能的。指挥官，我会马上扫描古镇周围，看是否存在辐射源。但你暂时千万不要往危险的地方去。"

应寒时已经跃至崇山峻岭的入口，闻言静默片刻，眼眸在夜色里更加显得幽黑无比。然后他没有说什么，结束了通信。

此时，林及其下属的战机，已经停在了更隐秘的山中营地。天色将明未明时分，林从冉好的帐篷里走出来。有了他略带强硬的安抚，女人终于委屈地安静下来。何况，她也不可能从他身边逃离。

不过，林的眉宇间，终究染上了几分疲色。他回到用作指挥的帐篷，靠在椅子里，点了根烟，慢慢地抽着。这次变异人的出现，是出乎他意料的。他们的突然袭击，让他损失了八个人。

但是，也不一定没有意外收获。想到刚才，应寒时站在战机下方的样子，他徐徐笑了。

石绫古庙，应寒时，你为了心爱的女人，去还是不去？

这时，身旁的副官低声问道："指挥官，我想问，为什么要引星流往石绫寺去？谢懂知明明不在那里。"

林笑了笑，注视着空中缓缓升起的白色烟气，答道："那些人为什么会变异？"

副官摇头表示不解。

"你们应该记得，我的飞船残骸埋在石绫寺地下深处。"他淡淡地道，"飞船上有辐射源。大概是最近，被村民们不小心挖出来了吧。"

副官想了想答道："辐射源一旦暴露在地表……村民们是不会懂得处理的办法的，所以……"

林微微笑了，"所以……我真想看看，星流也变成野兽一般的模样啊。"

他抬手正要再抽烟，忽然动作一顿，伸手按住了头。副官立刻紧张起来，"指挥官，又头疼了？要不要紧？"

他的额头迅速滴落冷汗，眼中神色变了又变，最终只是咬牙道："没事，你出去。"

晨昏交替的时分，灰暗的颜色，笼罩着天空与大地。

应寒时站在石绫寺的门外。

这是一座已经荒废的古寺，土墙斑驳，杂草丛生。阴冷的风吹过，虚掩的朽木寺门，吱呀吱呀响着，没有半点灯光。寺内不知何处，传来野狗汪汪的吠叫声。

应寒时站了一会儿。

　　这一片山岭，他已经找遍了，也没有谢槿知的踪迹。古镇内的各处，萧穹衍也趁着夜色进行了搜寻。她不可能凭空消失，又不在林和变异人的手中。只有这一个地方，没有找过了。

　　种种迹象联系在一起，他对于寺中会有什么，心中已大概有了推断。但如果槿知真的在里面……

　　她一个人在里面，在辐射之中。

　　他抬起手，缓缓推开了门。

　　腿刚刚迈过门槛，他忽然一怔。

　　"应寒时。"他听到有人在喊他，熟悉而微喘的嗓音，以他的耳力，却分辨不出在哪里。

　　他倏地抬头，骤然环顾四周，可是周围没有她的身影，也没有她的气息。

　　"应寒时。"她又喊了一声。

　　他的眼眸陡然睁大，看着身体周围突然浮现的那片银光，明亮纯净得像是月亮。然后他的背上突然一沉，那熟悉而温软的娇躯已与他贴在一起。

　　"终于……跳回你身边了。"

第六十二章

跳跃的你

天色这样的暗，风吹动两人身边的草丛，窸窸窣窣地响。谢槿知紧搂着他的脖子，仿佛生怕自己再松手。然后她才感觉到，他的衬衣全被汗水浸透，脖子上也都是细密的汗，好像跑了很长的路，才来到这个地方。

她有些抱歉地笑了，"你是不是找了我很久？我也不知道自己会这样。"

他转过身，谢槿知也从他后背滑下来。互相凝视了一瞬间，他伸手就把她抱进怀里。力气有点大，让她浑身骨骼都微微地疼，仿佛要被他揉进身体里去。

其实从平行空间回来后，就有了一些异常的端倪。譬如处理完那个记者，回到别墅住的第二天，她清楚地记得自己是在阳台睡着，醒来却在房间沙发里。这样的事情发生过几次，但她以为是应寒时干的，所以一直没太在意。

直至昨晚，被纳米人拽着摔下楼，当时她脑海里只有一个强烈的念头：不要被他们抓回去！

然后银光骤然浮现，笼罩住她和纳米人。时间在那一刻仿佛停止了。等她再回过神，竟然已经跟纳米人站在一条陌生的公路上，完全不知身在何处。两人都愣了一会儿，才反应过来，谢槿知转身就跑，可是又被他抓住了。

"松手！"她斥喝道，结果银光再次浮现，两人又消失了。

这一次，他们落在一条水流湍急的河里。浪非常大，直接把他们冲散。谢槿知呛了好几口水，看着纳米人被水流带走，心头一喜，赶紧又是一跳，掉落在河岸边上。

她气喘吁吁地在岸边趴了好一会儿，笑了。可是手机被河水卷走，无法与应寒时联络。于是坐起来，努力集中精神，想要跳回旅馆。

谁知这会儿又不灵了。她用了半天劲，人却还在原地纹丝不动。那感觉就像段誉的六脉神剑，无心插柳柳成荫，想使的时候却偏偏使不出来。

不过谢槿知的性子一向冷静，稍微一想，就知道是自己还控制得不够熟练。于是收敛心神，放松地躺下，又琢磨刚才跳跃的感觉。再试一次，果然成功了。

谁知银光褪去后，当她看清这次跳跃的地点，惊呆了。她居然跳到了空空如也的悬崖的上方。人还惊魂未定，就直接掉了下去，险些摔死。

如此反复好几次，她的玩心倒是起来了，人也越来越放松，对方向的把控能力也越来越强。

后来，终于跳回了楠子旅馆。谁知一落地，身边十多个脸色阴郁、齿尖爪利的男人，就朝她扑咬过来。她心知有变，赶紧跳走。

她站在一幢高高的屋顶上，心跳如鼓擂。正不知道要往哪里去，冥冥中却仿佛有注定，她眼前闪过应寒时站在古寺门口，伸手推开门的画面。

于是她立刻跳了过来。

她在他怀里，抬头笑望着，"这算不算是因祸得福？"

应寒时也笑了，"嗯。应当是在平行空间时，你的裂缝被撕裂得更大了。"

谢槿知闻着他身上雨水、泥土和汗水混杂的味道，还有他略显凌乱的头发，心疼地说："让你着急了。"

他静了一瞬，说："是我没有保护好你。"

谢槿知立刻说："你不要责备自己。"

过了一会儿，她微笑地望着他，眼睛里很清亮，"你看，现在我可以保护自己了，还可以保护你。"

他笑容清俊，眼睛的色泽却幽深。抬起修长的手指，落在她脸上，低头吻下来。

昏暗的晨色中，两人的脸轻贴着，厮磨了一会儿。她转头望着边上的寺门，"这里面有什么？"下意识地伸手推门进去，却忽然被他往后一拽，退了两步，远离那寺门。

"怎么了？"她问。

"不能去。里面很可能有辐射源。陈楠等人的变异，很可能就是辐射造成的。"

"哦。"谢槿知立刻又拉着他往后退了几步，忽然反应过来，看着他，"那你刚才准备进去？"尾音都沉了下来。

他却安静着，眉目在天色里有些模糊。

"你是要进去找我？"

"……嗯。"

谢槿知伸手就推了他一下，"你疯了你？以后……再也不准做这种蠢事！"

他可是星流，清风明月聪颖纯直的星流，刚刚竟然差点……她只觉得阵阵后怕，寒意席卷。

可他却只是温和地笑了，看起来依然那么沉静笃定。他捉住她的手，低头再次将她拥进怀里。

几分钟后，三人站在楠子旅馆的屋顶上。

天马上就要亮了，沉寂的小镇似乎也即将苏醒。那十多个变异人还在院子里，不知在踟蹰什么，或是在等待什么。

他们很快察觉了应寒时等人的存在。

"嗷嗷呜呜……"他们嘴里发出野兽般的鸣叫，眼睛都变成灰褐色。

应寒时转头对谢槿知和萧穹衍说："你们留在这里，当心些。"

谢槿知点头，萧穹衍也挥挥手道："放心啦。"

应寒时纵身跳了下去，身形敏捷。而他的掌心里，光刃已徐徐浮现。

他人一走，萧穹衍立刻龇牙咧嘴地凑到谢槿知身边，"小知，你真的可以瞬移啦？"

"是啊。"谢槿知微笑。

萧穹衍兴奋得不行，一把握住她的手，嗓音低沉浑厚得像魅力十足的熟男，"噢，还等什么？快带我一起飞！"

谢槿知忍俊不禁，瞄一眼下方，冷着脸一个个放倒变异人的应寒时。她忽然想起应寒时曾经说过，每次他去做什么危险的事，身边的人尤其是萧穹衍完全不担心，自顾自娱乐着。现在看来，他还真的是高手寂寞，连萧穹衍都不关爱他。

面对萧穹衍饱含期望的眼神，她却慢条斯理地把手抽回来，"不行。"

"为什么？"

结果就听到她自言自语般嘀咕道："第一次倒霉，带着纳米人飞。第二次总要给他。你往后排。"

萧穹衍听明白了，愤愤道："你这是重色轻友，重人轻机。那我一定要排第三！"

过了一会儿，院子里已没有声息，变异人横七竖八全躺下了。应寒时再度跃上屋顶，额头有薄薄的汗，说道："叶子母子还昏迷着，应当是被反叛军灌了药物，短期内不会醒，也不会有大碍。天马上亮了，小John，把他们都运回你藏身的山洞去，再做打算。"

"是。"

镇上忽然少了这么多男人，会引起什么骚乱，应寒时等人已经无暇顾及了。

天亮了，却很阴沉。洞口有凛冽的大风刮过。萧穹衍简单查看完地上的十二名男人后，向应寒时汇报："指挥官，我需要对他们做进一步的身体检查和脑部扫描，才能弄清楚他们变异的原因。"

应寒时负手而立，点了点头。

"另外——"萧穹衍微微一笑，"按照你的要求，其他人已经随时待命了。包括你在内，我们一共可以出动七架战机，随时准备与反叛军的决战。"

决战？

谢槿知转头望着应寒时，他的眼中有清澈而沉静的光，点了点头。

"既已交锋，不可放过。"

清清淡淡的嗓音，却听得谢槿知心头微震，又多看了他几眼。

"七架？"应寒时问。

萧穹衍笑眯眯地点头，"是啊。你、我、林婕、丹尼尔、苏、庄冲，还有……聂初鸿哦！我们从依岚山离开时，你不是把缴获的反叛军战机留给了他吗？他一直很刻苦地自己练习着，水平不输庄冲呢。这次庄冲告诉了他我们跟反叛军交战的消息，他就说一定要来，给小生生报仇。"

应寒时沉吟未语。谢槿知却听得了然。以前顾霁生就说过，聂初鸿身体强壮敏捷，比得上特种兵。现在他要作为生力军加入，也在情理之中。

不过目前，比起隐匿的反叛军，这些随时可能伤害更多人的变异人，却是燃眉之急。萧穹衍立刻迈着长腿，在山洞里走动忙碌起来。

应寒时和谢槿知也奔波了整晚，就在山洞里和衣而眠。他抱她在怀中，耳鬓厮磨，温柔低语，自不必说。

太阳升起又落下。到天擦黑时，谢槿知便牵着他的手，去了山洞外。

眼前是茫茫山岭，在阴暗天色下如群兽蛰伏。两人站在片山坡上，谢槿知伸出手，接到了几点零星的雨。

她有些感慨地笑道："应寒时，好像遇到你之后，每一个重要的时刻，天空总是在下雨。"

他望着天空，也伸出手掌。

"雨会停的。"他说。

这话简单，却暖暖的。谢槿知转头笑望着他，"来，把手给我。这又是一个重要的时刻。"

应寒时的脸居然微微有点红，眼睛里也有柔和的笑。

"槿知，虽然你现在拥有很强的一项能力。但是不可……太得意，谨慎些。"明明已经听话地握住了她的手，他还不忘管教她。

"知道。"谢槿知飞快地答，拉着他的手，跃入银光中。

天黑下来，露出依稀的几颗星。谢槿知与他牵着手，跳跃在大树的顶端、陡峭的石壁和虚无的高空中。每一次银光闪过，景物浮现，她都带着他稍作停留，看着他眼中如水的笑意，她也微微一笑。然后带着他继续跳。

很开心。

这是谢槿知从未有过的感觉。以往每一次，都是应寒时带着她，穿梭于地面和风中。如今却是她牵引着他，与他并肩。

现在她似乎也能体会，为什么夏清知总是流连于夜色中了。这感觉如此肆意而自由，她都想每晚出去溜达了。

"不要太累。"应寒时在高空中侧头看着她，语气温柔而无奈，"要不今天就到这里？"

"再玩会儿。"她答，看着平日无所不能的他，此刻被自己的银光包裹着，一时竟有罕见的扬眉吐气的感觉，忍不住就抬起头，亲了他的脸颊一下。

哪知就这么一亲，大概是她分神得太过，那银光竟倏地消失了。两人还在高空中，没有按照计划跳到一旁山坡上，陡然就往下方悬崖坠落。

"啊——"谢槿知一声低呼，后背吓出了一身汗。应寒时动作快如闪电，反手就抱住了她。足尖在峭壁上轻轻一踩，复又跃起，抱着她落在了长满青草的山坡上。

谢槿知也累了，索性躺在他怀里不动。他低头看着她，眼中有浅浅的笑，嗓音却有点静："还调皮吗？"谢槿知的心跳忽然有点快，"唔"了一声。他低头吻了下来。

她却在这时玩性又起，心念一动，银光乍现，从他怀里消失了。

应寒时一怔。

谢槿知的落脚点不远，就在对面的大树树杈上，她站稳了，抱住树枝，刚要回头逗他，却听到轻盈的风声，他的气息瞬间逼近，竟然已在同一时刻追了过来，扣住了她的腰。

谢槿知回头刚要冲他笑，忽然间被他按住肩膀，扣在了树上，他的唇就覆盖上来。

应寒时是很少强吻她的，除非情绪有点激动。她怔了怔，睁大眼睛看着他。他亲了一会儿，亲得她有点喘了，微红的俊脸这才移开。

"怎么了？"她问。

他的眼眸漆黑如墨。

"以后……不要凭空从我怀里消失。"

"为什么？"

"因为我会不知道你去了哪里。"

谢槿知怔了一下，心想，哦，还是占有欲作祟啊。刚想说两句话再逗逗他，忽然一愣。

脑海中，浮现穆岩曾经说过的话。

　　每当我看到拥有时空裂缝的她，穿梭于时空中，都觉得非常难过。

　　她凝视着他。

　　是否，这份茫然，就是站在原地的那个人，会拥有的心情？

　　即使是应寒时，也不喜欢看到她在他怀里，一次次失去踪迹。

　　"嗯，我以后再也不会了。"她说。

　　应寒时拥着她，靠坐在大树上，没有动。

　　过了一会儿，她问："你说，我为什么会拥有时空裂缝呢？"

　　他静了一会儿，答："一定存在某个原因。等这边事情结束，我陪你去找。"

　　"好。"

　　两人回到山洞里，就见萧穹衍坐在那些昏迷的变异人旁边，苦恼地挠着不存在的头发。

　　"怎么了？"谢槿知问。

　　萧穹衍跳起来，叹了口气说："指挥官，小知，我可能救不了他们啦。他们的情况，很复杂很纠结很高科技啦。"

　　原来，他已经去过了一趟石绫寺。他是金属机器人，只有芯片和驱动程序，又没有脑子，自然不会受辐射。他查清了，辐射源正是一艘反叛军飞船的残骸。残骸中有多种宇宙射线的能量残余。

　　"那些人受到辐射后，身体里有了两种基因。一种是人，另一种是犬科。"萧穹衍说道，"这边几乎家家户户都养狗，我猜他们进山意外接触残骸那天，肯定也带着狗。我们无法分析出辐射的作用原理，但现在，他们每个人确确实实半人半犬，并且速度和力量都有了大幅提升。"

　　应寒时和谢槿知，同时看向那些苍白而僵硬的睡颜。萧穹衍的话，让谢槿知有些不寒而栗。

　　"没有治愈办法？"应寒时问。

　　萧穹衍摇摇头，说道："老大，你忘啦？我的主业是计算机天才兼管家兼副官，军医只是我的系统里的一个基础角色配置。况且我擅长的也是常见战争创伤医治。这种基因共生问题，已经上升到生物遗传学层次，我解决不了。"他顿了顿又说，"而且，你们应该也注意到了，这些人正处于极不稳定的状态。两种基因特征交替出现，两个意识在争夺肢体统治权。一旦属于犬科的基因、意识占了上风，他们就会彻底沦为野兽，谁也没办法了。"

应寒时静默不语。谢槿知看着那些人，他们都是镇上普通的居民，穿着简朴，面容粗砺。如今睡着，看起来都很木讷。她又想起了叶子和孩子，想起昨天在寂静的庭院里，他们一家三口安静做伴。

"如果他们变成野兽，会怎么样？"她问。

萧穹衍露出肃静的神色，"那就只能杀掉他们了。"

三人一时都没说话。萧穹衍在陈楠的身旁蹲下，手指在地上画圈圈。他是个心灵柔软而敏感的机器人，现在要他宣布十多个人的死亡结局，他心里很不好受。

谢槿知没出声，一直在想办法。她想到了谢槿行。

"还有一个办法。"应寒时忽然开口。

"什么？"谢槿知和萧穹衍齐声问。

他走到那些人身旁，单膝蹲了下来，双肘搁在腿上，说："既然现在两种基因在争夺，两个意识都在抢占统治权。那我们只要杀掉他们的犬族意识就可以了。"

谢槿知一怔。杀死犬族意识？可这要怎么杀呢？在他们的脑子里呀。可他的说法似曾相识，她好像有点明白过来了。

萧穹衍却完全听明白了，瞪大眼睛，喜笑颜开道："啊啊啊啊——指挥官你真是太聪明了！生物变异我们不懂，但是完全可以用更加简单粗暴的办法啊！用电脑建一个虚拟空间，再跟他们的大脑相连。两个意识都会进去，干掉那些狗狗就可以了！哈哈哈哈！"

应寒时眉眼间也露出温淡的笑。谢槿知看着他，心想，他的确是很聪明。这感觉就像是解一道复杂的数学题，公式推导不出来，他干脆换了个方式，直接用代入法找出了答案。

不过，又见虚拟空间吗？

第六十三章

我将沉沦

"虚拟空间,小知应该很了解了吧?"萧穹衍问。谢槿知还真的不太了解,当初在虚拟空间里走那一遭,也是似懂非懂。

谢槿知看了看应寒时,说:"某人当时严防死守,不向我透露一点东西。我想对于你们的外星科技,还没办法做到无师自通自己开窍呢。"

应寒时愣了一下,立刻说道:"小知,我当时不知道……你会是我的女人。"

萧穹衍也感觉出谢槿知的话怎么酸溜溜的,灵机一动打圆场:"是啊是啊,如果指挥官知道你会是他的女人,当时一定会把虚拟空间改成心形的。小知不要生气嘛。"

心形……谢槿知有点想笑,却见应寒时盯着自己,有点愧疚的样子,嗓音极温软道:"小知……这次要心形的吗?"

应寒时居然是认真的。谢槿知忍不住笑了,答道:"我不喜欢心形,更喜欢流线型。"

应寒时点点头,对萧穹衍说:"记下来。"

萧穹衍中气十足地答:"是。"

这么插科打诨了一阵,气氛倒是轻松起来。萧穹衍说:"这次要救他们,我想做一个小型单向循环空间就可以了。"

应寒时点头。

谢槿知问:"那是什么?"

萧穹衍解释道:"小型,意味着空间不需要很大。我会做个古镇出来,边界就在森林里。也就是说，森林之外，什么也没有。"

"嗯。"谢槿知点头，这一点很好理解。

"单向循环嘛，其实绝大多数的虚拟空间都是单向的。"萧穹衍继续说道，"也就是说，空间不能无限发展下去啊，那我得做多少天的场景啊。所以这个空间，我就做一天。当一天结束，如果你们没有能在这一天完成任务，那么第二天会重复开始。所以这个空间是循环的。"

谢槿知却有疑虑，"可是那样，他们不会发现吗？"

"不会。"应寒时代替答道，"这就像你平时做梦，即使不合理，也会发现不了。你的意识，会回到那一天，重新开始。"

"那如果有人困在虚拟空间里出不来呢？"谢槿知问。

萧穹衍"噢"了一声，应寒时静了静，答："那他就会一直循环下去。"这个答案让谢槿知心头有点生寒。

萧穹衍却颇有兴致地说："这种小型虚拟空间还不算什么啦，如果是超大型虚拟空间，不仅能按照设定单向循环，由于它的复杂性和智能性，甚至会自我发展和延伸，变得更完美合理。而人的意识如果长期存在其中，也会与虚拟空间互相影响，甚至形成某种映射现象，作用在虚拟空间上。"

谢槿知大概听懂了，"也就是跟电影《盗梦空间》差不多？"

应寒时微微一笑，萧穹衍却兴奋地说："呀，那是我最喜欢的电影，好惊悚好激烈！不过，他们说的是梦境，我们却是实实在在的虚拟空间。而且他们太强调人的意识，用意识造出那么多复杂的梦境。这从我们的科技看，根本是不可能的。还是要靠计算机造啦。"

"嗯。"谢槿知又问，"我们进入虚拟空间后，怎么杀死那些动物呢？"

萧穹衍答道："简单。现在我们拿他们没办法，是因为两个意识都在一个身体里。但是进入虚拟空间的主体是意识。意识认为自己是什么样的，在虚拟空间里就会呈现什么状态。所以人会觉得自己是人，狗会觉得自己是狗，他们会分开。你们只要干掉那些狗狗就可以了。"

夜更深了。谢槿知抱着双膝，坐在一堆草垛上，看应寒时和萧穹衍坐在电脑前忙碌。洞里只有几盏柔和的光，照得应寒时的轮廓朦胧而生动。谢槿知看着他挽起的衬衫袖口，还有在键盘上跳跃的十指，此时此刻，他看起来真的就像是个普通的IT青年。谢槿知心情柔软地想，这也是属于他和她的静好时光。

山下的古镇，彻夜灯火通明，还有警车的呼啸声传来。显然是那些男人的失踪，已引起关注。所以他们现在，也是和时间在赛跑。

过了一会儿，萧穹衍推开电脑站起来，伸了个懒腰，"我出去呼吸一下新鲜空气，机器人最要注意保养了，否则会生锈的。"他自顾自念叨着走了，谢槿知起身，走到应寒时身后，弯腰搂住他的脖子。应寒时的空间做得差不多了，手指又在键盘上敲了两下，推开电脑，轻轻将谢槿知拉到怀里坐下。两个人眼睛里都有浅浅的笑，然后应寒时低头吻住了她。

午后的庭院，是这样的寂静。慵懒的阳光像是透明而柔软的绸缎，铺开在空气里。细细的灰尘，永不知疲惫地飞舞着。蝉的叫声，和鸟儿翅膀扇动的声音，从窗外传来。

谢槿知躺在旅馆的床上，双手被应寒时扣住，任由他流连亲吻着。日光变得这样漫长，只有彼此温热的身躯，是最真实的存在。渐渐的，谢槿知有些情动，也有些沉迷，不过还是不忘推开他的胸口，"应寒时，你别想那个那个。现在还是白天。我们还要出去玩呢。"

应寒时停下了，抬起头，俊脸微红，"我知道，不会的。小知，我们现在是在虚拟空间里。"谢槿知愣了愣，循着他的视线转头，却看到了惊奇的一幕。

白墙上，正凭空跳出一个个鲜红大字："你、们、两、个、别、亲、了。马、上、干、活。"字迹有点丑，最后还画了个机器人头像，表示这是萧穹衍的落款。

谢槿知心头一震，这才想起就在之前，萧穹衍和应寒时把空间做好了，然后自己和应寒时一起躺下，准备进入虚拟空间……可是刚才，她完全没意识到。

应寒时下了床，走到门边，悄无声息地推开一道缝，"他们在那里。"

对于应寒时和谢槿知来说，这并不是一次困难的任务，却是个麻烦的任务。除了要找出十二只动物，一只只干掉，还要把十二名受害者，一个个带到虚拟空间边界去。最后大家一起离开。

"不能直接把他们十二个打晕，然后带出边界吗？这样更省事。"之前谢槿知这么问过。

应寒时答道："不是不可以。只是他们的意识已经很虚弱，如果再在虚拟空间里把意识打晕，对他们的大脑终究是伤害。"

谢槿知和应寒时坐在小方桌旁吃饭，依旧是炝螺肉、鸡豆凉粉、小瓜炒蛋和青菜汤。相距十余米的地上，陈楠蹲着喂狗吃骨头。叶子走到他身边，抚摸他的额头问道："头还疼吗？"

吃完饭，谢槿知和应寒时没有出门，而是回房间等待着。过了一会儿，庭院里就没人了，叶子带着孩子去午睡，陈楠去厨房了。而那只狗，趴在墙角，睁着双黑亮的眼睛，倒是很安静的样子。

应寒时牵着谢槿知跃下去，狗一下子站起来，盯着他们。他们走近，谢槿知从口袋里拿出支小小的麻醉枪，瞄准了它。这也是萧穹衍提前安排好的，对付一只狗，总不能还让指挥官去战斗。

谁知黑狗竟然很机警，像是知道枪不是好东西，嗖一声就跑了。应寒时拿过谢槿知手里的枪，追了上去。那狗径直跑进了堂屋里，而堂屋里，叶子正带着孩子在睡觉。

应寒时和谢槿知动作放轻，走了进去，就见黑狗在母子俩的床边，咬着叶子的衣角，像是要把她拖下地，又像是想把她唤醒。它转头看到谢槿知二人，立刻松开嘴，转身伏低在地上，竟像是誓死守卫的样子。

谢槿知望着黑狗圆黑的眼睛，有点发怔。应寒时已开了枪，嗤一声轻响，黑狗呜咽一声，倒在了地上。而旁边，叶子母子依然熟睡未醒。凉爽的风穿过门吹进来，呼呼响着。

应寒时和谢槿知把狗提回了楼上房间，关上了门。谢槿知说："这只狗的本性不坏，想必原来也是很忠诚的，只是遭受了辐射，才会在现实里变得凶猛吧。我们必须杀死它吗？"

应寒时沉吟了一下，答道："可以不杀。把它留在这里，永远在虚拟世界里每天循环，它不会醒来。"

谢槿知想象了一下那个画面，每天太阳东升西落，而这只狗会不断重复这一天的生活，以为跟自己的主人们生活在一起，"那就这样吧。"她说。

应寒时就用绳索把狗绑在了墙角。等它醒来时，他们大概已经离开了。

两人又来到后院的厨房。站在门口，就看到陈楠背对着他们，低头在吃东西。听到动静，陈楠转过身，怔了怔。

谢槿知说："陈楠，我们是来帮你的，也是要救你的家。你还记得几天前，跟一些村民一起，进山到了石绫寺，然后挖出了一些残骸吗？"

陈楠还是那副内敛沉默的样子，点了点头道："记得。"

谢槿知又问："那之后，你是不是经常头疼？"

陈楠愣了一下，又点头。

谢槿知明白，他跟她刚才一样，意识不到是在虚拟空间里。但曾经有过的记忆，依然存在。

他只是意识不到。

谢槿知言简意赅地解释道："你们遭遇了辐射，产生变异。现在狗的意识，和你的意识，同时在你的身体里。现在这里不是真实的空间，而是虚假的。只要你跟我们走，把狗留在这里。你就能清醒过来，就能获救，回到你的妻子和孩子身边。"

陈楠露出震惊而困惑的表情，谢槿知看了眼应寒时，应寒时点了点头。于是她干脆一把抓住陈楠的肩膀，银光浮现。

当陈楠再睁开眼，发现自己竟然站在了茂密的森林里。他的心怦怦跳着，手心浸出阵阵冷汗。谢槿知站在他身旁，指了指森林外的景色，"你看，那是虚拟空间的边界，流线型的。"

陈楠抬起头，看到那里再也不是碧蓝的天空，而是一片亮闪闪的水纹，蜿蜒着，如同一条河流挂在了天上。可里面又是混沌的，什么也看不清。他的表情变得更加震惊，往后退了好几步。

谢懂知微微一笑，说："现在相信这是虚拟空间了吧。你好好想想这几天的事，留在这里，不要动不要走。等我们救了其他人，就带你们一起出去。那些狗会留在这里，不能再伤害到你们了。"

时间，在虚拟空间内外，同样静静地流逝。

悬崖高处的山洞里，萧穹衍坐在电脑前，无聊地跷着二郎腿。现在没有他什么事，只要等待就好。发了一会儿呆，他眼睛一亮，打开电脑上的娱乐盘，开始看最近热播的一部婆媳关系连续剧。之前他才追到第十集。

夜色静悄悄，机器人冷硬的脸庞，映着屏幕上的光，看得目不转睛。而身旁躺着的那堆人，也一动不动。

过了不知多久。

萧穹衍突然一愣，抬起了头。

洞口走进来一个人，身形瘦削挺直，背后是浓黑而寂静的夜色。萧穹衍眼珠转了转，站起来，面露疑惑，"你怎么来了？"

那人一言不发，抬起手，手中是一把枪。萧穹衍"啊"了一声，想要质问："你……"然而已经来不及，子弹无声无息，准确射中萧穹衍的左胸。萧穹衍一头栽在地上，硅晶红眼睛转了两圈，定住不动。

那人快步走进来，看到地上的情形，微微一怔。然后走到萧穹衍身旁，确定他没什么事，才转身走开。

然后那人在山洞里开始搜寻。过了挺长时间，终于在靠近山洞壁的一块泥土里，挖出了个小小的金属盒。那人用匕首撬开金属盒，看到里面躺着的两块莹莹发光的晶片，飞快合上盒子，转身走出了山洞。

太阳渐渐偏西。

越来越多的人，被带到虚拟边界。虽然他们中间有的人，对谢懂知的话半信半疑。有的干脆完全不听。但是在看到边界的模样后，全都像陈楠那么震惊。然后就都按谢懂知和应寒时的吩咐，在那里等待了。

空旷的树林里，村民们不安地交谈着，张望着，"你家的狗像他们说的，最近也很凶？"

"是啊，你也是？这真是倒八辈子血霉了。"

"喂，他们两个是什么人？捉妖师吗？"

"陈楠，你怎么不说话？站那么远做什么？"

谢槿知和应寒时走出树林，还有最后一个人了。听到他们的对话，谢槿知下意识地回头，就看见陈楠一个人站在很远，背着光，看不清脸上表情。

到了最后一个人的家门口，门虚掩着，谢槿知轻轻推开往里看，悚然一惊。

地上躺着个男人，血流满地。眼睛圆瞪，喉咙是破的。一只大狗立在尸体旁，抬起满是血渍的嘴，望着他们。尸体有点臭，看来已经死去很长时间了。

"汪汪——"它狂吠着朝他们扑咬过来。谢槿知射出麻醉枪，它扭动两下，应声倒下。

"它已经杀死了人的意识。"应寒时缓缓地说，"我们来晚了。"

"那……这个人在现实里会怎么样？"

"一个意识死去，一个意识困在虚拟空间里。现实中的他，会成为植物人。"

谢槿知没出声，望着街边绚烂的晚霞，古镇宁静得不可思议。

岂能尽如人意，他们终究还是没能救下所有人。

再次回到森林边缘，暮色已经慢慢笼罩下来。那些村民原本席地而坐，看到谢槿知和应寒时，都急切地站起来，"可以走了吗？"

应寒时点了点头，答道："边缘出口会在几分钟后打开，届时我带你们出去。"

谢槿知又看一眼站在众人背后、沉默不语的陈楠，总觉得他哪里怪怪的。她轻轻扯了扯应寒时的衣角，两人走到了一旁。

"你注意到他了吗？"她问。

"注意到了。"应寒时答道，"他看起来，不像正常的人。"

谢槿知心头一震，可不正是如此。面临如此大的变故，所有村民脸上的表情都是急切的、生动的。可他浑身上下，仿佛都被某种阴郁的气息笼罩，表情依旧僵硬，也不怎么说话。仿佛还跟在现实空间里时一个样子。

然而谢槿知一时也想不出原因。因为萧穹衍说过，进入虚拟空间的是意识。意识以为自己是什么样，就会是什么样子。所以人是人，狗是狗。他毫无疑问就是他们要找的陈楠，莫非他身上还有其他问题？或许只能出了虚拟空间，再去查明了。

天色一点点地暗下来。

应寒时第一个转头，望向林边的小路。谢槿知也循着他的视线望去。出乎意料的事情发生了。

一只狗跑了过来。

是陈楠和叶子的那条狗，黑色，眼珠圆而亮。然而此刻，它的两条后腿都跛着，满是血迹，看样子竟是从绳索里强行挣脱出来的。

因为谢槿知的话，村民们现在看到狗就充满恐惧，全都吓得往谢槿知和应寒时身后躲。那狗却径直跑到陈楠面前，一口咬住他的裤腿，就往外拖。

"打死它！打死它！"村民们全喊起来，有人弯腰捡石头。陈楠不出声，脸色变了又变，拼命踢那只狗，想要把裤腿抽回来，可狗却死咬着不放。

"等等。"应寒时开口。大家都是一愣，谢槿知却分明看到，狗的眼睛里，蓄满了泪水。怎么会这样？

应寒时抬头就看向陈楠。陈楠触及他的目光，像是明白了什么，突然一脚踹开那狗，转身就往边界跑。在众人惊讶的目光中，应寒时身影快速移动，一把将陈楠抓了回来，重重摔在地上。陈楠摔得头破血流，大口大口喘着气，露出狰狞神色，竟像不知道痛，起身又朝应寒时扑来。他的瞳仁变成浅褐色，牙齿同时尖利，十指尖端变成了利爪。应寒时一把擒住他的喉咙，将他掼晕在地，终于停止了攻击。

众人看得目瞪口呆，谢槿知的心怦怦地跳，一个猜测涌上心头，为什么陈楠会这样，为什么狗会这样？应寒时已转头看着她，眉目乌黑沉凝，"陈楠的意识受侵害太深，人已把自己当成动物，动物却已以为自己是人。"

谢槿知心头震动，没有出声，转头看着地上跛脚的那动物。它却像能听懂应寒时的话，眼睛里泪水流了下来，然后两只前腿伏低，深深低下了头，竟像是在对他们深鞠躬。

意识以为自己是什么，在虚拟空间里，就会是什么样子。

原来如此。

"那怎么办？"谢槿知问，"我们带它回去，陈楠还能复原吗？"

应寒时静了一会儿，答道："不能了。它的意识已经错乱，回去了只会让陈楠像动物一样生活。"

那狗站了起来，抬起头，慢慢往后退了好几步，然后伏在地上，看着他们，不动了。

"它不愿意回去。"谢槿知轻声说。

它在最后关头用尽全力冲到这里，就是为了阻止那个"陈楠"，回到现实世界，占据自己的身体，跟妻儿生活在一起。

然后它选择永远沉沦在虚拟空间里。

银光慢慢浮现，空间边界打开。应寒时和谢槿知，带着其他人，走进了边界里，它离他们越来越远。然后虚拟空间的一切景物，都慢慢在他们眼前消失了。

谢槿知睁开眼睛，发现自己在应寒时的怀里。他们躺在一张简易的折叠床上，四周是嶙峋的石壁和暗柔的灯光。他们已经回到了山洞里。

应寒时也睁开了眼睛，两人凝望着彼此。她轻声问："结束了吗？"

"结束了。"

"陈楠和那个死去的村民……"

"他们回不来了。"他答。

两人静了一会儿。这一次，才算是谢槿知确切地感受虚拟空间。身在其中时，感觉那么真实。醒来后，才觉得恍然如梦。她看向周围，那些村民还沉睡着。

"萧穹衍给他们注射过镇静剂。等我们安全撤离后，他们会醒过来。"应寒时说，他拉着她站起来，与此同时，却听到山洞另一侧有响动。

另一个人影，摇摇晃晃从地上站起来。

"小John？"谢槿知吃了一惊，"你怎么在地上？"难怪刚才没听到他咋咋呼呼的声音。

应寒时也眉头轻蹙地望着他，"发生了什么事？"

萧穹衍的声音都快哭出来了，捂住自己的胸口，"我中了麻醉枪。"他指着岩壁旁被挖开的那个小洞，"晶片也被抢走了。"

谢槿知震惊不已，应寒时静了静，问："是她拿走的？"

萧穹衍点头，满脸难过，"真的是她。"

第六十四章

决战之前

"他？"谢懂知不解。

应寒时的眼眸深深，萧穹衍叹了口气，说："是林婕。"他回忆起之前的画面。林婕站在洞口，表情紧绷，就像棵倔强的树。当她开枪时，眼中分明闪过歉疚和决绝。萧穹衍不明白，很不明白。

谢懂知吃了一惊，问："她为什么这么做？"

萧穹衍答道："我也不知道，她明明是可以为指挥官而死的人。"

"这么多年过去，人终究会改变。"应寒时说。

谢懂知想起刚才他和萧穹衍的对话，问："你怎么猜到是她？"

应寒时望着洞外的沉沉夜色，答道："萧穹衍选定古镇作为目的地，暗中有人影响。而且我们的行踪，只有自己人知道。我让萧穹衍带晶片过来后，剩下的人里，只有她驾驶战机偷偷离开了江城。"

"你是故意的。"谢懂知抬眉看着他，"故意让她偷走晶片？"

应寒时轻抿着唇，眼眸极黑极静，"是的。晶片为饵，我欲将反叛军一网打尽。"

谢懂知怔了一下，萧穹衍解释道："小知，你不用担心，之所以让他们偷走，就是因为晶片上装着反追踪装置。一直以来，反叛军作恶多端，我们却没办法将他们弄死，就是因为地球之大，根本无法知道他们的藏匿处。而且你知道的，战机都有超光速跳跃功能，哪怕我们追上他们，他们也可以跳跃逃走，完全不知道他们跳去了哪里。"他的语气变得喜滋滋的，"现在就不同了，林是无论何时，都不会把晶片扔下的。他去哪里，我们都能找到，然后干掉他。"

应寒时眼中也露出一点笑意。谢槿知想了想，又问："可是追踪装置会不会被林发现？"

萧穹衍大力摇头道："不会！这是我新研发的一种微型追踪装置，灵感来源于穆岩分子人哦。极细微的追踪颗粒附着在晶片上，当晶片被拿出时，那些颗粒就会立刻扩散，同时附着在周围的人身上。他们根本发现不了。"

谢槿知点头，她觉得很神奇，也很靠谱。

就在这时，警铃声遥遥传来，正是小镇外公路方向。三人走到洞口，看到夜色里，依稀有许多辆警车。甚至还有几架直升机在小镇上空盘旋。

"我们该走了。"应寒时说。

萧穹衍看着满山洞的电脑设备，发愁地说："可是这些还没收拾，都是我的宝贝装备呀……"

"来不及了。"应寒时打断他，萧穹衍就悻悻地不说话了。谢槿知与应寒时配合已极有默契，她抓住萧穹衍的肩膀，萧穹衍"哟呼"欢呼着，被她拉进了银光里。

应寒时预料得没错，十几分钟后，在警犬的帮助下，就有警察找到了这个山洞，全面封锁起来。又过了一会儿，谢槿行带着几个研究人员，走了进来。

这时，那些被救出的村民，也陆续醒了，激动而又混乱地跟警察和研究员们，讲着自己的离奇经历。谢槿行听得整个人都愣住了。

会来到这里，是因为有村民异常伤人的报道传来。而他的研究员们，同时发现这个古镇周围的磁场波动又异常了。这不得不令他想起曾经的依岚山，他想他猜到始作俑者会是谁了。这必然会跟他那个特立独行的妹妹，还有她的……唉……外星男朋友有关。

于是谢槿行就向上级申请，带着人也过来了。

不动声色地在山洞里站了一会儿，谢槿行走了出去，到了片僻静的树林里，拿出了手机。

打给谢槿知，却是无法接通。他当然不知道，谢槿知的手机在初次跳跃时，落进河里冲走了。静了一会儿，他忆起档案袋里的另一个手机号码，拨了出去。

电话很快接通，年轻男人温和沉静的嗓音传来："你好。"

"应寒时先生？"

"是。"

"我是谢槿知的哥哥，谢槿行。"

这是一片非常隐蔽的山林，已经废弃的木屋坐落于山腰，满屋积着灰尘。

萧穹衍正围着口罩和围裙，拿抹布使劲打扫着。谢槿知推开木屋的小窗，转头看着矗立在门边，身影清俊的应寒时。他挂了电话，也朝她看过来。

谢槿知问："我哥说了什么？"

应寒时答道："他约我们半个小时后见面。"

谢槿知怔了怔，却笑了，"好事。他打这个电话，看来是打算私了，又要替我们打掩护了。"

既然有了这个判断，谢槿知一点压力也没有了。等萧穹衍收拾完屋子，她就坐在一把老旧的藤椅里，吃萧穹衍刚摘回来的野苹果。酸酸脆脆的，倒十分爽口。过了一会儿不经意间转头，却看见应寒时还站在远处，脸绯红着，神色……有些忧虑。

谢槿知咬了口苹果，问："怎么了？"

应寒时答道："这样见面，实在唐突失礼。我也没有时间去准备见面礼。"一旁的萧穹衍听到了，也瞪大了眼睛，"呀，真的，那怎么办？"

谢槿知忍不住笑了，"没事的，我哥不在乎这些。"可尽管她这么安慰，应寒时还是一副忧思的模样。

萧穹衍闷闷地道："指挥官，我们失策了，早知道只拿一块晶片作饵，不要玩这么大，留下一块当见面礼了。"

谢槿知听得睁大了眼睛，应寒时却深以为然地徐徐点头，语气歉疚道："是我考虑不周，只想着战斗了。"

谢槿知说："你们真的不用太紧张。"

半个小时后。

谢槿行站在一片开阔的树林里，眺望着远方的群山和零星的小镇灯光。

直至身后响起脚步声，他转过头，看到谢槿知和一个高高大大的年轻男人，并肩走了过来。

谢槿行是个拘谨传统的性子，一向不喜欢太活泼或太熟络自如的人。此刻看到应寒时姿容沉稳，不卑不亢的模样，倒生了几分好感。只是想到他是外星人，终究有点担忧。

谢槿知先开口："哥，这就忙完了？"她笑意浅浅，居然还有点逗弄的意思。

谢槿行看她一眼，答道："我没那么大的本事，谁让你们留下这么大个烂摊子。"虽然这么说，他却没有生气，平静地看着应寒时，"你好，我是谢槿行，谢槿知的哥哥。国防部4574研究院，天体物理及核工业教授。"

应寒时站得笔直，双臂垂落身侧，脸颊微红，嗓音却沉稳清澈地道："你好，谢教授，我是应寒时，来自三千光年外曜日星球。曾任帝国凤凰舰队指挥官，军衔上将。现已退役，是小知的男朋友。"

谢槿行之前不知道他的详细底细，愣了一下，谢槿知默然不语。

"今天到底是怎么回事？"谢槿行问。

于是谢槿知就把来龙去脉，一五一十地说了，应寒时略作补充。谢槿行听得神色逐渐严肃，待他们说完后，他沉思了一会儿，说："我明白了。那两名意识受损的村民，我会联络国家生物科学方面的研究院，看是否可以继续救治。"

谢槿知立刻说："太好了。"

应寒时也点头，"多谢。"

"至于这整件事……"·谢槿行说，"你们今天的话，我就当没听到过。村民们的话，彻查是少不了的。不过这种离奇事件，查来查去，最后查不出什么，不了了之。但是，最近你们就不要在附近露面了。"

他这么说，谢槿知还有什么不放心的，笑着说："哥，谢了。"忽然又想起另一茬，便试探地问，"那……那些用来做虚拟空间的电脑和设备，能够还给我们吗？"

谢槿行看她一眼，"你觉得可能吗？那些设备已经在送往研究院的路上了。"

谢槿知说："你们这是趁火打劫！"谢槿行略有点尴尬，但她说的的确是事实。谢槿知还要再说话，应寒时却一把拉住她的手，制止了她。

"不必归还。"应寒时嗓音徐徐，眉眼从容，"那些设备和虚拟空间技术，您可以随意研究使用。"

谢槿行是个诚实人，面露笑意，"多谢。"

应寒时的脸依旧微红，"应该的。"

谢槿知："……"

"虽然送给你们了……"谢槿知看一眼他俩，"哥，我很好奇，以地球人现在的设备技术水平，真的可以造出虚拟空间吗？"

谈到这一点，谢槿行是非常自信的，他看着他们，笃定地答道："当然。我们所拥有的，是天河4号A超大型计算机组，每秒200亿亿次浮点性能。"他说的专业术语谢槿知不懂，应寒时却露出赞赏神色，点头道："的确可以。这样的容量，甚至可以制造出超大型自主运行虚拟空间。"

两个男人的交谈，显然非常愉快了。谢槿知微笑不语。

这时谢槿行却看她一眼，"你先去周围转会儿，我有话单独对他说。"

已是后半夜了，零星的星光缀在天空中，远山依旧寂静。谢槿行望了望不远处，坐在草地上，抱着双膝的谢槿知，转头对应寒时说道："我把你留下，并不是要干涉你们俩的事。但是作为她现在唯一的亲人，有些话，我必须对你说。"

应寒时点头道："是。"

"其实我也只要问你一句话。"谢槿行说，"她自小没有父亲，母亲也很早过世。这些年，她从来没谈过恋爱。我也没想过，她最后找的男朋友，会是你这样的。但是，不管是地球人还是外星人，以她的性格，如果爱上一个人，那一定是抛开了所有。她没有任何退路。"

应寒时的目光也落在她身上，眉宇间浮现怜惜神色。

"所以，你能不能做到，永远爱护她，不伤害她，永远把她放在你心中第一位，就像她对你一样。"谢槿行郑重地问，"可以做到吗？"

应寒时沉默了一会儿。

然后他抬起自己的右手，放在了左胸心脏位置。微微抬起脸，眼眸无比沉澈，与谢槿行对视着。

"小知的兄长，以下，是我给予你的答复，也是我许下的承诺。"他平缓而清晰地说道，"曜日已经坠落，银河再无帝国。我见过恒星的诞生，也目睹过行星崩塌于黑暗中。我航行了数千光年，才遇见了这一个心爱的女人。她会是我终生所爱，比生命更重要，与信仰同等珍贵。"

谢槿行静了一会儿，点头。

谢槿知没想到谢槿行谈完应寒时后，还要跟自己单独谈。她看着应寒时微笑着走向她之前待的那片草地，转头望着谢槿行，"你们都聊了什么？"

谢槿行却不答，从口袋里掏出了个信封，"拿着，这是你之前要的，应寒时的新身份证和户口本。"

不远处，应寒时的脚步陡然一顿。

谢槿知当然注意到了，微微有点尴尬，把信封接过来，"多谢了。"

谢槿行温和地笑了，"有了这个，他的身份不会再有什么问题。"

谢槿知打开看了看，也很高兴，"嗯。"眼角余光，却瞥见应寒时干脆站在原地，背着双手，一动不动地听着。

谢槿行看着她的神色，忽然问道："你……不会是就要跟他结婚了吧？"

谢槿知立刻答道："没有。要这个只是为了更安全。"

谢槿行这才点头，非常语重心长地嘱咐道："那就好。结婚是大事，不管是地球人还是外星人，总要相处一段时间，考察清楚。"

交代完这些，谢槿行就走了。谢槿知站在原地，看他的身影没入夜色里。应寒时走到她身旁。过了一会儿，她转身说："我们也走吧。"他却不动。

"小知，给我。"他说。

谢槿知装傻问道："什么给你？"

他微微垂眸，"我的结婚许可证。"

结婚许可证……外星人对户口的这个称谓，让谢槿知觉得有点好笑，却答道："不行，我先保管。"她顿了顿，"到时候给你。"

转身刚要走，手腕却忽然一紧，人就被他扣在了树上。谢槿知抬头看着他，小声抗议道："你居然用强……"他低下头，单手扣住她的双手，固定在头顶，另一只手已伸进了她的口袋，拿出那封信，这才松开她。

谢槿知也不是真生气，轻轻哼了一声，看着他的举动。应寒时打开信封，拿出两样东西，低头看了一会儿，放下，负起双手，眼睛里似乎有浅而璀璨的光华在流动，"等回江城，我就求婚。"

谢槿知的脸有点烫了，转头看向一边，"应寒时，这种事你不必提前告诉当事人。"

两人回到木屋，萧穹衍立刻热切地迎上来，"指挥官，与未来大舅子的会面如何？"

应寒时微笑地答："非常好。"主仆两人相视而笑。

萧穹衍又报告了一个好消息："苏已经带着大家在准备动身了，明天一早他们就能到。我们就能对反叛军实施最后的反攻。"

还有几个小时就天亮了，萧穹衍在外间守候，应寒时和谢槿知到刚刚收拾好的房间里休息。这里同样简陋，只有一张木板床，一张破旧的桌子。

谢槿知拉应寒时在床边坐了下来，斟酌了一下，干脆直接问："明天，会不会很危险？能打赢吗？"她这么问，是有原因的。她听应寒时讲过，反叛军有几十个人，二十余架战机。这边现在还少了个林婕，满打满算只有六架战机。敌我悬殊十分大。

应寒时如何不知道她在担心什么。静默片刻，只握住她的手，亲了一下说："我打给你看。"谢槿知的心头跳了一下，他已将她搂进怀里。

来古镇这几天，两人许久也未曾温存过。而今大战在即，心中的柔情却更盛。谢槿知被他压在硬硬的床板上，亲了一会儿，就见他红着脸起身，走到房间门口，上了反锁。

谢槿知低声嘀咕道："道貌岸然……"被她这么批评，他转过身来，脸越发的红。在她笑盈盈的视线里，走回她身边。

天亮时，谢槿知站在小屋门口的山坡上。清晨微凉的空气钻进衣服里，令她微微一抖。身旁的应寒时，伸手揽住了她的肩。

"来了来了！"萧穹衍从屋里蹿出来，站在两人身后，抬头望着天空。

几秒钟后，淡蓝的天空中划过五道流星般的银光，那线条出乎意料的整齐流畅。而银色轨迹的前端，五架战机的轮廓逐渐清晰，越驶越近，最终骤停在距离他们十余米外的半空里。

应寒时露出浅淡笑意，萧穹衍用力朝他们挥手。谢槿知望着驾驶舱里那些熟悉的面容，苏、丹尼尔、庄冲，还有聂初鸿和顾霁生。他俩透过玻璃舱，对她露出温暖的笑容。

"指挥官。"萧穹衍啪地站直，郑重其事地敬了个礼，嘴巴却笑咧开，"曜日人、地球人混编战斗小组已经到齐，下达命令吧！"

第六十五章

至善至黑

"唉。"萧穹衍忽然叹了口气，"以前指挥官带领的可是十座太空堡垒，三千架战机。"

谢槿知看他一眼，又看向应寒时。应寒时只是微微笑了笑，"小John，不必感伤。我们的文明曾经辉煌过，就让它永存于记忆中。现在，我们脚下的地球，才是银河系中最真实繁荣的存在。"

萧穹衍"哦"了一声，谢槿知的目光，却不自觉地落在应寒时负在身后的，那双白皙而骨节分明的手上。她想，这个男人拥有天空一样宽广的心胸。

苏等人已经把战机停好，走了过来，大家一阵热络。谢槿知很自然就走到聂初鸿和顾霁生面前。聂初鸿居然留出了络腮胡子，原本英挺的青年，平添粗犷沧桑的气质。但那双眼睛，依旧是漆黑而温柔的。他微笑地看着谢槿知，"最近好吗？"

谢槿知点头道："我都挺好的。你们呢？没想到你们今天也会来。"

聂初鸿笑道："同仇敌忾，义不容辞。"谢槿知温和的目光，又落在他身旁的顾霁生身上。

聂初鸿也看着顾霁生，拍了拍他的肩膀，"霁生，这是我跟你说过的槿知。她也是你最好的朋友。"

出乎谢槿知的意料，原本沉默着、神色有些局促的顾霁生，抬头看着她，似乎好奇地打量了一下，旋即露出非常灿烂漂亮的笑容，"槿知，你好，我是你的好朋友顾霁生。"

这样流利的话语，让谢槿知有点难过。旁边其他人也注意到了，关切地望过来。应寒时走到谢槿知身旁，也看着顾霁生，"他好些了吗？"

聂初鸿点头微笑地答："他很聪明，教什么都学得很快。而且战机开得比我还好。"

一行人说着话，走进小木屋中，商议即将来临的决斗。

午后，天空寂静而炙热，没有一丝云彩。

冉好站在一顶帐篷里，脚下的沙漠烫得让人的鞋底仿佛都要融化掉。她的心情与这气温同样焦躁，隔着帐篷上的塑料小窗，望着外面。

沙丘如同一座座小山，连绵起伏。帐篷外，那些穿着灰色军衬衫、脸上文着十字的士兵们，走来走去。还有二十来架黑色战斗机，停在沙丘中的沟壑中，整齐肃穆。

冉好看了一会儿，只觉得心烦意乱。一回眸，却恰好看到对面那顶更大的帐篷里，木头……不，不应该叫他木头了，那些士兵都叫他"林指挥官"。他站在撩开的帐篷门口，正眺望着沙丘上方的天空，俊朗的脸上有捉摸不定的微笑，不知道在想什么。像是察觉到她的目光，他缓缓侧眸，与她对视上了。

冉好的心跳骤然加速，垂在身侧的双手不自觉紧握成拳。他却慢慢地笑了，依旧是那笃定而富有男性侵略性的笑容。

冉好转身就离开了塑料小窗，也离开他的视线范围。她嘭的一声扑倒在床垫上，心情复杂而难受。

她一直以为她从公园捡到的流浪汉，只是个高富帅。哪怕是落魄的、永远不能东山再起的男人，她后来也认了，也心甘情愿了。

可他居然是个外星人。

外星人就外星人吧。一开始得知那一刻，她惊吓之余，还是有点小惊喜的。毕竟有谢槿知的前车之鉴，她觉得跟外星高富帅在一起，也不是什么坏事。说不定还是她难得的运气。

谁知道他却倨傲而淡漠地说，自己是反政府武装。再看到这些天他跟应寒时和谢槿知他们作对，冉好心里哪能还不明白？他就是个大反派大Boss。

这样危险而黑暗的爱情，她一点也不想要了。可是，他好像察觉了她的退意，这些天把她看得更牢。她要怎样才能逃得掉？

正纠结着，把脸埋在枕头里，忽然听到帐篷上空，骤然响起尖锐而持续的警报声：“嗡——嗡——嗡——”外面的脚步声瞬间变得杂乱急促，战机预备起飞时的引擎声也突然响起。

冉好立刻从床垫上爬起来，跑到了帐篷门口，恰好看到一名士兵快步跑进林的帐篷，大声汇报道：“指挥官，雷达显示数个飞行目标，正朝我们的坐标跳跃而来，倒数计时：58、57、56……”

林掀开帐篷，大步走了出来，看一眼呆立的冉好，“副官。”

副官立刻走上前，恭敬地对冉好说：“冒犯了。”将冉好一把扛起。

冉好知道挣扎无用，只趴在副官身上没动，恨恨地骂道：“林你浑蛋！”林根本不在意，他阔步走向战机最前方，他的那艘小型指挥舰，带着副官和冉好走了上去，迅速关闭舱门。

而尽管敌人的偷袭突如其来，他麾下的士兵们亦丝毫不乱，在短短一分钟内，迅速收拾要件，跑向各自的战机。

“10、9、8、7……”技术兵还在通信频道里，严肃而紧张地向所有人警示时间，“我方跳跃引擎预热还需10分钟。对方跳跃倒计时：3、2、1！”

尽管高性能战机上，都配备有跳跃引擎。但是执行一次空间跳跃，不是简单操作，不仅引擎需要时间预热，也需要设置跳跃坐标等一系列技术操作。所以现在，对方得知了他们的坐标，突然跳跃袭击。他们却不能马上跳跃离开，只能迎战。

二十余架战斗机，跟在林的指挥舰之后，同时升上天空。远远望去，黑色战机外壳反射着刺眼阳光，如同一群黑色的金属大甲虫，盘踞在沙漠上方。

冉好已经被关进了指挥官休息舱中，连同那两块极其珍贵的晶片以及林的其他重要物件。

林站在指挥舱里，望着前方。沙丘上空，碧蓝得没有一丝风的天空上，时间仿佛在这一秒静止。

“士兵们，一切为了我们即将建立的新文明。”林沉声说道。

"是！"通信频道里，响起所有飞行员们坚定有力的声音。

数团银光，同时降临。

剧烈的引擎声，呼啸声。沙丘上顿时狂沙乱舞，灰蒙蒙一片。而当银光逝去，六架战机如同匕首脱鞘而出，双方密集的弹雨，同时射出。

谢槿知在萧穹衍的飞机上。她坐在副驾驶位上，系着牢牢的安全带，看着舱外，一道道炮弹迎面掠过。这于她而言，是从未有过的经历。看着反叛军的战机群，排列得密密麻麻迎面飞来。而这边，以应寒时为中心，六架战机呈扇形展开，向对方俯冲而去。

"卧槽！"通信频道里响起庄冲低低的惊叹声，不得不说，他此刻叹出了谢槿知的心声。因为交战的速度实在太快了，她很快眼花缭乱，什么也看不清晰，只看到飞机和炮弹犹如满天流星，交织在一起。

"分离。"频道里响起应寒时低而清晰的声音，与此同时，排列在扇形正中的应寒时、苏和丹尼尔保持向前飞翔的姿态，灵活侧翻或是旋转着，继续攻击对方的战机群。而另外三架战机，同时急速偏离航线，飞到了战斗圈外，避开了大部分的炮弹。

此时，双方的首次冲锋已接近尾声。因为应寒时三人都是技巧非常高超的飞行员，飞入的又是对方战机群腹地，成功避开了对方所有攻击，且击落敌机三架。而聂初鸿三人在交锋时刻拉开距离，驶离了炮火区，既替应寒时等人吸引了部分炮火注意，同时毫发无伤。

"真正的战斗，才刚刚开始哦。"萧穹衍哼哼道，"小知快看指挥官秒杀他们！"

谢槿知早因为这一系列高难度飞行而心惊肉跳，满手的汗。脸上却做出淡定表情，笑道："看着呢。"

萧穹衍眼睛看着前方，嘴巴却咧起，"哟，你的声音怎么发抖了，害怕吗？哈哈。"

谢槿知没答。因为大家都戴着通信耳机，两人的对话应寒时肯定听到了，但是他没有分心回应。

他俩在说话，战斗却一刻没有停止。在第一次正面冲锋结束后，双方战机都在天空划出盘旋的弧度，掉头再次冲向对方。但是这一次，反叛军的战机群也散开了，呈二级梯队进攻。

这边指挥战斗的，是林麾下的另一名高级军官。他与帝国军交手多年，亦深谙应寒时的可怕。要知道即使是这样简单的正面冲锋，据说应寒时一个人就能干掉十架战机。所以他亦牢记林的叮嘱："集中优势兵力，对付星流。只要牵制住星流，就能赢得战斗。"

而当他掉转机头，一眼看到明明还应该在很远坐标的星流，竟驾驶飞机，向他的侧翼飞去。这名军官心头大惊，但要知道，星流之所以威名赫赫，就是因为他用兵极为诡谲，总是在你想象不到的地方出现，又在你无法想象的方位发动袭击。于是军官此刻心头断定：星流速度如此之快，是想要从侧面偷袭。

不能让他得手！

军官沉喝一声："左翼中翼，跟随我，围剿星流！"

"是。"

刹那间，机群分离，超过十架战机跟在他身后，朝应寒时追击过去。上下左右前后，呈360度包围，以极快的飞行速度，飞离了这边的战斗圈。

谢槿知看着他们越飞越远，战火交织，有些担忧地问道："会有危险吗？"

萧穹衍安慰她道："没事，他会安全的。啊，林跑掉了！"

谢槿知循着他的视线抬头，果然看到更高的天空上，林的那艘体积有普通战机两个大的战斗舰，如同冷硬的黑色大鸟，嗖一声飞远，顷刻消失于天际。

"他跑不掉。"通信器里，响起应寒时笃定的声音。

"是。"苏、丹尼尔、萧穹衍等人齐声答道。

谢槿知听到他的声音，也露出微笑。林是舍不得丢掉晶片的。而且即便现在他丢掉，晶片上附着的追踪器也已扩散开。应寒时有以两块晶片为饵的魄力，当真是舍得孩子，套着了狼。

敌军主力已被吸引走，剩下七八架战机，与他们五架战机对峙着，弹雨如飞，再次交接。

反叛军军官率领十余架战机，追到了遥远的沙丘后。然后星流今天只跑不打，让军官心中微微有不安和异样的感觉。然而短兵相接的空战，本就只是在分秒之间，他也无暇做出更准确的判断，只能继续追。

眼看越追越近，星流的战机飞到了一片高高的沙丘上，同时也被四面八方的飞机，逼入了他们的射程之内，军官当机立断道："开火！"

炮火声震天，密密麻麻如同雨点，射向星流的战机，他已避无可避。

然而令人瞠目结舌的一幕，就在此时发生。

那战机连同机上的星流，以肉眼无法看清的速度，化作了一团……散沙？！掉落在沙丘上。子弹全部落空，射在了沙丘上，掀起漫天的沙雾，打不到，捉不住，炮火也无法令它们燃烧，哪里还分辨得出，哪一颗是刚才的"星流"变化而成的？

军官是知道上次反叛军纳米人伪装成雨点，企图劫持谢槿知的计划的。此刻他望着那漫天的沙，脑海中只浮现一句话：以其人之道，还治其人之身。他现下心中雪亮：第一次看到的应寒时，展现出高超的飞行技巧，必然是真的。所以也没有让他怀疑对方会使用纳米人。可是空中交战瞬息万变，后来的这个应寒时，却已经被掉了包，专门为了吸引他们主力前来。

军官的心中突然大骇。留在原地的七架战机，对付一个星流都够呛，更何况是对方几乎全部的兵力。实力悬殊，只怕此刻，已经被全歼了。反叛军原本占据兵力优势，他想着集中优势兵力，对付星流。却没料到正中星流的圈套，反而被他集中兵力，先干掉了三分之一。

军官的后背陡然浸出冷汗，对着通信器大喊道："掉头，防御队列！"

然而已经来不及了。

震天的炮火声，从他们的背后传来。军官驾驶战机一个急速拔高，堪堪逃离了死亡的扫射，却看到自己身旁其他数架战机，中弹冒出青烟，往沙丘坠落下去。

"报告：我的左翼中弹左翼中弹！"

"我的发动机中弹了！"

"战机失控准备跳伞，重复：战机失控准备跳伞！"

……

一时间，通信频道里全是飞行员们惊恐而焦急的声音。军官内心寒意顿生，脑海里只有一个念头：完了！反叛军已败！

星流，果然是名不虚传的星流。

他的战机，永远不会坠落。

"战斗中，永远不要用你的后背，对着敌人。"

谢槿知望着前方，背对着他们，如同折翼的飞鸟般，一架架坠落的战机。心中，却想起今天一早，应寒时在小木屋中说过的这句话。

对于应寒时要如何打赢这场以少胜多的战斗，谢槿知之前是好奇的，也是担忧的。早晨，当他对着沙漠地图，将计划部署一步步对大家道明，她都听得愣住了。

当时她看着他清朗的眉目，屹立的身姿，心想，心机好深，好黑。

至善至黑，她要越来越喜欢他了。

聂初鸿本就是军事爱好者，听完之后，大为赞叹。他的评价就比谢槿知的"腹诽"专业多了，"先以其人之道，还治其人之身；再集中优势兵力，围歼对方的剩余兵力，抹平兵力优势；最后是一场追击战决胜，这是能造成敌人最大伤亡的战斗形式。我们赢定了。"

应寒时的神色很平和，继续细细嘱咐大家细节。

"霁生，可以做到这些吗？"他问。

顾霁生坐在角落里，安静地在吃萧穹衍给的苹果。聂初鸿代替他答道："他可以的，只要把步骤仔细讲给他听，他会记得很清楚。而且我们在依岚山飞行时，他做过很多更惊险复杂的动作。"他顿了顿又说，"他如果知道现在在发生什么，必然也愿意去做。"

临出发时，应寒时把谢槿知送到萧穹衍的战机上。

"我会在庄冲的飞机上，最后追击战时，会有许多高难度飞行，你会受不了。"他柔声说，"小John不会有太多战斗，你先待在他的飞机上。等战斗结束，回我这里。"

谢槿知点点头，嘱咐他小心。两人正说话呢，萧穹衍却从战机上探头，笑嘻嘻地说："小知，等会儿指挥官表现好，你要表扬他啊。他很想要你表扬呢。今天早上你还在睡觉时，他制订好计划，然后站在床边望着你，微笑脸红了半天呢……"

"小John。"应寒时出声制止了他，萧穹衍吐吐舌头，缩回机舱。

谢槿知微笑抬头看着他，"哦……你想要表扬？"

应寒时的脸有点红了，"小知，我……"

谢槿知却踮起脚伸手，摸了摸他的头，"加油，你最棒。"

"……谢谢，我会让你看到一场完美的战斗。"

萧穹衍驾驶战机，徐徐降落在沙丘上。前方，反叛军的战机大多坠毁，仅存者也举白旗投降，沙丘上好些个伤兵，跪在地上等待俘虏。

顾霁生从沙堆里坐了起来，露出灿烂的笑。聂初鸿跳下战机，把他从地上拉起来。因为聂初鸿、丹尼尔的战机都还中弹了，这些俘虏和残骸也需要人处置。于是应寒时决定，他们留在原地，他带着谢槿知、苏、庄冲和萧穹衍，立刻追击逃亡的林。

"找到了！"萧穹衍对着雷达图，报告道，"林的战舰，现在正在五十公里外，沙漠深处的一个无人绿洲里。"

"他会再逃跑吗？"庄冲问。

"不会。"应寒时答。

谢槿知接口，"因为知道跑也没有用了。"

一行人上了战机，跳跃引擎开始预热。

"10、9、8……"萧穹衍的声音响起，"目标：林的坐标，最后的歼灭战！3、2、1，跳跃！"

第六十六章

文明于我

谢槿知回到了应寒时的飞机上。

午后的阳光，似乎更炽烈了。隔着玻璃照在人身上，都能感觉到烫意。窗外飞沙漫天，伴随着萧穹衍在通信频道里的倒计时，谢槿知看到银光包裹住战机。

她看着应寒时。他很专心地驾驶着，戴着白手套，眼睛盯着前方。

谢槿知忽然很想拥抱他。

于是就抱了。她轻轻挽住他一只胳膊，头靠上去。应寒时怔了一下，低头看她一眼，然后继续目视前方。

两个人都没说话，却好像有一种温柔纤细的情绪，在狭窄的机舱里发酵。

你有你的抱负，我陪你朝朝暮暮。

"跳跃！"萧穹衍的声音响起。两人的眼前模糊后又变得清晰，那是一片面积不大的绿洲，坐落在下方的沙漠中。一棵棵粗虬盘结的胡杨树，掩映在一汪水泊旁，草地稀稀落落点缀着。林的那艘黑色小型战舰，就停在绿洲上。

"分散。"应寒时下令。苏驾驶一架战机，庄冲和萧穹衍驾驶另一艘，往两边侧飞，从而将林的战舰，包围在正中。

战斗一触即发，谢槿知的心稍稍提起来。但林已是强弩之末，她倒不是很担心。然而当她仔细打量下方的战舰时，陡然心头一震。

她看到了谁？

机身侧面，一扇小小的窗户里，谢槿知看到了冉好那熟悉的脸。她满脸愁云，惊疑不定地望着窗外的战机。

"冉好！"谢槿知低呼一声。

应寒时也看到了，低声说，"别急。"

"……嗯。"

战舰的舱门徐徐打开，林走了出来。

他穿着非常整齐的军装，浅灰色制服，长腿笔直，肩章在阳光下熠熠发亮。他抬起头，望着天空中的战机，戴着白色指挥官手套的双手，沉稳地负在身后。

"星流，我们谈谈吧。"他说。

谢槿知一怔，其他人也都沉默着。应寒时静默片刻，战机缓缓下降，停稳在沙地上。他松开方向盘，对谢槿知说："你留在这里。"

谢槿知点头道："你当心。"

"嗯。"

应寒时推开舱门，跳下战机，走向了林。苏和萧穹衍的战机，依旧在半空中警戒着。

隔着十几米远的位置，应寒时站定。两个男人对视着，林忽然慢慢地笑了，"星流，我输了，我也愿意把晶片拱手相让。但是我想让你知道一件事，帝国已经毁灭，我和你，已经不是敌人了。"

"然而你依然在强取豪夺，伤及无辜。"应寒时平静地说。

林笑了笑，一只手搭在另一只手的掌心，慢慢地，将手套一根根抽下来，"星流，难道你就不想知道，我为什么不惜招惹上你这么个大麻烦，也要得到这些晶片吗？"

所有人都愣了一下，应寒时沉静地矗立，不语。

萧穹衍嘀咕道："那还能有什么原因？这家伙丧心病狂，以前就是反政府武装，现在肯定是想拿了晶片组织兵力，侵略地球咯！"

哪知这时林淡淡地说道："地球人兵力充沛，不容小觑。我当然不会白痴到拿了几块晶片，就妄想侵略地球。所以，你不必担心我会与你现在保护的这颗星球为敌。"

萧穹衍说："……你才是白痴呢！"

一直沉默的苏开口："小John闭嘴。"

"你的目的是什么？"应寒时静静地问。

林微微一笑，握着手套，将双手重新负到身后，"星流，难道你就没想过，重新建立属于曜日人的新文明？你曾是帝国最高军事将领，万人瞩目，难道现在就想龟缩于地球，了此残生，甚至还被地球人取笑、视为异类？现在，就有这样一个机会，在我们眼前。"顿了顿，他继续说，"这也是林婕投靠于我的原因。她并非背叛你，而是更加忠于曜日文明，并且，希望你走上正确的路。"

这番话出乎所有人的意料，甚至连萧穹衍都轻轻地"咦"了一声。谢槿知遥遥望着林，那张脸看起来非常严肃，眼眸深邃，看不出他这番话是真心还是假意。她的目光又落在应寒时身上，他负手而立，身影清俊，似乎不为所动，只淡淡地问："什么机会？"

林喝道："副官。"

战舰机舱里一名军官应了声："是。"一束光从舱中射了出来，在半空中形成了一幅三维立体投影。

那是一颗正在缓慢旋转的小行星，浅蓝色，夹杂绿黄色。这意味着有海洋、森林和陆地。旁边，是一颗火红的恒星。

林注视着这幅星系投影，说道："星流，我在距离太阳系五十光年的星云中，发现了这颗小行星。虽然体积只有地球的百分之一，但是足以孕育文明。我的机舱里，还有六千份曜日人的胚胎基因。曾经属于曜日人的科技、军事成果，相信你航行而来的飞船上，也有备份。只要我们联手，再利用晶片作为建设小行星的基础能源，几十年，甚至只要十几年，我们就能复制一份曜日文明出来。"

众人听得心头一震，一时间了无声息。应寒时眸色微怔，谢槿知看到他的手指缓缓收紧。

林淡淡地笑了，这时小行星图像关闭消失。他看着应寒时，"本来，我打算一个人做。现在，我愿意与你共享这个文明。我们曾经的恩怨，我早已丢下。帝国已经毁灭，我曾经的政治抱负也已没有意义。我甚至愿意向你承诺，这个文明会自由、平等、和平，如你所愿，不会再有战争和杀戮，不会有无辜的人死去。你我同为最高执政官。星流，我知道曜日文明，是你的信仰，你宁愿终身监禁都不背叛帝国。现在，这样一个重拾文明的机会在你面前，难道你会罔顾信仰，罔顾我战舰上的六千份曜日人基因，不忠诚地拒绝吗？"

说完这番话，他就十分笃定地注视着应寒时，徐徐地笑了。

谢懂知不得不承认，他这番话极有吸引力，也极有说服力。连她都听得有些恍然，虽然知道与他合作必是与狼共舞，总是不妥。但一时真想不出能反驳他的理由。

不光是她，苏和萧穹衍身为曜日人，听得都有些动容。萧穹衍甚至轻声在通信频道里说："我居然觉得他说得有些道理，如果真的能重建曜日文明……"他没有说下去，可是曜日已经坠落，银河再无帝国。他们这些人，无论帝国军，还是反叛军，还是顾霁生乃至尚未被他们发现的流浪同胞，都如同宇宙中的浮尘，再无母星，也再无归宿。如果能够重建一个曜日文明，这念头想想就令人心潮澎湃，悲喜难言。

所有人的目光都聚集在应寒时身上。

他站在烈日之下，沙砾之中。白色衬衫映着日光，身形笔直安静。柔软的短发，遮住了他的眉头，那双眼却依旧清澈沉寂。

静默许久，他抬眸看着林，说："我拒绝。"

这一刹那，沙漠上空似乎格外的静。

林脸上的笑容慢慢地敛了，"为什么？"

应寒时却在这时露出了一点笑容，但那笑容很是清冷，"林，这不是一条正确的路，未来也不会是你描述的理想模样。"

林一怔。

应寒时的姿态非常平静，连手指都一动不动，让人感觉在说这番话时，他的心亦是静若止水，沉如深渊。

"我们或许能以最快的速度，复制出一个文明。人类不再需要经历爬行，经历漫长进化和文明发展，就能接近曜日曾经最高的文明。二十年后，当人们长大，就能掌握空间跳跃技术，就能航行到银河系每一个角落。"他缓缓地说道，"然而晶片的能量，只能维持一时，小行星的资源有限，根本无法支撑一个高等文明。而后，这个文明会去向何方？"

林静默不语，嘴角却泛起讥诮的笑意。而谢槿知心头一震，她明白应寒时的意思了，那就意味着……

"地球。"应寒时说，"距离小行星五十光年的地球，会成为高等文明的狩猎场。林，这也是你选择这颗小行星的原因对不对？现在谈侵略地球或许是虚妄的，到那时还有谁能阻止你？"

他静了一下，抬眸，看向的却是林的背后，广袤的沙漠与天空。

"林，你的梦还没醒吗？我们的文明已经毁灭了，现在真实而繁荣地存在于银河中的，是地球文明。未来，已经属于他们。而不是我们这些末日之人。我不愿意去侵略这颗平静而美好的星球，这里亦是我妻子的母星。

"而你所要建设的文明，也不再是曜日文明，而是一个畸形的、不健全的文明。那些人尽管拥有与我们类似的基因，却不再拥有曜日星的记忆，也缺失了人类本该有的数千年文明发展的进程。他们实际上，是为了侵略和攫取而生，他们的文明苍白而可悲。星流不会忠于这样的文明，也不会沉沦于这样虚妄的复兴梦。"

谢槿知的心，阵阵悸动。她望着他瘦削而挺拔的背影，此刻只想从身后，把这个自称"末日之人"的男人拥入怀中。

然而，眼看两个男人的谈判即将破裂，她还有更重要的事要做。

她缓缓地挪动身躯，到了驾驶座椅背后，这样林就无法看到她。

林的脸色，已经可以用难看来形容了，显然应寒时句句说中了他的要害。他静默了一会儿，嗤笑道："星流，你永远这样清醒，也永远这么让人讨厌。半个文明的统治者地位，也不足以令你心动？那你想要如何？"

应寒时答道："我会把晶片和基因库全部带走。晶片永远封存，直至真正为了正义和和平需要时使用。基因库我会等待，将来如果遇到合适的、独立的行星，我会将基因库投放，不加干涉，让他们开始属于自己的新文明。"

谢槿知跳跃到了冉妤的身边。

　　这是间封闭而安静的舱室，冉好站在窗边，一直望着窗外，双手紧捏成拳。听到身后的动静，她转过身，看到谢槿知，吓得全身一战。谢槿知连忙朝她比了个噤声的手势，走到她面前。

　　冉好惊魂未定地揉了揉自己的眼睛，压低声音道："你是怎么进来的？"

　　谢槿知拉住她的手，说："来不及解释了。你是被林抓来的？快跟我走。"谢槿知对冉好和林的纠葛，并不知情。她现在跳跃过来，就是怕林以冉好为人质，想要把她救走。

　　冉好却露出迟疑神色，盯着谢槿知，"等一等，槿知，他……林会怎么样？他会受伤吗？会死吗？"

　　谢槿知怔了一下，有点模糊觉出冉好和林之间的关系。但是也无暇深想了。她静了静，点头道："也许，他和应寒时是死敌。况且你刚才肯定也听到了，如果不死，他大概都不会放弃那些狂妄的念头。"

　　冉好紧咬下唇，露出悲戚神色，"我……"却欲言又止。

　　谢槿知的注意力，却被房间里其他东西吸引。首先，她看到的是他们丢失的那个金属匣子，就在冉好的床边，完好地放着。她心头一喜，快步跑过去，打开一看，里面赫然躺着三枚晶片，想必第三枚，就是顾霁生丢失的。她立刻将匣子抱在怀里，再看向冉好，心中也有些了悟——林对冉好，必然是不设防的，把最重要的东西，放在她的身边。

　　房间里另一样特别的东西，是个半人高的透明玻璃柜。里面冒着阵阵寒气，一层层密密麻麻排列着许多根形状精密的试管。谢槿知想起林刚才提到的基因库，莫非就是这个东西？

　　真是得来全不费工夫，她决定一并拿走。

　　"槿知，他已经战败了，你们可以放过他吗？"冉好脸色苍白地问，同时转头，望着窗外林的背影。

　　谢槿知安静了一瞬，说："冉好，你冷静一下，先跟我走。其他事等他们战斗结束再商量。"冉好没出声。

　　谢槿知怀里抱着匣子，又用尽全力提着那沉重的基因库，腾不出手，就让冉好挽住她的胳膊。

"闭上眼睛。"她叮嘱。

冉妤闭上了眼睛。

银光浮现，谢槿知屏气凝神，眼前的景物开始模糊。

突然间，手臂一松，她惊讶地转头，看到冉妤已睁开眼，往后退了一步，眼中含着泪。

谢槿知与冉妤这样对视着。

然后银光大盛，谢槿知的身影消失其中。

第六十七章
自知难敌

爱情到底应该是什么模样？谢槿知并不明了。但她看到分离时冉妤的眼神，忽然明白，那跟自己爱上应寒时时没有不同。她也明白，自己是带不走冉妤了。

谢槿知跳跃回到萧穹衍和庄冲的战机。

萧穹衍看到她手里的东西，很是惊喜，"呀，这不是手提式基因存储箱吗？还有我的宝贝晶片盒子！"

谢槿知把东西交给他，微微一笑，说："这是从林的机舱里拿来的，快收好。"

萧穹衍立刻跳起来，把东西收进后机舱，还上了三层密码锁，然后赞叹道："小知，你真是我们指挥官的贤内助！"

贤内助……萧穹衍的地球词汇量还真丰富。谢槿知笑了笑，到了前机舱，凑到庄冲身旁问道："情况如何？"

庄冲的眼睛牢牢盯着窗外的两个男人，答道："话不投机半句多，马上要开打。"

谢槿知站在他俩座椅旁，也望向窗外，望着应寒时屹立的身姿，沉静的眉目。

天空不知何时阴沉下来，有零星的雨点飘落，落在窗玻璃上，也落在应寒时的衬衫上。谢槿知望着那浅浅的水痕，有点怔然。

"所以……"站在应寒时对面的林，再度缓缓开口，"我们没有谈的必要了？"

"是的。"应寒时答道。

这一瞬间，时间仿佛静止。那两个人的身影也仿若雕塑，一动不动，矗立在沙漠起伏的线条中。唯有雨珠，吧嗒吧嗒掉在战机身上的声音。

应寒时抬起手，摘掉了手套，放入衬衫口袋，然后重新负手而立。这简单的动作，却陡然让空气里多了紧张的气氛。不得不承认，谢槿知想，每次要跟人干架时，他总是十分的帅。

林只是安静地看着他的一举一动，眼神里暗暗的。

"林怎么样？"谢槿知低声问。

萧穹衍笑了笑，答道："超级高手，紫色光刃，不过……绝对不是我们指挥官的对手啦。看指挥官揍扁这个丧心病狂的家伙！"

他这么说，谢槿知自然不担心了。她微微一笑，好像，也习惯看到应寒时战无不胜了。空气仿佛凝滞着，谢槿知屏住呼吸，等待着。

突然一怔。

她的眼珠有片刻停滞，仿佛要沉溺进某种昏暗的颜色里。

然后她猛地回神，抬起头，盯着林，问："小John，蓝色是什么光刃？"

萧穹衍愣了一下，才回答："蓝色？帝王之刃。那可是传说中威力最大的光刃，纵然星流都不能与之为敌。我们都没见过，咦？你怎么会知道？"

谢槿知心头一震。

"我看到了……"她喃喃地答，整个人骤然贴到玻璃上，大喊道，"应寒时躲开！"

应寒时的耳根微微一跳。

一切都发生在电光石火间。

应寒时突然平地拔起，跃起数层楼高。林脸色清冷地挥出双手，湖蓝色的纯净光刃，如同磅礴大海，刹那笼罩住这一片沙漠，同时朝应寒时袭去！空中的两架战机如同被踩中尾巴的老鼠，猛地同时拔高，堪堪躲过了蓝色光刃的袭击。

刹那后，林放下双手，脸上浮现睥睨的轻笑。应寒时的兽耳和尾巴已同时展露，从天空中降下，单膝跪落在地，手轻轻按在沙地里，立刻又站了起来。他抬起头，直直望着林，眼睛里似乎有许多情绪在涌动。

萧穹衍的战机在空中转了两圈，勉强停稳，他却几乎要疯掉了，失声喊道："帝王之刃？噢，我的天，林怎么会有帝王之刃？小知，我刚才是眼花了吗？"

谢槿知没有回答他，她牢牢盯着下方。

似乎对众人的反应很满意，林慢慢地笑着，抄起双手，望着应寒时的目光却是冰冷淡漠的，"星流，你总是让我骄傲，也总是让我失望。新文明是复国的唯一希望，你却拒绝了。帝国赋予你的荣耀和责任，已经遗忘了吗？"

所有人心头一震，萧穹衍惶惶低喃道："这语气……这语气……"

应寒时静静注视了林许久，脑海中也飞速闪过许多念头和线索。刹那后，他的眼神已沉静下来，又仿佛有一瞬间的失神。然后，在所有人的视线里，应寒时竟然缓缓单膝跪倒在地，低下了头，说："陛下。"他顿了顿，"星流……从未遗忘。"

众人心头大骇。

谢槿知望着应寒时的身影，又看着林陡然间变得不怒自威的神态，心中已千回百转过许多念头。林怎么会是陛下？难道他是纳米人？不，不可能，探测仪从未显示过他异常，这具躯壳，就是真真正正的林。可他却拥有帝王之刃，甚至此刻也表现得就是那个皇帝本人……

皇帝，在林的身体里？

心思深沉的帝王……林……

共生？

她突然想起了古镇的那些变异人，人与犬共生在一个躯体里，意识和基因争夺身体控制权，他们是因为辐射造成的。

辐射？古庙里反叛军坠落的飞船残骸，辐射的源头。

"……据说皇帝陛下的护卫舰队，与反叛军正面遭遇了呢。"萧穹衍曾经跟她八卦过，"结果倒霉地遭遇了曜日新一轮的耀斑爆发辐射，只有林一个人驾驶战机逃了出来……"

谢槿知的心重重一震。

难道，眼前这个人，才是共生变异人的源头？他的体内，也是两个意识共生着？所以，才会表现得既像林本人，却又秘密地隐藏着帝王的性格和能力？

而应寒时……谢槿知的目光再度落在他身上，他落满雨滴的衬衫后背，微微垂落的脸庞。他已经想到了这一点，所以才会对自己的皇帝行礼吗？

林，或者应该称之为皇帝。他神态平静地负着双手，低头看着应寒时。过了一会儿，他才淡淡地道："起来吧。"

应寒时站了起来。尽管行了礼，他的姿容气度依然不卑不亢。谢槿知注意到，他的眼睛里似乎有浅浅湿湿的水光。那是一个军人，对军国和皇权的忠诚和哀痛吗？然而他的眼睛，最终归于浓黑的沉寂，再抬起头，已是平视着皇帝。

皇帝静了一会儿，才说道："你大概也没想到，我会成为现在的样子。我与林共生在一个躯壳里，几番争斗后，我吞噬了他的意识和基因。我们成了一个人。他于我，就像那条狗而已。"

应寒时没有说话。有些话，也不必多说。

唯独冉好，站在皇帝身后的战舰里，望着他的背影。她听得有些糊涂，但又模模糊糊明白发生了什么。她很害怕，也很茫然，她不知道眼前这个男人，还是这些天与她相伴的那一个吗？

"星流，永远不要忘记，你是谁的星流。"皇帝的嘴角露出一点捉摸不定的笑意，"我再问你一次，愿不愿意与我共建新文明？现在你应当知道，有我在，这个文明，不会是空白贫瘠的。星流，再一次向我，许下忠诚的承诺。你应当知道，自己无法与我抗衡。"

所有人的心都紧紧提了起来，应寒时却没有说话。他的头微微垂着，每个人都看到，越来越大的雨水，沿着他的头发、脸颊、脖子滑落。他的双手也垂在身侧，轻握成拳，让人看不透他心中所想。

萧穹衍已经从林就是皇帝这个令人震惊的事实中，缓过神来，他意识到状况的严重性，开始急了，坐立不安，"怎么办怎么办？指挥官要重新臣服于陛下吗？可是……他一定是不愿意去建那个可怕的新文明的，可是打不过啊，糟糕，指挥官很可能打不过！传说中任何与帝王为敌者，最终都泯灭于蓝刃中，我的天！指挥官要怎么办？难道我们要完蛋了？”

谢槿知还是头一次看到他这么为应寒时着急，她也意识到应寒时遇到了前所未有的劲敌，她轻咬下唇，打断萧穹衍道：“既然打不过，我去带他走？”

萧穹衍却摇头道：“不，那太危险了，小知。我问你，你的跳跃能快过指挥官的反应速度吗？”

“不能。”

萧穹衍的脸色更糟糕，“那就是了，皇帝的速度只会比指挥官更快！”

“那怎么办？”谢槿知低吼道。

没人能够回答她。

然而就在此时，地上的应寒时，已缓缓抬起头，注视着皇帝。皇帝眼眸微眯。

谢槿知的心陡然一紧，就听到那无比熟悉的温软嗓音，在淅沥的雨声中响起：“与陛下重逢，星流自知难敌，但矢志不渝。小知，带他们走，不要回头。”

谢槿知脑子里嗡的一声，她万万没想到情势急转直下，几分钟前，她还想着等应寒时收拾了这最后的劲敌，他们就可以回江城了，再也不会有那些烦心困扰的事。他们终于可以安安静静两个人待在一起。可现在，大敌当前，他居然对她说，不要回头？

他甚至，都无法回头看她一眼，就说出了近乎诀别的话语？

萧穹衍和庄冲也呆住了。

然而，已来不及去细想了。应寒时话音未落，人已高高跃起，长尾清扬于空中，掌心中，雪白光刃如同皎月的光芒，瞬间坠落。皇帝一掌拍在身后的战舰上，竟令它生生往后退出数米远，离开了两人的光刃波及范围。然后皇帝同样跃起，蓝色光刃蓬勃而出，将雪刃覆盖其中。

苏和萧穹衍的战机同时再次拔高，机头瞄准皇帝，开始密集的炮火扫射。可是，可怕的一幕发生了，那些炮弹遭遇蓝色光刃，竟全部泯灭其中。然后光刃之锋气势汹汹而来，苏的战机离得太近，一侧机翼直接被劈中，霎时冒着青烟，旋转撞落在沙漠里。萧穹衍看着蓝刃逼近，吓得魂飞魄散，掉头就跑。好在他和庄冲反应及时，险险地避过锋芒，逃出了数十米远。

"现在怎么办？"萧穹衍慌张地喊道。

"怎么办？"庄冲低吼道，"我们去了就是送死！"

萧穹衍都快哭出来了，"难道看到指挥官被他打死，我们自己逃命？他都说难敌了，难敌啊！"

谢槿知紧咬牙关，双手握着机舱侧面的门，眼睛盯着远处缠斗的那两人。只能看到，雪刃与蓝刃激烈撞击交错，整片沙漠仿佛都被照得流光妖异。她根本看不清应寒时在哪里，只能看到飞沙中两个模糊的影子。她的心就好像被车轮无声碾过，从来见惯了他战无不胜的模样，从来只要雪刃一出，众人俯首。只要有他在，任何事都不必担忧害怕，因为他总是能赢，总是能保护所有人，并且安然微笑着回到她身边。可是现在，雪刃依旧锐利，依然璀璨无比。可连她都看得出来，蓝刃如同黑夜般可怕，如同天空般无所不在，已经压制住了应寒时的光刃。

"走！"谢槿知喊道，"按他说的，走！晶片和基因库还在我们的飞机上！"

萧穹衍呆了，庄冲反应过来，一把掉转机头，朝更远的地方逃去。

三公里、五公里、十公里……谢槿知盯着表盘上跳动的距离数字，顷刻间，他们已驶入茫茫沙漠里，那两个人的身影已看不到了。机舱里一片寂静，萧穹衍哀痛地说："小知，我们走了，指挥官怎么办啊……"

"停在这里。"谢槿知的声音响起，"等着他。"

萧穹衍愣住了，"为什么停在这里等？"却没有听到谢槿知回答。

庄冲静静的声音响起："你还不明白吗？这是她一次瞬移能达到的最远距离——她要去救他。"

萧穹衍全身一震，转过头去，却只见到机舱里空空如也，谢槿知已经走了。

他真的要哭出来了，"她也去了？我们怎么办？"

庄冲的脸色沉毅如铁，他闭上眼睛，半天吐出一句话："听她的话，等！"

应寒时看着纯蓝和纯白的光刃，在眼前交错。林的面容和身形也快速浮现其中。恍惚间，他的眼前却浮现另一张面孔。那是年轻的帝君，清俊内敛，心思深沉难测。如今，帝君却与帝国最大的敌人，共生在一个躯壳里，隐忍多年，今日为了对付星流，才表露身份。

如果，能够提前察知这一点，那也许还有回旋余地，他还可以绸缪计划，虽然武力不敌，却能以计谋与皇帝抗衡。但现在，两人陡然直面，且皇帝心思细腻敏锐下手狠毒，他一时退无可退。毅然便有了决定：背水一战，保得晶片和谢槿知等人的平安。

猛然间，应寒时的一个光刃劈出后，皇帝被他逼得躲闪，两人的身影瞬间隔得极近。两人的反应也都极快，同时再次抛出光刃。应寒时看到自己的雪刃锋芒，落在皇帝肩头，皇帝脸色瞬间一变，肩头迸出鲜血。

而浩瀚的蓝刃，也同时袭上了应寒时的身躯。他只感觉到胸腹间如遭重击，喉咙一甜，再也站立不稳，往后摔落在地。

皇帝扶住肩头，露出冰冷的笑。

谢槿知跳跃到沙丘背后，双手死死抓进沙砾里，看着眼前这一幕。看着应寒时如同断线的风筝般，被蓝刃撞落在地，然后半天没有动。

终于还是败了吗？

谢槿知的喉咙就像被什么堵住了，望着他躺在地上的样子，全身的血液仿佛也在冰凉地颤抖。

这时，却有一名军官从战舰里跑了出来，战战兢兢地说："指、指挥官，基因箱和晶片都被盗走了！"应寒时躺在地上还是没有动，谢槿知心一紧，就见皇帝的脸色骤沉，豁然抬头望着谢槿知他们的战机飞离的方向。

"还没走远，追。"他冷声道。然而话音未落，地上的应寒时忽然再度跃起，他的唇角已溢出鲜血，手中光刃却再次劈向皇帝。

"当心！"冉好的声音从机舱里传来。

皇帝一惊，骤然转身跃起，避开了这惊险的一击。这才知道应寒时刚刚不过是佯败，留了余力，险些被他偷袭得手。

然而这一击，却也耗尽了应寒时仅余的战力，他再次跌落在地。皇帝却已震怒，跃至他的面前，抓起他的身躯，再次重重地往地面掼击。应寒时发出一声闷哼，谢槿知却听到了他全身骨头破裂的声音，只觉得心肝欲裂，痛不可遏。

皇帝将应寒时丢在地上，转身正要走，却听到他近乎平静而虚弱的声音，在身后响起："陛下，曜日已经……坠落了。他们也已走远……你追不到了。"

皇帝大怒不已，转过身，脸色阴沉地看着他，掌中蓝光再次浮现。谢槿知哪里还有迟疑，抬起头，人已经扑在应寒时身上。

皇帝看到她突然出现，微微一怔。因为之前，他一直不知道谢槿知可以瞬移。这让他的脸色有些阴晴不定，一时也没有上前。而战舰里的冉好，看得惊惶又害怕，连忙跑了出来。

谢槿知看着怀里的应寒时。

他分明还是她熟悉的清俊模样。白色柔软的衬衫，修长而均匀的手。黑发垂落，遮住一点眉眼，躺在她的眼前。可是她能闻到他满身的血腥味，这一次，终于是他的血。那脸上，衬衫上，也有斑斑血迹。他的脸苍白无比，而她甚至能感觉到，他的整个身体那破损般的软弱。

他望着她，有一瞬间的怔然，即刻化成浓浓的痛惜。

"你怎么能回来？"他说。

"我怎么能不回来？"谢槿知低声答，然后紧紧抱住了他。脸再次贴上他的衬衫，这样危急的时刻，却让她感觉到前所未有的安心。

两人拥抱的一刹那，银光骤然浮现。然而皇帝静立在侧，早有防备。看到谢槿知抱起应寒时那一瞬间，他的身影已快如闪电般，袭至她的背后，一把抓住了肩头。他的力气如此大，如此狠，让谢槿知肩头痛如撕裂。

然后她一把推开了应寒时。

应寒时和皇帝同时一惊。

时空裂缝的开合，只在转瞬间。

应寒时跌入了裂缝中，苍白的容颜上，黑眸中一片如火的惊痛。也不知道他哪里来的力气，一个翻身就朝谢槿知抓去。谢槿知满目悲凉地望着他的眼睛，脸上却露出了一点点笑意。

你我彼此凝视过多少次，可知每一次，都让我舍不得移开眼睛？

银光迅速消失于空气里，连同他的模样。

萧穹衍和庄冲听到咚的一声巨响，一回头，就看到应寒时跌落下来，满身的伤，眼睛却紧闭着，俨然已昏死过去。萧穹衍吓傻了，扑过去，"指挥官、指挥官！你、你……小知呢？小知怎么没有回来啊？指挥官！"

庄冲死死地盯着应寒时看了几秒钟，毅然回头，按下跳跃引擎，牙关里艰难挤出一个字："走！"

皇帝眼见应寒时从眼皮底下逃脱，又惊又怒，看着掌中的女人，抬手就要朝她头顶劈落。谢槿知却毫无畏惧，抬头看着他，冷冷地，一字一句地说："你问他是谁的星流？他早已不是你的星流！你是个多么可笑自私的人，他这样的人，你却让他失去了一切！现在，你还想让他臣服于你？还想控制他？不可能了，永远不可能了！连同你荒诞的复国梦！"

这一番话说完，她只觉得胸中的恶气终于出完，至于生死，她早已置之度外。

皇帝的脸色变了又变，是那种被人道中心事后的阴沉与难堪。他一掌就劈在谢槿知的背上。谢槿知痛苦地闷哼一声，倒在了地上。冉好看得心神俱裂，扑过来，挡在她身上，泪流满面，"木头……木头，你别杀她，求你别杀她！"

皇帝看她一眼，脸色缓了几分，嗓音却依旧严厉道："你让开。"

冉好却抱着谢槿知不放手，语气无比决绝："你要杀她，就先杀了我！木头，别让我恨你，恨你入骨！"

皇帝的脸色微微一变。

就在这时，远处的天空，传来螺旋桨的声音。副官冲出来报道："西南方向，十架地球人的战斗机，正朝我们驶来。"

皇帝微一沉吟，抓起地上的两个女人，走进了战舰里，"走。"

"通知星流，如果想救他的女人，拿晶片和基因库来换。"

战舰穿过云层与气流，时而摇晃着。

谢槿知一直迷迷糊糊，意识不清。皇帝的一掌，足以让她全身剧痛，动也动不了。隐隐间，她似乎感觉到冉好一直在身旁哭着，照顾着。

然后她的意识再度陷入昏迷。

某个意识沉沦的瞬间，她的脑海里，忽然出现了一个画面。

那是未来吗？是未来的某一天吗？

她看到自己坐在一个空空寂寂的房间里，拿着一支笔，在白生生的墙壁上写下了一行字："2015年9月27日……"

9月27日……不就是今天吗？

然后她看到自己继续写完剩下的句子："2015年9月27日，星流重伤，我与他分离。"

谢槿知忽然在梦中，在昏暗的意识里，就泪流满面。

为什么她可以预见未来，为什么只有她可以看到未来？

那些悲哀的未来，她总是可以看到，却无力改变。

难道这就是她注定的人生？

冥冥中像是有所昭示，是否这一生，也终将走向悲哀的结局？

谢槿知和星流，那两个被他们写在一起千百遍的名字，还能不能在一起？

第六十八章

她与信仰

夕阳斜斜照在古朴的小院里，昏黄而寂静。吱呀一声轻响，冉好推开门，就看到谢槿知躺在床上，双目紧闭，脸颊依旧染着两抹不正常的红晕。

冉好心头发酸，在床畔坐下，拿了块湿毛巾，敷在她的额头上。

"怎么烧还没退呢……槿知，对不起，真的对不起……"她一个人自言自语道，"我不知道木头他……是这样的人。你要快点好，槿知，这样才能回应寒时身边……"

蒙蒙眬眬中，谢槿知听到有人在提"应寒时"这个名字。这也许是她昏沉的大脑里，唯一清晰刻骨的名字。她想睁开眼，可是眼皮很重，头和身体依然很疼，疼得她整个人都糊里糊涂的。

她的脑子里，又断续闪过许多画面。她看到了三月初，翠峰之上，宝安禅寺。应寒时站在大树下，眼睛里蕴着温和的光。然后她对他说："你四肢健全，相貌端正，以后不要再做这种招摇撞骗的事了。"

画面一闪，她又看到不久前的那一天，她和他站在山洞前，她说："好像遇到你之后，每一个重要的时刻，天空总是在下雨。"

他说："雨会停的。"

更多更多画面，在脑子里混乱交织着。她模模糊糊地想，自己一向是在梦中看到未来，是否太过眷念，才看到那么多那么多属于她和他的过去？应寒时，应寒时，这名字念在嘴里，念在心里，都让人觉得温暖又难过。

应寒时，应寒时。在意识最沉沦的时分，为什么她忽然隐隐觉得，自己还遗漏了一件什么事？一件很重要的事，已渐渐展现端倪，已露出许多线索，可她就是无法准确地捕捉到，只觉得头越来越重，越来越痛。

她要回到他身边，大约回到他身边，一切都会云开雾散。这个念头出现在脑海中，她的心情瞬间坚定——只要跳回他的身边去就好。

冉妤坐在谢槿知身边，看着她周身骤然出现一圈微弱的银光，"不要！"冉妤抓住了她冰凉的双手。可是已经来不及了，银光陡然一亮，然后就看到谢槿知如同落入滚水中的虾子般，刺痛般蜷缩起来。闭着的双眼，也痛苦地紧蹙着，嘴里发出虚弱的呻吟。

冉妤一把抱住她，掉下眼泪，"槿知，你别跳了，别跳了！他说……在周围设置了很强的能量辐射场，囚禁住了你……一旦你跳跃，出现空间裂缝能量波动，就会遭受电击的……别跳了，求你别跳了！"

可是她的话，谢槿知听不到。一次跳跃失败后，剧烈的刺痛席卷全身。可当那疼痛过去，她浑浑噩噩的脑子里，又再次死灰复燃，燃起那个念头，然后迷迷糊糊，又开始了新一次的跳跃……然后再次被击痛，发出痛苦的呻吟。

冉妤没有一点办法，只能紧抱住她，看她一次次被电击，一次次蜷缩起来，银光又一次次浮现。冉妤的眼泪哗哗地往下掉，到最后，她也许终于虚弱到不行，整个人都不动了。冉妤哭着继续用毛巾擦拭她的额头和四肢，却看到她的眼角无声地淌着泪水，她用很轻很轻的声音在说话："星流……星流……别救我……不要，再来救我了……"

冉妤听得怔然。过了一会儿，她冲出房间，几乎是愤怒地冲到了那个男人的面前。

这是沙渡古镇上，最偏僻的一所房子。太阳已经下山了，林坐在院中的老枯树下，指间夹着根烟，慢慢地抽着。暗淡的日光，仿佛将他的身形侧脸，也涂抹上一层昏暗颜色。冉妤在距离他几步远的地方站定，他抬眸看着她。

冉妤紧咬下唇，欲言又止，却很清楚什么话语都无法令这个男人改变主意。而他亦平静而耐心地看着她。

冉妤擦了擦眼泪，在他身旁蹲了下来，握住了他的手，"木头，我求你，你放了她吧。她是我最好的朋友，他们没有做错事，你放过他们好不好？"

林放下手里的烟，伸手握住了她的下巴，"不可能。星流不是好对付的角色，放了她，我全盘皆输。"

冉好感觉到他手指上粗砺的薄茧，轻轻摩挲自己的下巴，她哽咽道：
"怎么会是全盘皆输呢？以前你什么也没想起来时，我们在一起，你不是也
很开心吗？为什么要那些晶片和新文明，那些东西真的就那么重要？我们离
开这里，两个人一起生活，不好吗？"

林沉默了一会儿，将她从地上拽起来，禁锢在怀里，"冉好，你不明
白，我是皇帝，也曾是一支军队的指挥官。一个繁衍了数千年的文明，在我
的执政期间死去。我在漫长的星际旅行里，在地球的每一天，做梦都会看到
帝国还在时的盛景。所以，哪怕只有一点新生的希望，我到死都不会放弃。
哪怕我知道星流所说皆是事实，哪怕这个文明会是畸形而苍白的，我也不会
放弃。否则，我的人生已没有意义。星流不明白，因为他不是帝君。然而你
是我的女人，你可明白，一个皇帝，他要做的事，从来都不一定是正确的，
而是他应该做的。"

冉好摇头道："我不明白……我真的不明白，你到底是谁？你不是木
头，不是林，你其实是另一个人……"她想要推开他，却被他用更大的力气
按在了怀里。

他眼中有微微的怒意，一把抓住她的手，一字一句地说，"不要胡思
乱想，一直就是我，林的意识早已被我吞噬，成为我的一部分。在我落魄至
最低贱的街头时，只有你这一个女人，对我好，爱慕我。今生你都别想离开
我，晶片和基因库，我也都会拿到。从来我要的一切，都会属于我。"

夜深了。

萧穹衍蜷在墙角里，小声地啜泣着。

直至，身旁的床上，响起一道微哑的嗓音："小John，别哭了。"

萧穹衍瞬间瞪大眼，从地上跳起来，几乎是喜极而泣，"指挥官，你终
于醒了！"然而当他看清眼前人的模样，心里却是一震。

应寒时平躺在床上，那平日里澄湛如波的眼睛，此刻无限平静地望着上
空。萧穹衍心里忽然就难过极了，结结巴巴地说："指挥官，你的断骨，我
都已经接好了，但是……你的伤势太重，至少要半个月……才能下床。这些

日子，我们、我们都会保护你。好吗？"

"好。"应寒时轻轻地答。

萧穹衍望着他放在被子外面，那苍白而安静的双手，他这样不喜不悲，萧穹衍更觉得七上八下。但他实在不敢提谢懂知，于是拿起放在床头柜上的水和药，递到他唇边，"指挥官，先把药吃了吧。"

应寒时没动，也没出声。就像是完全没听到，眼睛里沉沉的，没有光泽。

他不肯吃药。意识到这个事实，萧穹衍更难受了，一下子单膝在床边跪了下来，"指挥官，你要吃啊，早点好，才能去救小知，才能报仇雪恨啊！"

应寒时静默许久，张开嘴，让他把药喂了进去，一口吞咽，他闭上了眼睛。萧穹衍望着他清俊而静如死水的容颜，呆立许久，退出了房间。

这里已是江城的别墅，庄冲、丹尼尔、聂初鸿等人都守在这里。看到萧穹衍出来，全围了上来问道："怎么样？"

"醒了。"萧穹衍悲戚地答，"但是……他非常难过。他越难过，就越不说话，我知道的……"

所有人都沉默着。

丹尼尔迟疑了一下，说："林婕还跪在外面，她说想见指挥官一面，然后会以死谢罪。"

大家都没出声，萧穹衍愤愤道："她还来干什么？"

"小John。"门内响起应寒时低低的声音。

萧穹衍道："是。"

"她曾为帝国立下无数战功，我不杀她。"应寒时缓缓地说，"让她走，今生不许再出现在我眼前。"

"……是！"

过了一会儿，传话的萧穹衍从外面回来了，手里还捧着一叠资料，"她走了。但是留下了皇帝志在必得的那颗小行星的资料，以及她说皇帝现在就在沙渡古镇，小知……也被囚禁在那里。"

银色的弯月，爬上了半空。

别墅里已安静下来，庄冲等人都已回房休息。萧穹衍如往常每一日，站在应寒时房间的窗前，笔直如雕塑，守护着他，同时眺望着暗黑的湖水。

目前的情势，依旧如同万斤巨石，压在机器人的心头。皇帝的战斗力太强，别说健康的应寒时打不过。现在至少有十天半个月，应寒时完全无法战斗。而皇帝心思细腻敏锐，城府极深，就算他们设置什么圈套，只怕也很难引皇帝上当。更何况，谢槿知现在还在皇帝手上。皇帝喜怒无常，随便伸伸手，都可能捏死谢槿知。

萧穹衍想了半天，也想不出任何办法。难道真的只能任皇帝揉捏？乖乖双手奉上晶片和基因箱，从此后患无穷？

正纠结地想着，忽然听到身后有动静。萧穹衍转头一看，吓了一大跳！应寒时居然手撑着床，缓缓坐了起来。

萧穹衍连忙扑了过去，"你不能起来啊！伤得那么重，伤口会崩裂的！"应寒时的模样看起来的确吃力，单手撑着床，将衬衫慢慢地、艰难地套在身上，然后一颗颗开始系纽扣。

"没有关系。"他缓缓答道。屋内只开了一盏很暗的灯，他的身影在灯下显得格外瘦削，瘦削中透着坚硬的轮廓。

萧穹衍一把挡住他扣扣子的手，想要阻止他，"指挥官，我求你了，过几天再下床，我知道你这样会很疼很疼的啊。"

应寒时顿了顿，低头看着他，嗓音平缓温和："小John，我们不知道，她现在是不是在受苦。"

萧穹衍呆了呆，却说不出话来。过了一会儿，见应寒时想要起身，萧穹衍立刻扶他，缓缓站起来，走出了房间。

下楼的时候，萧穹衍小声问："指挥官，如果没有办法，你会选晶片，还是选小知？"

应寒时静了一下，脑海中，却浮现谢槿知将他推进时空裂缝的那一幕。

她的神色，她的眼睛，还有她唇角平和悲伤的微笑。

疼痛如同利刃般，慢慢插入胸膛中。

"她与信仰，我都将守护。不会让任何人夺走。"

谢槿行已经在研究所里待了好几天。

自从得到应寒时的那批设备以及其中的虚拟空间后，他带着自己的几个研究员，一直不眠不休地研究着。对于任何科研人员来说，那都是一个宝库，恨不得一直沉溺其中，一口气全部吃掉。

不过虽然沉迷，这几天也不是没有让他愁心的事。西部那边传来消息，沙漠中发生不明势力的空战，同时国家设置在西部的磁场监控设备，也发现了异常的能量波动。这意味着很可能又是他的宝贝妹妹和他的准妹夫，在解决什么外星麻烦了。

他也只能默默地等着，等他们需要的时候，再去尽可能地收拾残局。

他还不知道妹妹已经出事。

这天天蒙蒙亮时，谢槿行就从办公室的沙发里坐了起来。他只小睡了几个小时，打算继续去实验室研究虚拟空间。天色这样早，门外也只来了一个年轻研究员，正在给他俩冲咖啡。

谢槿行洗了把脸，整理好皱巴巴的衬衣，就听到响起敲门声。

"进来。"

那名研究员走了进来，一脸古怪至极的神情，"教授，有两个……人找你，其中一个说是你的妹夫。"

谢槿行愣了一下，点头道："让他们进来。"

研究员让开，过了一会儿，就看到一个全身裹着黑风衣的高大的人，搀扶着应寒时走了进来。尽管旁边那人遮得很严实，谢槿行还是轻易看到隐约的金属脸庞。而那人似乎也不打算隐瞒，抬起头，望着他，咧嘴笑了。

谢槿行吃了一惊，但还算镇定，又看向应寒时，见他脸色异常苍白，衬衫里也有血痕，失声道："你怎么搞成这个样子？"

应寒时抬头看着他，带着歉意，缓缓地说道："对不起，我没有保护好小知。现在我需要你的帮助，才能救回她。"

谢槿行心头一震。

应寒时和谢槿行在房间里密谈了整整两个小时。其间，萧穹衍等在外间，而谢槿行的几个心腹研究员，奉命锁上了办公室的门，好奇又紧张地打量着萧穹衍。萧穹衍唉声叹气，弄得研究员们不知怎么办才好。

天空渐渐明亮，太阳悬挂在窗外。谢槿行沉默了许久，望着安静坐在沙发里的应寒时，"你确定要这么做？确定……可行？可是这个计划……太惊人了。"

应寒时抬起静若深渊般的双眼，看着他答道："确定。他的战斗力远超你们地球人的想象，谋略心计更不输我，即使你出动再多兵力，恐怕也抓不到他。只有这个办法，才能骗过他，救出小知，并且彻底制服他，让他从此无法与我们为敌。"

第六十九章

男人的心

天阴沉沉的，还是下午，却像是夜晚来临。房间里暗极了，让人的心情都随之沉寂下来。冉好拉开灯，走到谢槿知的床边，扶起了她，一口一口给她喂香甜软糯的白粥。

谢槿知脸色苍白地吃着，很安静，也很听话。

一碗粥吃了一小半，却实在吃不下了。冉好放下碗，又往她背后塞了个枕头，小声问："你能走了吗？"

"应该可以。"

冉好又抬头看了看院子里，林并不在。

"他们联系过了，应寒时今天就会拿晶片和基因箱来换你，你到时候就可以跟他走了。"

谢槿知静了一瞬，说："皇帝真的会放我们走吗？"

冉好怅然不语。

谢槿知抬头，望着院子上空，乌云密布的天空。无论如何，应寒时都是皇帝建立新文明的心腹大患，皇帝即使得到晶片，也绝不会轻易放过他。而应寒时，难道会老老实实交出晶片任人摆布？两个男人心中必然也是清楚这一点的，所以今天，必然还有一场恶战。

应寒时……

她脑海中浮现他衬衫洁白，微笑负手的模样。

但愿但愿，与他再无分离。

天空又响起几声闷雷，闪电划破长空，院子里时明时暗。这样的鬼天气，阴森清冷，毫不安定，像是预兆着什么即将发生。

"轰！"天空一声炸响，那雷声像是在极近的地方发生，震得人的脑子里嗡的一声，甚至连耳膜都微微发疼。滋滋电流声传来，电灯瞬间熄灭，整个屋子里黑蒙蒙的。人的眼睛一时无法适应，恍惚间，什么都看不见了。

过了一会儿，冉好才从抽屉里找到蜡烛点燃，暖黄的光线覆盖住一小片地方，她安慰谢槿知说："没事，这种地方供电不好，肯定是打雷把变压器又烧了。"

"嗯。"

两人又坐了一阵，雨还是没下下来，天空倒亮了少许。冉好给谢槿知倒了杯热水，她慢慢地喝着。这样等待的时分，两个女人都觉得煎熬。

咚咚——沉而缓的敲门声响起。

两个女人同时抬头，望向院门。林的这一处秘密老巢，是不会有别人来的。谢槿知放下茶杯，手落在膝盖上。只静了一秒钟，就站了起来。冉好连忙扶住她，走向了屋门口。

雨落了下来。

噼里啪啦，掉在院里的青石板上。林从另一个房间走了出来，他穿着干净笔挺的衬衣长裤，姿容沉毅淡然，仿佛一切都尽在掌控中。他看了她俩一眼，嘴角露出点笑意，然后沉声说："进来。"

灰褐色的木门，缓缓推开。

应寒时站在门后。

衬衫微湿，身影清瘦，眸若寒星。

谢槿知眼眶微酸。

应寒时的目光在林的身上一停，就落在她脸上。四目凝视，都没有声音。

林开口："晶片和基因库呢？"

"先把人给我。"应寒时说。

林笑了笑，看了眼冉好。

冉好松开谢槿知的手，轻声说："保重。"谢槿知看她一眼，缓缓地走向应寒时。

十几步的距离，她走得有些踉跄。应寒时注视着她，到跟前时，他伸手就将她抱进怀中。他的手臂很有力，动作却足够轻，像是怕弄疼了她。谢槿知闻着他身上熟悉而温柔的气息，慢慢把脸埋进去。

"还好吗？"他轻声问。

"嗯。"谢槿知答。其实她一点也不好，受了重伤，还遭受多次电击，她现在甚至提不起任何力气，去进行一次跳跃。这或许也是林设计中的，"你的伤怎么样？"她问。

"不碍事。"

温软如同流水般的声音，莫名就叫她安心。明明还有强敌在侧，谢槿知的心却宁静下来，抬起头，朝他微微一笑。

他也笑了，握住她的手，牢牢握着，看向林，"晶片和基因库，在镇外的树林里。"

古镇西面，有座小桥。此时暮色昏暗，雷鸣电闪，小桥上也显得风雨飘摇。应寒时和谢槿知走在前面，林带着冉好紧随其后。

谢槿知望着桥下灰蒙蒙的流水，鼻翼间闻到的，却是应寒时身上的药味和血腥味。这让她说不出的心疼和担心，捏了捏他的手掌，问道："你的伤是不是很严重？"

应寒时只是温和地笑着，没有说话。

谢槿知轻声说："等回去了，好好躺着，我照顾你。"

"好。"他答。

他俩旁若无人地说着话，林微蹙眉头，冉好却心情复杂地沉默着，她觉得难受。

很快到了一片茂密而偏僻的树林里。雨点很大，透过树枝，稀稀落落地下着。他们面前出现了一架战机，不远处的地上，就放着那个基因储存箱和晶片盒子。

林眼睛一亮，却没有马上上前，而是扫一眼空荡荡的飞机舱，笑道："你一个人过来的？"

"是。"应寒时答，"与陛下交手，带再多的帮手，不过是让他们徒劳送死，我不会带。陛下，我自知不敌。陛下的谋略手段，星流也不敢小觑。新文明一事，我的确心有不甘，但亦很清楚，已无力阻止。星流虽然行事执拗，但还不至于飞蛾扑火以卵击石。而经历了曜日坠落和牢狱生活，我也渐渐明白，这世上的人和事，本就不是一人之力能够改变的。现在，我只求能与槿知平安离去。陛下虽然与我有过一战，但陛下是帝君，从来一言九鼎。这一次，也希望陛下能够遵守承诺，得到晶片和基因库后，放我们离开。"

林怔了一下，笑了，不说好，也不说不好。他首先仔细看了看那基因箱，的确是他丢失的那一个，验明无误。箱子里数千份基因也显示活性。他又看了眼晶片盒子，对应寒时说："打开。"

应寒时松开谢槿知的手，"先去飞机上等我。"谢槿知点了点头，看着他的眼睛，他微微笑了笑，示意她放心。

谢槿知爬上飞机，扣好安全带坐好，等着他上来。应寒时打开了盒子，林看着里面洁白无瑕的三块晶片，有淡淡的无法替代伪装的荧光。林的嘴角露出一丝笑意，接过了盒子。

"你们走吧。"林头也不抬，淡淡地说。

应寒时转身就上了飞机。

冉妤望着他和谢槿知的身影，释然地叹了口气。

应寒时一上来，谢槿知就看着他。他的脸色变得清冷，动作敏捷地关闭舱门，启动引擎，战机一个拔高，就直直冲上天空。

"马上离开。"他低声说。

谢槿知听得心头一跳。

地面上，冉妤和林还站在原处。冉妤望着升上高空正在远去的战机，又望着林，心头一松。她想，结束了吗？终于还是有惊无险，谁都没有再受伤，这样就太好了。她望着林的背影，甚至露出一丝苦涩的笑意。尽管他在做坏事，胁迫了她的朋友，可就像他说过的，这是他必须要做的事。他在做着孤独的恶人，她却觉得有些心疼。

他还要强迫她，陪他去那个荒芜遥远的新行星。

"木头……你接下来想怎么样？"她闷闷地问。谁知话音未落，就见他抬起头，嘴角有冷淡的笑，然后长臂一挥，蓝色的光刃，如同骤然在半空中绽放的湖水，向应寒时他们的战机袭去。

"你干什么？"冉好吓了一大跳，抓住他的胳膊，可她哪里阻止得了他，反而被他反手箍在怀里不能动，眼睁睁地看着那蓝刃追上了战机末梢。

电光石火间，战机一个灵巧的侧翻滑翔，堪堪避开。光刃劈在一面山峰上，瞬间爆出火石般的光芒。然而这里还是古镇近郊，山高林深，战机在其中的飞翔十分受限，转眼间，林手里的第二个、第三个光刃已丢了出去。而第三个光刃的边缘，终于撞上了战机侧翼，空中传来发动机骤然熄火的声音，冉好只能呆呆地看着那战机失去方向和平衡，冒着青烟和火光，朝一侧悬崖直直坠落下去，瞬间不见踪迹。

冉好看得心中大骇，悲愤不已，转身就抓住林胸口的衬衫，"你干什么？他们不是把东西都给你了吗？为什么还要害他们？你说话不算话，你还是皇帝？小人！"

林一把抓住她的手，阻止她再乱动，冷冷地道："男人兵不厌诈，难道星流的话就能全信？"

冉好眼睛湿了，闻言一呆，"什么意思……难道他给你的晶片是假的？"

林淡淡地说道："是真的。"他的目光落在他们坠落的悬崖处，嘴角浮现似有若无的笑，"星流的话，也有几分道理。但我总觉得，他有所图谋。"

战机急速旋转坠落。

谢槿知只觉得天旋地转，难受不已。风从破损的窗户呼呼吹进来，机舱里的一切东西都在乱撞乱跳。

一片混乱中，她却感觉到应寒时紧紧握住她的手。她心头一酸，却又有股坦荡激荡的气息，在胸怀里滚动。剧烈的颤抖中，应寒时的脸也是模糊不清的。

谢槿知说："我们是要死在一起了吗？"

他重伤在身，别说战斗，只怕跃动都困难。而她刚刚试了两次，都跳跃不了。他们两个都太虚弱了，难道真的就要被林这么一个光刃拍死，死于坠机吗？

应寒时的手指却更紧了些。一片嘈杂声中，他的声音却是清朗笃定的："小知，我怎么会让你死？"谢槿知一愣，这时却听到他又说道，"拉紧我的手。"

"嗯……"

话音未落，她陡然感觉到安全带自动弹开，一股大力朝后背撞上来，顶舱唰的一声打开，两人已弹了出去。

"啊——"谢槿知一声惊呼，骤然看到四周急速下坠的悬崖峭壁。应寒时的反应依然很快，在空中一个转身，就把她抱进了怀里。

两人一起高速坠落着。

这悬崖足足有几百米高，可谢槿知清楚记得，小镇外的山崖下，是激流滚滚的河水，一旦落下，顷刻间只怕头破血流，被河水卷走。她把心一横，刚想再试一次跳跃，却感觉到应寒时在空中，把头埋在了她的肩窝里，"不必跳跃，这在我的计划中。"

谢槿知一愣，看一眼周围凶险的景象，伸手将他抱得更紧。

瞬间两人已跌至谷底，远远的，谢槿知就看到底下不是印象中的浑浊江水，而是暗绿的茸茸的一片。她一怔，转眼间更近了，她看清了，早忘了害怕惊惧，看清那是一大片厚厚的落叶和草地。

应寒时抱着她撞了上去。

深深撞进了柔软的草堆里，两个人完全被埋了起来，耳边全是草叶挤压清脆的声响。

终于，停了下来。

草堆里暗极了，谢槿知趴在应寒时的怀中，他的手臂揽着她的腰。她全身完全没受什么伤，慢慢爬起来，拨开他脸上的树叶，直直地、却又欢喜地盯着他，"怎么会这样？这里怎么会有草？"

应寒时手撑着地面坐起来，慢慢笑了，"因为我们在虚拟空间里。"

　　谢槿知倏地睁大眼睛。

　　应寒时拉着她，从草堆里爬起来。谢槿知依旧愣愣地看着他，她有点蒙了。最后，她径直问："从什么时候开始的？"

　　"从我敲门前开始。"

第七十章

破空之刃

与国内许多隐秘而伟大的机构一样，谢槿行所在的研究所，位于西部某个荒芜而偏僻的地方。远远望去，只是些灰白低调的建筑。但是隔着数公里的距离，就会有"军事管理区"的牌子和哨兵站岗，将研究所与普通人的世界隔离开。

现在正是白天，阳光寂静，空气清新。研究所看起来也静悄悄的。你从外面，几乎看不到人影。

然而，在谢槿行教授负责的那个研究室里，一切正紧张而秘密地进行着。

四五个年轻的研究员，守着数台天河4号A型超大计算机，眼睛眨都不眨一下，水也顾不上喝一口，盯着屏幕，不断测算、调整数据。他们都是谢槿行最得意、最信任的弟子，在这个前所未有的任务前，他们很兴奋、很专注，也很拼命。

萧穹衍是他们的临时小组长。此刻，他正交叠着金属长腿，坐在其中一台电脑前，极其严肃地盯着屏幕，银白色十指快速跳动。同时嘴里还不忘碎碎念着，给每个研究员下达命令和指导。

"小白，2号机数据维护，个别误差修复！"

"球球，你负责的部分有景物虚化现象，赶紧修修修！"

"竹竿！虚拟晶体和基因箱部分做得很漂亮！我相信已经骗过那个臭男人了！"

尽管才相处了短短几天时间，他就给现场每一个木讷而任劳任怨的工科男，起了"形象"的外号，但这并不妨碍研究员们喜欢并且敬佩这个计算机天才机器人。

庄冲还问过萧穹衍："跟那帮男人相处得好吗？"

萧穹衍答道："噢，太好了。感觉我就是女王，领着一群骑士，要去拯救王子和公主啦！"

研究室内的氛围很紧张，即使有萧穹衍抽空做的花茶和糕点奉上，也缓解不了众人心中的情绪。就在这时，敲门声响起。

一名研究员起身，走到门边，小心翼翼拉开一条缝，"什么事？"

任务全程，研究室都是彻底封闭的，门口也挂了"实验中，勿入"的牌子。但是偶尔还是会有些需要应付的人出现。

门外站着的，是所里另一个部门的某位研究员，笑着问："你们最近在忙什么？这么神秘？"说完头就往里探了探。

开门的那名研究员，几乎是立刻将门关上了，然后平平淡淡地说："我们教授布置的保密任务，不能跟你多说了。"

谢槿行在所里是很有地位，也有威慑力的。门外的研究员就没说话了，过了一会儿，脚步声远去。

萧穹衍抬头问："谁这么八卦啊？没事吧？"

"没事。"

萧穹衍也就没放在心上，又扫了眼各项数据汇总，然后拿起手机，拨出电话。电话一接通，他的脸上就绽放灿烂得有些过头的笑容，"大舅子！我这边一切顺利，你那边呢？"

接到电话时，谢槿行正在沙渡古镇附近的深山老林里。两顶帐篷，带着三两个研究员，和一大堆设备仪器。他们同样紧张地忙碌着。如果说研究所里的计算机组，是制造虚拟空间的系统中枢，那么他们这里，就是对应寒时等人施加影响的终端。

"一切按计划进行。"谢槿行答道。然而尽管萧穹衍语气轻快，研究员们的工作也很有序，谢槿行的心头，依然笼罩着层层乌云。

这并不是一次简单的、十拿九稳的任务。

他想起前几天，与应寒时商议时的情形。当应寒时把虚拟空间的计划讲述出来时，大家都觉得太不可思议了，都有疑虑和担心。

"一定要做这个……虚拟空间吗？"有研究员问，"如果我们向上级汇报，也许可以动用精锐力量，直接抓捕那个人。"

应寒时却摇了摇头，语音沉静而笃定地说："他的战斗力，超乎你们的想象，也超出地球军队的理解能力。如果正面对抗，很可能造成不小的伤亡，并且无法抓到他。那样，槿知的处境，就更危险。"

谢槿行是赞同他这个看法的。林代表另一个高等文明最巅峰的力量。这个文明远超地球的发展阶段，贸然正面强攻，后果根本难以预料。

庄冲问："设陷阱？下毒？调虎离山？"

萧穹衍却一拍他的脑袋，"笨啊你，皇帝阴毒心机得很，普通的陷阱，哪有那么容易上当？而且据林婕提供的情报，还有丹尼尔这些天的侦察，他几乎跟两个女人寸步不离，时刻警惕，我们哪那么容易下手？下毒？皇帝早就百毒不侵啦！"

另一名研究员疑惑地问道："即使是要制造虚拟空间，在不经意时将你们引入，人一旦进入虚拟空间，肉体就会失去意识。我们可不可以趁这个时候，制服他的躯体甚至……杀了他，不就成功了吗？"

其他人一听，也觉得有道理。应寒时却说："这样做行不通。任何肉体上的疼痛和伤害，都有可能让林立刻意识到所处的空间是虚拟的，届时身处其中的我们，就会非常危险，也难以摆脱他。而且即使杀死了他的肉体，意识已经进入虚拟空间，是不死的。"

众人一听都沉默了。因为尽管击败林是他们的目标，但救人是更重要的目标。如果导致林的意识在虚拟空间里发飙，干掉应寒时和谢槿知，那就是同归于尽的结果，得不偿失。

当时的气氛是如此凝重而茫然，应寒时目光环顾一周，缓缓地说道："我知道这个办法很冒险，却也是胜算最大的办法：让林以为虚拟空间就是真实的，带着虚拟的晶片和基因库离开，去往他的小行星。我和槿知寻找机会摆脱他，回到现实世界。而他会在其中，日复一日地循环重复相同的生活，他将始终在去往小行星的路上，并且察觉不了。这也相当于，永远将他囚禁于牢笼中了。"

天空很阴沉，云层厚重得像是压在了山峰上。雨始终稀稀落落，可雨中每一片树叶，都是嫩绿而细致的。这个世界真实得让人看不出任何端倪。

谢槿知跟应寒时站在谷底那一大片落叶和草丛中，还有些怔忡。冷不丁腰间一紧，应寒时已低头抱住了她。

这一次，无人打扰。她的脸轻贴他的衬衣，心里酸酸的、涨涨的，就快要满出来。而他的手臂慢慢收紧，低下头，寻找到她的唇，重重吻下来。

他的唇冰凉，干涩，吻却很用力，很深入，像是带着种隐忍而执拗的劲。谢槿知同样纠缠寻找着他的舌尖，双手抓紧他的衬衣，呼吸也变得低促。

过了一会儿，他松开了她，黑眸离得很近很近，尾巴也冒了出来，轻轻地安静地摇着。

"这个吻……很真实。"她低喃地道，眼睛里有温柔的笑意。

他却低下头，下巴埋在她的肩窝里。

"怎么会不真实？我差一点就失去了你。"

谢槿知一怔，伸手将他的腰身搂得更紧。

天色染黑，两人沿着一段山路，往山谷外走。

"所以……当时雷鸣闪电，停电的那一刻，实际上是你们利用外围的设备，在制造虚拟空间？"谢槿知问。

应寒时拉着她的手，上了一片山坡，点了点头说："是。"谢槿知有些了然了，以前应寒时就说过，所谓的虚拟空间，其实就是电脑频率与人脑灰质的语言达成一致，然后进入了同一个预设环境中。现在回想，想必是当时应寒时和哥哥利用了什么手段，譬如磁场、能量场之类，在那一瞬间，与他们几个的脑电波频段，同时连上了线。

"谢槿行也来了？"她问。

"是的。"应寒时答道，"我们动用了他的超大型计算机组。"

谢槿知微怔，超大型计算机组？那得制造出多大多复杂的一个空间啊？不过现在不是细究的时候，应寒时说虚拟空间出口的裂缝，就在这座山背后的隐蔽处，他们只要赶在林察觉前出去，就安全了。

只是两人身上都有重伤，也不能走得很快。到了一片陡峭的岩壁前时，谢槿知被应寒时托着，小心翼翼地爬了上去。再回头看他，却见到他脚底一个打滑，摔了下去。谢槿知赶紧又摸了下去，把他扶了起来。他的脸居然有点红，低声说："谢谢。"

谢槿知倒是笑了，说："没想到，还有我扶你的一天。"

他看着她，"小知……我很快就会好。"

谢槿知却跟他十指紧紧交缠着，温和地说："别逞强，你还有我。"

应寒时没说话。谢槿知就拉着他，往岩壁上慢慢攀爬。过了一会儿，却听他温软的声音在背后响起："我有这世上最好的女人。"

谢槿知微微一愣，抿嘴笑了，"分开几天，你倒越来越会讲情话了。"

他却沉默了一阵，然后谢槿知就感觉到他轻贴上了她的后背，在很近很近的地方，靠近着。

"小知，你让我看着自己被丢入时空裂缝中逃生，而你留在原地。"

谢槿知没出声，眼眶却微微湿了。

冉妤被林抱着，高速穿行在树林中。晶片和基因箱被他暂时放置在某处。他在追寻谢槿知和应寒时的踪迹。

"放过他们吧，不要再找了。"冉妤在他怀里低声说。

林却不为所动，眼眸沉沉地盯着前方。

"如果应寒时设下的陷阱是害我，难道你也让我坐以待毙？"他反问。

冉妤不出声了。

"不，我不希望你有事。"她小声说。

林抬手拨开面前的层层树枝和荆棘，却将她抱得更紧。

山峰、岩壁、谷底，他抱着她跃至那片落叶丛中，一眼就看到，战机坠毁在不远处的岩石中，燃烧的火光还未完全熄灭。然而战机残骸上，明显没有人。

"他们去了哪里？"冉妤犹豫地问。

林抬起头，望着密密层层的树林，露出淡若无痕的笑，"很快就会找到。"

谢槿知被应寒时牵着，快速穿行于夜晚的树林中。

"还有多远？"她问。

"一公里。"他答。

谢槿知心头一震，远远望去，前方密林中，似乎的确有隐约的银光。只要他们穿过空间裂缝，再从外围关闭空间，应当就脱险战胜了林。

正想着，忽然间，她眼前画面一震，幻象刹那浮现。

长江边，轮渡。她站在柔亮的灯下，应寒时站在对面，全身湿透，眼眸清澈。身边，人来人往。

"小知，我……"

"换个没人的地方说。"她打断他。

那是他对她表白的那个晚上，谢槿知有片刻的怔忡。她的眼睛里，从来只看到未来。现在却看到了过去。

是因为在虚拟空间里？还是因为那多次的电击，让她受到损伤，才会有这样细微的错乱？

"怎么了？"应寒时察知她脸色有异。

"没事。"她勉强微笑道。

总觉得……总觉得有哪里不对劲。

有什么很重要的线索，在隐隐浮出水面，她却没有抓住。

就在这时，应寒时的耳朵却轻轻一跳，他将她的手握得更紧，语气也变得清冷道："他来了。"

谢槿知心里突了一下，"怎么办？"

"快走。"

谢槿知已经能看到远处树林中悬浮的那一道银色裂纹了，只差数百米的距离了。于是也顾不上再隐藏踪迹，两人使出全身力气，开始往前奔跑。

近了，更近了。然而身后树林中，辨不出多远的距离，树枝被风大幅吹响，夜鸟惊飞，有人正在向他们逼近。

眼看只剩百余米距离，陡然间蓝光大盛，如同莹亮的坠月，直刺入树林。应寒时一把抱住谢槿知的腰，拔地而起，跃起数十米高，险险避过了那道光刃。谢槿知连呼吸都已停滞，搂紧应寒时窄瘦的腰，只怕他牵动伤口，加重伤势。

然而生死攸关的时刻，应寒时的脸清冷似铁。转眼间，他已抱着她，落在了时空裂缝前，而数十米后，林的身影，已从黑暗中快速浮现。

"站住！"另一道光刃，已如同箭羽般弹射而出，朝裂缝撞来。应寒时连头也没回，竟是冒着生命危险，抱着谢槿知，闪身进入裂缝中。

"铛——"光刃撞击裂缝，居然发出金属深处般的低沉吟鸣声。林抱着冉好，瞬间已至裂缝前，伸手刚要触碰，应寒时二人的身影却已消失其中，裂缝亦如同消逝的闪电，眼睁睁地消失在他的指缝中。

冉好已经惊呆了，"这是……"

林的脸色已变得非常难看，"呵……呵呵，这是时空裂缝，我们在虚拟空间里。星流……果然是用兵最为诡谲的星流，岂止给我的晶片是假的，他引我进入了一个虚假可笑的世界！"

"那我们怎么办？"

林静默片刻，看她一眼，语气变得有点令人捉摸不定："如果出不去，我们就会日日夜夜，沉沦进这个空间的死循环里，重复相同的生活，愿意吗？"

冉好咬着下唇，沉默了一会儿，没说话，却只将他的腰抱得更紧。这举动令林心中泛起柔情，他低下头，在她唇上重重一啄，"我怎么会让我的女人，跟着我坠入虚拟空间？我还要带你去小行星，建立一个新的国度。"

冉好心头一震，他已抬起身，炽亮的蓝光，以从未有过的磅礴锋芒，从他掌中劈出，朝那裂缝原本所在的半空中撞去。

刃过无痕，裂缝已经不存在，蓝光撞倒了背后的大片树林，尽皆折断。

冉好怔怔地看着，"你要干什么？"

林却不答，让她站在身后，脸色冷酷无比，一道，一道，又一道光刃，树林间的黑夜如同瞬间明亮起来的海面，他笼罩住了一切，也在摧毁一切。天空中没有任何回应，他的光刃却源源不绝，像是徒劳无功地冲撞着这个空间。

冉好的眼泪忽然掉了下来，从背后抱住他的胳膊，"木头，如果没有办法，就算了……"林却一把挥开她的手，又一道磅礴的光刃，突袭出去。

"铛……"空气中，不知何处传来低沉的吟鸣声，像是终于承受不了巨大能量波的反复撞击，什么东西开始崩塌破裂了。林抬起头，望着隐约浮现几缕银光的半空，慢慢地，笑了。

清晨。

古镇的石街上，薄雾笼罩。几户人家门口，狗懒洋洋地趴着。街上只有零星的几个本地人，看到应寒时和谢槿知，难免多看几眼。

同样的街道，同样的小桥。谢槿知扶着应寒时，快速地穿行着。同样的一架战机，会停在同样的位置，接应他们。

"你还好吗？"谢槿知担忧地问。

因为刚才牵动了伤口，应寒时的脸有点发白，神色却依然极沉稳，"没事。"

"谢槿行在哪里接我们？"她问。

应寒时还未答，骤然看到头顶上空，阴白的天空中，隐隐浮现蓝光。他的神色变得肃然，谢槿知也注意到了，心头一惊，"那是什么？"

"帝王之刃。"他缓缓答。

不祥的预感涌上谢槿知心头。应寒时设了这样一个大圈套算计林，如果林真的能从空间里破出来，后果不堪设想！

然而这预感，竟很快转换为眼前的事实。

一道无比刺眼的蓝光，在天空中闪过。同时浮现的，还有破裂般的蓝光。虽然这些光芒都是转瞬而逝，谢槿知和应寒时却都清楚意识到发生了什么。甚至连古镇上的行人，都惊讶地抬头，看着这从未有过的奇景。

"走！"应寒时低声说。

谢槿知点头，再无言语，与他疾行在山林中。

可是，这一次，还能逃脱吗？

第七十一章

沥血再战

同样的晨色，笼罩着研究所所在的山野。

一辆越野吉普，停在距离岗哨不远的山路上。一个男人，撑着拐棍，动作缓慢地下了车。黑色裤腿下，隐约露出金属的假肢。

他看了眼周围寂静的景色，嘴角露出某种讥讽的笑。然后他靠在车上，开始打电话。

"喂，拍到了吗？"

接电话的，正是研究所里的一名研究员。他正站在楼道里，看了看周围，然后找了个僻静角落，压低声音答道："老白，你怎么打过来了？谢槿行那边防得很严，不知道他们最近到底在研究什么。"

老白，正是之前因外星人照片事件，被应寒时断了腿的白梓辰。听完这名研究员的话，他沉默了一会儿，点了根烟，说："别忘了，你现在已经被谢槿行从重点实验室，调去了看管标本。这辈子升职是没希望了。难道你就不想看他们成为众矢之的吗？再想想办法，拍几张有内容的照片。至于他们真的在做什么，我其实并不关心，我只要加一个足够吸引眼球的标题就行了。我拿到我想要的新闻报道，你拿到钱，皆大欢喜。咱们哥俩，之前只是为了探寻真相，不能白白就这样被人害了，你说是不是？"

研究员沉默了好一阵儿，像是下定了决心，说："是。你再给我点时间，我再想办法。"

挂了电话，白梓辰微眯着眼，看着天空上孤单的飞鸟。

人生的下一刻，会发生什么，谁也不知道。

他要抓住一切机会，把那个外星人往死里整。他不会让自己的腿白断。

高空。

浮云万里，大地寂寥。

从机舱往下看，地面的建筑，小如棋盘，密密麻麻。山脉变成了简单的线条，长江是一条灰白的色带。

谢槿知抬起头，望向身边的应寒时。他们已成功上了战机，现在，正在逃亡中。

应寒时的脸色有点苍白，衬衣里也有血迹渗出来。双手却稳稳握住驾驶仪，带着她在云层中高速穿梭。他们要尽快逃离林所在的古镇。

情势危急，让人的心中也惶惶然。但谢槿知的心中渐渐有了一种空旷的宁静。她望着他的面容，已记不得这是第多少次，他驾驶战机，而她陪在身边。

他一直是她的英雄。

"喂，你要不要现在求婚？"谢槿知忽然开口。

应寒时微怔，眸色温沉地看一眼，握在方向盘上的手指微微收紧。

"不是现在。"他答。

"哦。"

他顿了顿，嗓音柔和地说："现在我没办法准备玫瑰、西服、烛光和Kingsize的床。"

谢槿知忍不住笑了，"你是在给我讲冷笑话吗？"

应寒时脸上也浮现微微笑意，"是。"

简单的话语，却让两个人的心仿佛都暖起来。谢槿知身体倾斜，靠在他的胳膊上，"应寒时，你会带我到哪里去？"

我想带你到哪里去？

待战事终了，我只想带你去洒满月光的温柔地方。

当黑色反叛军战舰，突然降临在对面的空中时，谢槿知静默一瞬，直起身子，松开了应寒时的手臂。

终于，还是来了。

这是一场短兵相接的激烈空战。

图穷匕见，两个男人再次狭路相逢，已不需要任何谈判，也不会有任何多余话语，直接开打。

谢懂知整个后背都抵在座椅里，双手死死抓住扶手。狭窄的机舱，正如同螺旋般高速盘旋飞翔着。这个时候，应寒时自然无法分心再照顾她。他的脸色堪称冷酷，乌黑的眼睛，一眨不眨地盯着机舱外，双手敏捷地操作着驾驶仪和控制面板。

谢懂知的心中忽然又有一丝庆幸。倘若此刻是像上次，两个男人在地面遭遇，只怕应寒时又要吃了帝王之刃的亏。但现在，却是在应寒时最擅长的战机上，那个养尊处优的皇帝，怎么也占不了他这个王牌指挥官的便宜吧？

事实上，林此刻也的确十分谨慎专注地驾驶着战舰。谁都知道，星流的机械操纵能力，帝国几乎无人出其右。林心想，这大概也是星流从虚拟空间逃出后，留的后手——驾驶战机与他对抗。

然而皇帝从小接受的，是皇家舰队教官的单独训练。亦是十多岁的年纪，整个皇家舰队的飞行员已无人能与他为敌。所以此刻，他半点不慌，只动作沉稳地与应寒时周旋着，瞅准任何可能的时机，向他们发射出一连串的炮弹。

银色的炮弹，如同流星划过蓝色天空，发出尖厉的呼啸。皇帝的扫射是严密、果断而毫不留情，且他驾驶的是小型战舰，配备火力本就强于应寒时的单机。几轮交火后，炮弹差点就追上了应寒时的机翼。这时，战机忽然一个直坠式的侧翻，陡然从几千米的高空，急速下降。

皇帝紧随其后。

两架战机上，两个女人，全都脸色惨白，闷不吭声地待在男人身旁。

下方，是高耸入云的崇山峻岭。

应寒时的战机，如同一只灵巧的燕子，在山峰间滑翔。林的战舰，始终将他圈定在射程内，一路追击。谢懂知只看到机舱两旁，山峰和树林几乎是紧贴着机翼擦过，看着飞机以各种不可思议的角度，起落偏转，动作却又干净利落。而后方追来的那些子弹，也尽数落在岩石上、山涧中，不能伤他们分毫。

慢慢的，后方的林似乎有些急躁起来。谢槿知听见战舰的机翼声更响更近了，炮弹声也更密集。而前方，依旧是陡峭的悬崖和湍急的河水。

"闭上眼睛。"应寒时忽然开口，嗓音沉静清淡无比。

谢槿知不知道他要干什么，心紧紧提起来，听话地闭上眼睛。然后又慢慢睁开一条缝。

天哪！

战机骤然急停，谢槿知只觉得身体差点飞出去，又被安全带狠狠拽了回来。一切几乎发生在以毫秒计算的时间里，急停在半空的同时，应寒时驾驶战机猛然转向，一百八十度大回旋，谢槿知"啊"的一声惊呼，睁开眼，分明看到玻璃舱外，林的黑色战舰正直直撞上来。

林握住驾驶仪，刹那也惊出一身冷汗。没有人在高速飞翔时，可以以这么快的速度，完成急停和转身的动作，但是星流做到了。林接受的始终是皇家严谨教育，从未见过战场上才有的这种惊险诡谲至极的打法。就在这一瞬间，原本追随在后的战舰，已与战机错身而过，一头扎向了前面。而机腹自然完全暴露在应寒时的射程里。林的心重重一沉，就听到密集而迅猛的炮弹声，如同近在耳边的鼓点，全部落在了战舰上。

冉好吓得脸都白了，多重警报声急促地从驾驶系统里传来。

"左翼中弹、左翼中弹……"

"超光速引擎中弹，无法完成跳跃。"

"机舱中弹、机舱中弹。"

"动力系统即将在1分钟后关闭，准备弹射、准备弹射……"

冉好大喊道："怎么办？"

林的脸色阴沉无比，深邃的眼眸里，仿佛有凌厉的黑潮无声滚动着。

战机上，谢槿知还有些惊魂未定。

一切结束得竟然如此之快！前一秒钟，他们还被林追进了万山沟壑中，下一刻，应寒时干掉了对方！

看着黑色战舰如同折翼的鹰，冒着火光急速往山涧中坠落。谢槿知倏地看向应寒时，他依旧是衬衫洁白笔直端坐的模样，修长的双手搭在驾驶仪上。也许这一路飞行缠斗也极耗心力，他的额头上有薄薄的汗，眼睛里却依然是沉稳笃定的光泽。

"你也太……"谢槿知顿了顿。

太强悍了。

应寒时侧眸看她一眼，目光变得温和，"还好吗？"

尽管谢槿知胸腹翻滚，难受得就快要吐出来，却朝他微微一笑，"我没事。"

就在这时，谢槿知看到，两个人影，从坠落的战舰里弹射出来。其中一个穿着红色衣服，所以很容易辨认出那就是冉好。

"冉好！"她低呼道。

应寒时一个掉头，战机朝下方扎落，朝冉好追去。

机舱的窗户打开，风声呼啸。应寒时的战机速度，比冉好的下落速度更快，眨眼间就追上了她。

谢槿知看着另一个弹射仓，直直坠往谷底另一个方向，心中稍安。她一把拉开机舱门，应寒时驾驶战机一个精准的侧飞对接，然后就听到哐当一声巨响，冉好的弹射仓已经撞了进来。舱门迅速关闭，机头骤然拔高，往山谷外飞。谢槿知扑到弹射仓前，拉开覆盖的玻璃，冉好脸色异常惨白、含着眼泪望着她，"槿知……"

陡然间，半空中一阵金石交错的撞击声，听着竟很像帝王之刃劈在岩石上的声响。谢槿知猛然回头，就看到机尾不远处的山峰上，一道蓝光正狠狠地撞上去，山谷间天地仿佛都为之震动。

糟糕！林根本不在刚才坠落的那个弹射仓里，他在……

砰——破裂的巨响，整个机舱门都被撞破，战机也剧烈地摇晃了几下。战机里的三个人同时抬头，就看到另一个人影，也落进了机舱里！

林是算准了方向和角度，利用光刃的撞击反弹力，跃上来的。他满身灰黑，单膝跪在距离谢槿知和冉好只有一步远的地上，抬起了头，脸上，浮现极冷极冷的笑容。

大势已去。

这就是谢槿知此刻心中确切的念头。

破损的战机，平稳而寂静地航行在天空中。唯有呼呼的风，从被林撞穿的舱门，不断地灌进来。

已是中午了，阳光明亮刺眼，透过玻璃，照在人身上，慢慢就变得发烫。谢槿知和冉好坐在后机舱的地上，谁也没说话。而前舱，应寒时坐在驾驶位，脸色清寒，动作无声。林坐在副驾驶位上，如今整个机舱都在他的控制中。他的脸色淡淡的，不见反败为胜的喜悦，但绝对阴沉难测。

谢槿知尽管恨他入骨，恨他将应寒时和自己伤成这个样子。但也不得不承认，这个男人虽然贵为皇帝，意志当真坚韧如铁。在刚才那种情况下，他居然都能迅速判断，想出办法，绝地求生。萧穹衍说过，皇帝心思深沉，狠辣果决，看来当真不假。

"星流，再有任何轻举妄动，我先杀她，再杀你。"林缓缓地道。

应寒时静默片刻，答道："不会。"

"晶片和基因箱在哪里？"

"江城。"

机舱里再无人说话，谢槿知望着应寒时的背影，胸口阵阵发堵。蓦然手被人握住，她转头看着冉好。冉好的目光复杂，深深地望着她，两个女人都没说话。

江城。

战机以极快的速度掠过天空，远远望去，地面的人只会看到一道残影，以为是云，或是飞机飞过留下的痕迹。

长江、大桥、林立的楼宇，还有细密得看不清的车辆和人群，这些都如同浮光掠影般，从众人眼底晃过。谢槿知刹那有些恍然，原来这个真实而繁荣的世界，已经离她如此遥远。

战机停在了湖边的密林深处。这里并不隐蔽，但是已无暇顾及更多。

应寒时的别墅，就在离湖不远的地方。他和谢槿知走在前面，这一次，林和冉好依旧跟在后面。

这一次，大概终于已没有退路。

谢槿知握紧应寒时的手。而他脸色肃穆，眼眸沉黑沉黑的，一直没有说话。这让谢槿知有些难受。她想要告诉他，败则败矣，他已如此尽力。她想要他不再沉默，想要他不必自责。

而现在，他们两个活下去，才是最重要的。

像是察知了她的情愫，应寒时侧眸望着她，然后将她的整个手都握在掌心里，非常的温柔有力。谢槿知心口微微一疼，却对着他，露出平静的笑容。

冉好走在他们身后，低着头，心中泛起许多念头，有些恍惚，但也有些坚定。

很快就走到了别墅门口。小道上路过的保安，看到这四个人，难免多看了几眼，但也没有过来多问。

应寒时打开门，说："就在楼上。"

林停在门口，目光扫视一周，"里面没有人？你的机器人呢？"

应寒时静静地答："我并不能确定一定能战胜你。所以已将他们驱散。"

林就没说话。大难临头，保全手下所有人，的确是星流一直以来的愚善作风。

林让应寒时进去拿，自己和两个女人站在屋外。

他相信应寒时不敢也不能再玩任何花招。

很快，应寒时就出来了。动作平静地将晶片和基因箱交给他，然后把谢槿知拉到自己身后，四人对峙着。

林检查之后，嘴角终于露出一丝笑意。许是因为回到了真实世界，晶片的光芒，似乎都比虚拟空间里要明亮纤细几分。他抬起头，看着他们，脸上的笑容褪去，"走。"

按照林的要求，应寒时开来了另一架完好的战机。四个人重新上去。

既然晶片和基因箱已经拿到手，林的想法也很明确：星流这个人，如果不能为己所用，那就只能杀掉。否则等他身体好转战力康复，那就是放虎归山。

战机离开江城，往高空开去。已是午后时分，天气转阴。机舱里静静的，林坐在副驾，慢慢地抽着烟，谁也不知道他的心里在想什么，下一步打算怎么做。

很快，战机驶到了大陆西部腹地。远远望去，长江上游是一条窄窄的水带，波涛翻滚，山势险要。

"准备跳跃，去外太空。"林命令道。

应寒时的手没有动，抬起清俊的脸，注视着他，"我跟你去，让槿知先走。"

谢槿知立刻说道："不，我跟你在一起。"

"小知。"应寒时打断了她，却没有看她，眼睛里是沉澈颜色，"听我的。"

"不。"

林微蹙眉头。

就在这时，谁也没料到，坐在后舱的冉好忽然抬手，拔出把匕首，对准了自己的咽喉，颤声道："木头，让他们两个走。他们刚才救了我的命！"

匕首是她从刚才的战机上拿到的。

林倏地睁大眼，厉喝道："你干什么？"谢槿知也怔然望着冉好，冉好递给她一个坚定的眼神，然后把匕首锋刃往前稍稍一送，就有血渍冒了出来，"你们走！"

就在这电光石火间。

应寒时陡然从座椅上跃出，身形化成一团光影，扑向谢槿知。谢槿知被他一带，一侧舱门已自动弹开，两人往外坠去。林大怒，身形一动刚要追赶，哪知之前驾驶战机的应寒时，竟已预设好飞行线路，整个战机突然往一侧大幅度倾斜。冉好"啊"一声尖叫，匕首脱手，人也朝舱壁上撞去。林身形如电，一把将她抱在怀中，转身刚要再追那两个人，却被冉好牢牢抱住，她使出了全身力气，哀求道："别追了，放了他们吧！你已经拿到了你要的东西，求你了！"

林霍然回头，只见白雾般的云层下，那两个人的身影已经坠得很远很远了，再追赶只怕也是徒劳。况且这么高的地方摔下，不摔死也是重伤。静默片刻，他抱起冉好，走向驾驶位，将她放在副驾上。然后重新调整航线，让战机开始往外太空航行。

"记住，我饶过他们俩的命，是因为你。"他沉声说道。

冉好不出声，过了一会儿低声说："记住了。"

两人都没说话了。

战机一直拔高，往云层深处飞。过了几分钟，系统提升声传来："超光速引擎预热完毕。"

林淡淡道："准备跳跃。"他的双手在控制面板上快速移动，输入坐标数据。

冉好的心中终于有些悲伤、茫然和忐忑，喃喃地问："我们这就要去另一个星球了？"

"是。"

"那我以后，还能回来见到我的爸爸妈妈，还有朋友吗？"

沉默了好一会儿，林才答："可以。"

冉好的心忽然就有些发软，望着他因为刚才的坠机，同样伤痕累累的脸庞和双手，低声说："好。"

她握住了他的手。

林静了一会儿，嘴角也露出笑意。抬起手，覆在了她的手上。

银色光芒如同月色盛开在云层中，整架战机陡然消失，仿佛从未存在过。

外太空。

深黑的天幕，寂静得没有一丝声响。璀璨群星，如同钻石般点缀于黑丝绒上。从这个角度回头看，地球蔚蓝干净，美丽无比。

冉好望着这从未见过的奇景，慢慢地靠在林的怀里睡着了。

而林握着她的手，另一只手把玩着块晶片，注视着前方，任由战机自动驶向五十光年外的远方。

曜日已经坠落，银河再无帝国。

我用尽余生之力，只想光复，那残存于宇宙长河中的伟大文明。

但愿我心中的太阳，永不会再坠落。

地表。

应寒时抱着谢槿知，连续跳跃数次，山巅、密林、石坡……下坠的冲击力大部分被缓冲掉，但是谢槿知感觉到，他的后背有湿黏的液体，慢慢渗出来。她在他怀中低头，看到自己满手的血，他的胸膛也已被染红。

"应寒时！"

他却只是低下头，将她更紧地扣在怀中。

"不要松手。"他在她耳边低语。

"嗯。"

扑通一声巨响，两人终于落入了长江中。

江水湍急，谢槿知和应寒时差点被浪打入水底。两人都奋力挣扎着，又游了出来。谢槿知虽然体弱，但还有点力气，却感觉应寒时的身体变得很沉，游得也很慢。她知道他的力气大概都耗尽了，心中怜痛无比。拉着他，两人终于缓缓游上了岸。

天空阴白阴白的，应寒时躺在河滩上，没有动。谢槿知也不动，只有冰凉的手，跟他紧握着。过了一会儿，她转过身，动作很轻地趴在他怀里，低头看着他。

他的头发和眉眼，全都湿漉漉的。衬衣贴在身上，染得浅红，看不清原来的颜色。周围江水嘈杂，旷野寂静，他的眼睛里有温暖而清澈的光。

谢槿知把头慢慢靠在他怀里，"我们回去吧，晶片以后再想办法拿回来。等我们俩都恢复了，一定会有办法。”

　　忽然间，感觉他的手指握得更紧。她缓缓抬起头，他在极近的距离凝视着她，眼睛里泛起浅浅的笑意。

　　“槿知，这一层空间，也是虚拟的。”

第七十二章

万事遗忘

谢槿知愣住了。

应寒时低头在她额上亲了一下。

谢槿知说："可是……这个空间……"人那么多，那么大，甚至有一整个繁华城市，有千山万水……

"嗯，这是超大型复杂空间。"应寒时说，"所以，动用了大哥的天河计算机组。"

谢槿知缓了过来，慢慢露出了悟的笑意，"所以，这里也会有空间裂缝，我们只要离开，就赢了。而林和冉好会一直……"

"他们会一直重复循环在去往小行星的路上。"

谢槿知怔住，静了一下，问："有办法把冉好救出来吗？"

应寒时的手按住她的后脑，在她的唇上亲了一下，轻声说："等我们出去了，我会再想办法。"

"嗯。"

两人站了起来。应寒时的脚步有些踉跄，谢槿知立刻伸手扶住他，想了想，问道："既然在空间里的是我们的意识，为什么你和我的伤势跟真实世界一样？"

"身体的状况，自然会反应在意识里。"他答道。

谢槿知听明白了。应寒时抬起头，看着阴灰色的天空，和周围密布的山林，"裂缝远在江城，我们快些走。记得我们曾经说过，这种超大型空间，待久了并不安全。它相当于一个超高等人工智能体。"

谢槿知点头，她记得的。那还是在沙渡古镇，为了救那些村民，制作小型虚拟空间时。应寒时和萧穹衍就提到过，这种大空间复杂又智能，甚至会自我发展又延伸，趋于完美。而人的意识如果长期待在里面，脑电波甚至还会跟虚拟空间互相影响，形成映射，作用在虚拟空间上。那样是否就意味着，这个空间，这个智能体，就不会受人力控制了？

"吧嗒、吧嗒……"几颗大的雨滴，落在谢槿知的脸上。周围的天空更加阴沉，云层厚重聚集，像是有大雨即将倾盆。谢槿知与应寒时牵着手，沿着裸露的河滩，往前走了几步，突然间，她心头一震。

雨，总是在重要时分出现的雨。

自我发展延伸，趋于完美，重复循环的空间。

……可是那样，身在其中的人，不会发现吗？

像你平时做梦，即使不合理，也会发现不了。你的意识，会回到那一天，重新开始。

……人的意识，会和虚拟空间互相影响，形成映射，作用在虚拟空间上。

某个不可思议的、极其可怕的念头，模糊闪过她的脑海里。不不不，这不可能。她几乎是立刻对自己说，这绝对不可能。

冰凉的雨，落在了脸上，也落在她的眼睛里。不，这不可能。她再一次对自己说。她望着应寒时的背影，望着他清俊而温柔的眉目，她想，这不可能的。

他是这样真实而鲜活地站在她面前，出现在她的生命里。她的应寒时，她所深爱的星流，不可能是一个虚拟的意识。这一切，不可能是虚拟的。

否则，真实的他和她，此刻又应该在哪里？

她这样想着，好像就能让自己镇定下来。她甚至握紧他的手，对上他的目光，露出温和而期待的笑容。

可是，那无法掌控和预知的猜测，却像这即将倾盆的雨，就这么来临，就这么无法阻挡地，淹没她的心头。

谢槿行站在那一堆设备前，身后是忙碌的研究员们。所有机器都在超高速运转，他几乎都听不到周围的其他声音。

他抬起头，还遥望着远处阴云中的沙渡古镇。不知道他们，现在已经到了哪里？他们什么时候可以出来？

快些出来。他在心中想。机器的运转速度已经越来越快，隐隐有不可控的趋势。他们得尽快出来，才能安然无恙。

但是想到应寒时和妹妹的脸，谢槿行的心中又有一份笃定。他相信，他们一定可以做到，会安全地回到他们的身边。

蓦然间，天空飘落雨滴。

谢槿行有些怔然，伸出手，接着冰凉的雨。

陡然间，他愣住了，抬手摸了摸自己的脸。

为什么会有眼泪，自己掉了下来？

西部旷野，研究所。

整间大型实验室，已经被人围得水泄不通。那些研究员们，拼命将萧穹衍塞进一个密闭的箱子里，然后用尽全力叮嘱道："小John，小John，你安静地待在这里，不要出来！他们马上就要进来了，没人能打开这个箱子，你拿好钥匙，等外头没动静，自己找机会出来！"

萧穹衍整个人都在剧烈挣扎，"不！我不能躲起来！指挥官和小知还在虚拟空间里啊，我们现在如果停止，他们就会永远困在里面，永远啊！怎么会这样，怎么会有那些照片和报道？不可以的啊，他们知不知道自己在毁灭什么，在毁灭什么？"

有两个研究员都快哭了，但还是拼尽全力，把萧穹衍按了进去，"小John，你只有保护好自己，将来才有可能救他们出来！"

这话终于让萧穹衍安静下来，啪的一声，箱盖在他头顶合上，他的世界瞬间陷入黑暗。研究员们才刚把他抬到不显眼处，贴上"辐射物"的标签，实验室的门就被撞开了。

研究所的一些武装卫兵，一些研究员，还有位高权重的人，走了进来。

"你们到底在搞什么？"有人呵斥道，"谢槿行呢？看看这些报道！"

那人将报纸和网络媒体的剪报掷到研究员们的面前，上面赫然黑色醒目的标题："国防部某研究院从事秘密外星人研究？""某研究院惊现全金属机器人？""他们在做什么？中国即将与外星人联手？"

谢槿行手下的研究员们面面相觑。

"所长，我们可以解释……"一名研究员大喊道。

另一名研究员却始终躲在角落，偷偷打电话给谢槿行。可是打不通，之前两边机器的运转速度就太快，磁场辐射过强，什么信号都接不通了！

"都带走！"那人下令，一挥袖子，转身走了出去。

"所长！""所长！"研究员们全都急了，"机器不能关，真的不能关，千万不能关啊！关系人命！"

吵吵嚷嚷，推推搡搡，他们终于全被卫兵们带了出去。

其他研究员们，开始仔细点算查封所有设备和电脑。其中一名研究员，站在门口，露出冷冷的一点笑容。

最后离开实验室的是一名警卫，他关掉了屋内的所有电灯，然后挨个关掉所有设备电源。最后是大型主机。

"嗡——"一声低鸣，主机的CPU停止运转，彻底沉寂下来。

警卫带上门，上了锁，走了出去。

萧穹衍将高大的金属躯体蜷成一团，躺在黑暗的箱子里，半天缓不过劲来，再也缓不过来。

雨下得很大。

就像他们在图书馆相遇的那些天，雨水像是要淹没整个天空。

谢槿知与应寒时牵着手，穿行在白日黄昏般的大雨中。这里是荒野，是长江寂静的上游，丛林望不到边际，他们逃离的前路，不知道还在何方。

唯有江水滚滚而去。

"还要多久？"谢槿知轻声问，连声音，仿佛都带着雨水和江水混杂的湿意。

"快了。"应寒时温和地答，"我们走出这片森林，就能抵达小镇。到时候换乘别的交通工具，回江城。"

"嗯。"谢槿知微笑答，"然后通过时空裂缝，就能回到我们的真实世界里。"

他的眉宇间也有浅浅的笑意，"嗯。"

谢槿知又埋头走了一会儿，忽然将他的手臂一拉。他站定看着她，微怔。她抬头吻了上去。

这是个深深的、缠绵至极的吻。她贪婪地吸吮着他的唇舌，他的气息。她整个人都要软在他怀里，紧紧抓住他的臂膀，越吻越用力。

然后眼泪不知不觉，就掉了下来。天色好黑，雨水混杂着泪水，他没有察觉看清，只是怔然地问："怎么了小知？"

她的喉咙都快堵住了，露出一丝微笑，摇头道："没事，亲一下，再努力地走。"

他的眼睛里露出星辰般温暖的笑意，低头抱住了她。

这么抱了一会儿，他才松开。

"别担忧。"他说，"我会带你出去。"

"嗯，我们当然会出去的。"她轻声答。

我们会出去，你会带我回江城，回我们的家。

你会带我去，去任何一个温柔月光能够照耀到的地方。

震耳欲聋的轰鸣声，就这么传来，从天上，从地底，从江河中，毫无征兆地，将他们两个人包围。应寒时的背影如同雕塑，即使是他，也有刹那的惊滞。而谢槿知抬起头，看到原本阴郁的天空，如同漩涡般开始扭转，看到林立的山峰，慢慢变得倾斜扭曲。看到滔滔江水，如同从天空突然坠落的海浪，朝他们扑了过来。

整个空间，都在扭曲颤抖。

应寒时一把抱住她，高高跃起数百米，躲过了巨龙般的江水，也躲过了山峰的倾轧。

"怎么会这样？"谢槿知颤声道。

应寒时脸色冰冷似铁，乌黑的眉头像是打不开的结，紧蹙在一起。

"出事了。"他慢慢地说，"虚拟空间外，出事了。"

谢槿知用尽全力抱紧了他。

然后看着更大的巨浪，似曾相识的巨浪，铺天盖地地朝他们奔涌吞噬过来。

你知不知道，知不知道？

每当我看到拥有时空裂缝的你，穿梭于时空中，

都觉得非常难过。

我真的不想，让你再孤独一人了。

遇见他之后，每一个重要的时刻，天空都在下雨。

图书馆外的邂逅，高架桥下孤寂湿透的身影。

还有长江轮渡，依岚山下，平行空间。

是空间在循环重复，还是我的意识在作用？

应寒时，为什么我会拥有时空裂缝？

一定存在某种原因。

很简单啦，小知，因为你身边的时间被扭曲过。你曾经到过某个时空扭曲得很严重的地方啦。

身在其中的人，会一直循环重复下去。

所以我眼中的过去即未来，未来即过去。

谢槿知忽然泪流满面。

应寒时没有察觉。

他用背抵御着洪水，用被鲜血染红的身躯，带着她一次又一次躲开死亡的威胁。他的脸异常苍白，手臂却牢固如铁，始终紧紧地将她抱在怀中。谢槿知开始低声哽咽，而他在漩涡般的漫天洪水里，霍然低头看着她。

"应寒时……应寒时……"她哭着抱紧了他。

"不要哭，小知，不要哭。"他在这样激烈的洪流里，却用这样温柔的声音哄道。是终于察觉了什么吗？他的面目明明还是沉静的，那乌黑的眼睛

里，却有眼泪掉了下来。连他自己都没有发觉。

……男人，永远不该掉眼泪。

谢槿知心如刀绞，伸手紧紧搂着他的脖子，听着洪水一次次撞击在他背上的声音。

"应寒时，我永远也不要你受伤了。"她轻声说，"我们永远永远，也不要分开了。"

"好。"他微哑着嗓音答。

"对不起小知……"他的眼泪滴在她的脸颊上，"这一次，我依旧没能救你出去。"

谢槿知心头大恸，低声说："不重要了……不重要了……"

一切的一切，原来都不重要了。

应寒时在片刻之后，就闭上眼陷入了昏迷。谢槿知紧紧抱着他，看着大浪迎头打过来。

两人沉入了水面之下。

轰鸣声忽然被隔绝，世界变得很安静。谢槿知望着他安静的容颜，心想，还好，这一次，他不用看着她，留在原地。

不用看着他们分离。

"啊——"谢槿知从胸肺中爆发出凄厉的叫声，璀璨的银光，如同月光突然降临，盛放在水底。她闭着眼睛，她无法再看他的容颜。她一伸手，用尽全部力气，将他推了进去。

去，去，去那个真实的世界去。那里是阳光温暖的江城，那里一定是我们初遇之地。我知道你会一人独坐在湖畔，会拿着那幅属于我们的画，我是那么想要跟你在一起，可我不想让你跟我沉沦在这里。你是星流，是我心中永不坠落的星流，我要你好好的，哪怕是一个人，星流，你要好好的。

应寒时的身躯瞬间没入银光里，而水中的漩涡，如同贪婪的巨蛇，瞬间将谢槿知卷走，吞没。

黑暗，无边无际的黑暗。

银光，在什么地方闪烁。这一刻，是一瞬间，还是永久。

她沉溺其中。

有个声音，在耳边轻轻地、不断地诉说着。

他说，小姐，我不是招摇撞骗的男人。

他说，你这是……蛮不讲理。

他说，你们地球人，通常叫我外星人。

他说，小知，从今天起，你就是我的女人了。

等回江城，我就求婚。

我跨越了多少个光年，才能与你相逢。

我要跟你在一起，再也不让你孤单，再也不让你寂寞。

小知，等你死后，我就守在你的坟前，注视着你。

这样，就是你要的白头，你要的永远永远了。

小知，对不起……对不起，这一次，依然没能救你出去。

星流，你不要难过，也不要自责。

我在这里其实很好，我没有关系。

就让我沉沦在这个世界里，不要不要，你不要再来了。

我终于想起了一切，想起了我们的故事。

却是在时空终极的时分。

当我闭上眼，这个世界会重新开始。

我已经看到了三月间，阳光灿烂，绿意葱茏的山间。我看到宝安禅寺屹立于山巅之上，而我身着轻装，万事已经遗忘，朝那春暖花开的地方走去了。

第七十三章

七百年后

这是山野间的一幢小木屋，阳光静静地从树枝间透下来，斑驳寂静。溪流从木屋下方淌过，清澈见底，不见鱼和虫的踪迹。

木屋开了一扇小窗，没有灯，也不需要灯。白天恍如黑夜，时光已经不分。

应寒时缓缓地从床上坐了起来，静默了许久，终于抬手打开了一盏灯。

橘黄的光线，瞬间洒满整个小屋。地上、桌上，整幢屋子里，除了床，就是黑沉沉的仪器和设备。它们通过无数传感器和金属线，连接在一起。也与一个叫谢槿知的女人，连在一起。

应寒时起床后，没有马上看她，而是走出木屋，走到溪边，抬头看着金黄零散的阳光，伸手触碰林间微凉的空气。半晌后，才收手，在溪边蹲下，用冰凉浸骨的溪水，洗了把脸。

就像只是大梦了一场。

他起身后，又负手站了一会儿，这才终于转身，走进属于他和她的这间屋子里。迎面看到的，是墙上挂着的一面有些陈旧的白板。白板上用笔写着一个数字，和一行字。

"714。

"每次出来后，增加一次。"

他静静注视这行字许久，走了过去，低下头，拿起笔，却半天没动。

后来才抬起头，抹去那个714，改成了715。

有温暖的湿意，慢慢覆盖住眼睛。

第715次，我失去了你。

放下笔，他转身，走向了她。

窗帘半掩，阳光透过小窗，照在她的脸上。她的眼睛一直那么安详地闭着，双手安静地放在身侧。柔软如绸缎般的长发下，是小小的、干净的脸。嘴唇轻抿着，让他想起她每次逗他、欺负他时的神情。

他坐在床边，握住她的手，看了好一会儿。然后低下头，将脸埋进她的掌心里，觉得有点喘不过气来。

下午，萧穹衍却来了。

他一来，树林仿佛也变得热闹，金属长腿踩在鹅卵石上，踩在山坡上，发出吱呀吱呀的声响。还有他一路喋喋不休的自言自语："上次还看到两只小兔子呢，今天怎么什么都没看到，这片树林越来越不可爱了……"

走到木屋前，萧穹衍屏住呼吸，轻轻敲了两下门。

门内传来应寒时温软依旧的嗓音："进来。"

萧穹衍推开门进去，就见应寒时坐在方桌旁，脸色平静，双手在键盘上灵巧地跳跃着，看样子又是在调试数据。

萧穹衍看一眼床上的谢槿知，还有床头放着的那几朵鲜花。花瓣上还沾着露水，显然是应寒时刚刚从树林里摘来的。屋子里有浅浅淡淡的香气，萧穹衍深深嗅了一口，别的什么也没说，提着手里的菜啊肉啊米啊，走向厨房，"指挥官你先忙，我去做饭啦。"

这个小屋虽然简单，却被应寒时装饰收拾得很干净。厨房里窗明几净，冰箱里甚至还有半碗没吃完的饭菜。看样子又是几天前剩下来的。萧穹衍将饭菜收拾了，开始洗菜、煮饭。

屋子里虽然有两个人，一下午的时间，却始终寂静。

过了好久，萧穹衍望着火上咕噜噜滚着的汤，双手交握在一起，终于忍不住开口："指挥官，这次，她怎么样？"

过了好一会儿，才听到客厅传来应寒时的声音："她很好，跟以前一样。"

萧穹衍心头一酸，抬头望着窗外渐渐沉下去的日光，半天，都回不过神来。

傍晚时，萧穹衍在木屋外的草地上，放了张小桌，又铺上桌布，再把热腾腾的饭菜都放上去。三菜一汤，他没敢做太多。因为他知道顶多再过一天，应寒时肯定又要走了。

　　月亮升上了天空，清透的月光与廊下的灯光交织在一起，柔和又朦胧。溪水潺潺，是这片森林里唯一的声音。两个人相对坐在桌前，只有一个人吃饭。应寒时的神色依旧很平静，吃得不疾不缓。萧穹衍看着他修长的手指，握着筷子，落在碗碟中，都有点晃神了。

　　"青菜有点咸了。"应寒时忽然开口。

　　"哦、哦，我下次改进。"萧穹衍立刻说道。

　　应寒时微微一笑，继续安静地吃着。

　　"下次可以做多一点。"应寒时又说，"我很饿。"

　　萧穹衍用力点头。

　　过了一会儿，突然觉得难过得不能自已。

　　他低下头，没再看应寒时。

　　应寒时像是察觉到了，又像是完全没察觉到。很快他就吃完了，将筷子平放在碗上，说："小John，辛苦了。"

　　萧穹衍抬手捂住脸，终于哽咽道："指挥官，我不辛苦，你才辛苦。"

　　应寒时却依然只是温和地笑着，站起来，负手望着星空。

　　"我答应她的事，心甘情愿的事，永远不会有辛苦的感觉。只是……"

　　"只是什么？"萧穹衍有些恍惚地站起来，望着应寒时的背影。

　　应寒时静默了许久，缓缓低下了头。

　　"只是，我真的非常思念她。"

　　萧穹衍忍着没有哭出来，慢慢地，难过地问："这次，问题出在什么方面？真的没办法救她出来吗？"

　　应寒时抬起头，望着寂静灰暗的树林深处，"虚拟空间，始终处于不断变化、发展和完善中。我们从外部计算、施加的能量场，依旧无法加强它的稳定性，无法在最后关头，让我能够救她出来。"顿了顿，他又说，"与前几次一样，虚拟空间与小知的意识，依旧互相影响着，逻辑不断趋于严密。她深信自己从小就拥有时空裂缝，每当空间开始新一轮循环时，她依然沉沦其中，没有记忆。"

他看着脚下透澈而纷乱的流水，"我也一样。空间太大，太深，我的意识，也察觉不到，直至……分离时，我们才明白过来，而她依旧选择将我推出虚拟空间。"

应寒时说得很平静，三言两语，就概括整个过程。萧穹衍却听得心头阵阵寒意，他望着应寒时依旧年轻而清俊的容颜，越来越平静的容颜，脑海里只冒出一个念头——

七年了，已经七年了。

现实世界里的七年，虚拟世界却已轮回七百次。

最初，一年等于一年。

后来，虚拟空间越来越严密，循环越来越快。那是个疯狂而可怕的世界，那也是个宁静而遥远的世界。到最后，现实中的几天，虚拟世界中已是一个轮回。

机器人的记忆永远是清晰的，分毫毕现的，不会随着时间磨灭。萧穹衍还清晰地记得，当年，在最初的虚拟空间里，因为空间的突然崩塌，因为洪水的突然席卷，应寒时是如何失去了谢槿知。从虚拟空间出来后，他又是如何的失魂落魄。

后来，空间中的谢槿知，就拥有了时空裂缝。

一次一次，又一次。

最初设定的虚拟空间，为了骗过林，时间是一个月。

后来，时间不断扩大。

有几次，萧穹衍、谢槿行、庄冲也进入空间，协助营救。再后来，当他们出来时，空间里却生出了虚拟的他们。而在这个不断完善、自我发展的空间里，已分不清楚虚拟的他们，到底是空间的作用，还是谢槿知的意识影响。

再后来，连当初的始作俑者，白梓辰，也因为精神分裂，进了精神病院。谢槿行辞去了研究院的工作，成了高校的一名普通教师。

谢槿知依然没有醒来。

沉沦，是一个人的沉沦。

等待，是两个人的等待。

有的时候萧穹衍也想，是否等到某一天，完全没有了希望，反而对应寒时来说，是一种解脱？可是每当他走进这片树林，走进只有应寒时和谢槿知两个人的世界，那个小小的、无限循环的世界，每当他看到应寒时脸上温和而清澈的笑，他就明白自己错了。

应寒时会永远等下去。

那是他和谢槿知的约定，星流的生命不止，承诺永不终止。

他说过的，要陪她白头到老。那是寂寞而温柔的她，从小到大都渴望的。星流，怎么会对她食言呢？

想着想着，萧穹衍的心，仿佛也随之宁静下来。

就这么等待下去，就这么找寻下去吧。

这也是，萧穹衍的守望。

他抬起头，望着应寒时，露出灿烂的笑，"下一次，是什么时候？"

"明晚吧。"应寒时答。

"嗯！"萧穹衍重重点了点头，与他抬头，一起望着天边的明月，"指挥官，总有一次，我相信总有一次，能量和时间的计算会刚刚好，她会回来的。"

回来你的身边，回来我们的身边。

回到这个记录了她所有悲欢和幸福的世界，温暖而真实的世界。

夜色静深时，萧穹衍离开了。

偌大的树林里，万籁俱寂。只剩应寒时一人，坐在谢槿知的床前，点了一盏孤灯，这是森林里唯一的暖光。

他坐了一会儿，就从桌上拿了本书。《十万个冷笑话》，书脊上还印着江城图书馆的印鉴，已经好些年前了，他没有归还。

他翻到上次读到的一页，看了一会儿，脸上露出微微笑意。然后往下，一行行给她读了起来。知道她听不到，可还是想读。他已孑然一身，在这深山老林中，实在找不出其他东西，与她分享。她如果醒来，必然又是要笑话他的，笑话他喜欢读这些奇怪的书。但是她不明白，当他读到那些可爱的文字，就如同看到她的温柔可爱，她的温柔缱绻是一样的。那样的细碎，那样的触手可及，那样的美好。

"……他躺在铁轨上，结果还是死掉了。因为……车厢有10节。呵……"

小知，你什么时候会醒来，可不可以醒来？

我的心已悲痛得如同那沉沦的黑夜，再也看不到半点温柔的月光。

次日一早，应寒时离开小屋，去了谢槿行所在的高校。

抵达的时候，谢槿行正在教室里，给学生们上课。依旧是那严谨而严肃的样子，将课上得枯燥又乏味。下面的学生大多在睡觉，他却兀自沉稳而专注地讲着，自有态度和追求。

应寒时一直在教室外安静地站着，直至下课铃响起。谢槿行走出来，看到他，脸上那惊痛失望的神色一闪而过。但也只是一瞬间，谢槿行就微微笑了，拍了拍应寒时的肩膀，"去我办公室聊。"

到了办公室里，应寒时将带来的这次轮回的全部数据，都与谢槿行一一讨论。两人从上午一直讨论到天黑，白板上写满公式和数字，几台电脑运转不停。最后，谢槿行点头道："我再去让以前带的研究员帮忙，增加天河计算机支持。"

"好。"应寒时沉吟道，"空间不断发展变化，无法预期下一次进去时，又会有什么改变。唯有施加更大能量场，力求将空间裂缝撕得更大，我们或许可以出来。"

"一定会的。"谢槿行静静地说。

应寒时微笑点头。

"留下吃饭吧？"谢槿行说。

"不用了。"应寒时答，"我回去了。"

他的身影很快消失在校舍尽头，谢槿行站在楼上，望着高低林立的建筑，来去匆匆的人群，许久许久，都没有动。

庄冲离开了省图书馆，远赴依岚山，成了一名支教老师。三年前，娶了个媳妇，当地大学生，漂亮又温柔，还非常崇拜他，也在依岚山留了下来。

　　每天，庄冲就跟聂初鸿一起照顾那些孩子，还有顾霁生，过着热热闹闹又鸡飞狗跳的生活。聂初鸿也结婚了，老婆是以前暗恋他的大学同学，虽然人还在外地，但是每个月都往这边跑，感情也十分好。顾霁生已经拥有七八岁孩童的智力，只是脾气依旧非常大非常冲，不太好哄。庄冲有时候火了，经常跟他打架。最后两个人都被聂初鸿收拾。

　　有时候到了夜里，庄冲也会撺掇他俩，跑到深山里，开应寒时留给他们的战机。看着战机如同银色弯月划破长空，三个男人都会有些兴奋，有些踌躇满志。庄冲总是会在这时淡淡地道："我们经历过的事，真正男儿的热血传奇人生，没有人会懂。"叹了口气又说，"该死的，连媳妇都不懂！这世上懂得的女人，只有她一个……"

　　往往说到这时，他就闭了嘴。聂初鸿也不说话，顾霁生似懂非懂。

　　只是飞行之后，三个男人到校舍外的小山坡上喝酒，喝的是顾霁生前几百年存下的绝世佳酿。喝到酣时，顾霁生就会开始唱歌，反反复复唱那支《七百年后》，唱得另外两个男人潸然泪下。庄冲大喊一声，跑到田间，扑在泥土里，他总是做这样的动作，然后长叹一口气，大喊道："但愿长醉不复醒，但愿长醉不复醒哪……"

　　而聂初鸿则沉静许多。他只是举着杯，时常会想起许许久久前的那个夜晚，她站在校舍外，伶俐又犀利。然后聂初鸿会低吟那句古诗："有朋自远方来，不亦乐乎。"

　　有朋自远方来，不亦乐乎？

　　槿知，我好像听到满山的花都开了。

　　你什么时候，会回去他的身边？

　　就像这满山的花，终有绽放的一日。

　　我们等了七个春夏与秋冬，什么时候，你才会来赴约？

　　淡薄的日光，照亮了山脊。树林，折射出大片碎金般的光芒。寺庙静静矗立在山巅，俯瞰着不远处的城市。

谢槿知穿着轻薄的春装，沿石阶走上去。

电话响了，她接起，就听到冉好连珠弹发般麻利的声音："槿知，身体好点没？中午要不要我给你带饭？"

谢槿知微微一笑，答道："不用啦，我没事。"

两人又说了一会儿，才挂了电话。谢槿知走进了正殿，外头阳光温暖，大殿里却很清冷。佛像，是那样寂静无声地端坐于前方，双眸似乎极为悲悯地凝望着她。

谢槿知三跪九叩。

直至身后，多了个男人。

她抬起头看着他，微微一怔。

从正殿走出来后，谢槿知想，这个男人真是有点奇怪，他说在看佛的相貌，与人有什么不同？

天空碧蓝高远，青草和泥土混合成某种清新的味道，钻进鼻子里。等谢槿知把所有佛舍都逛遍了，又百无聊赖地去找了位算命先生，聊了几句，一抬头，却看到他站在人群中。姿容挺拔，衣冠胜雪。

他居然在排队领斋饭……

她没再注意他。

直至，她拿着两块椰汁绿豆糕，埋头走着，面前，却出现一双黑色男士休闲鞋，还有一双修长的腿。

他站在缀满阳光的树枝下，那么清澈乌黑的眼睛，仿佛蕴着光。脸，还有一点点的红。

谢槿知把糕点递给他，"吃吧。"

他把糕点吃掉了，眉头却微微一皱，有点不太开心的样子。

"我知道你遇到了可怕的事。"他说，"我可以帮助你。"

周围，是那样的静，只有风吹过树梢的声音，还有他短短的头发。谢槿知有刹那的失神，那句话已经到了嘴边——你四肢健全、相貌端正，以后不要再做这种招摇撞骗的事了——却突然愣住。

突然，说不出来了。

她有些呆呆地望着他。心想，这个男人，到底是从哪里冒出来的？

为什么，为什么，她看到未来，不知何时的某一天，她和这个男人，坐在树林中的一个小木屋里，满地都是黑沉沉的电脑和仪器，而他们拥抱着，那么难过地哭泣着？

为什么，为什么她还看到，她和他并肩走在绿树遮掩的夜色里，两人中间，还牵着个小小的男孩子？周围没有别人，那个小男孩的身后居然还有条尾巴？！而她还亲昵地把孩子抱了起来，很开心的样子？人怎么会有尾巴，难道是怪物吗？

谢槿知觉得自己一定是精神错乱了，要么就是她看到的未来出了问题。而当她再次抬起头，触及应寒时探究的目光，心跳突然加快，脸也红了。她一言不发地转身，转身就走。他在身后迟疑道："小姐，请你先不要走……"

谢槿知心中凌乱，走得更快，任由他在身后跟着，就是不理。

可是……

她低下头，看着地上，两人紧紧相随的影子。

为什么她的眼睛里，突然有泪水满溢，看不清路，什么也看不清了？

第七十四章

璀璨群星

斜阳，垂落山间。阳光，将树林涂抹成深浅不一的金色。

木屋寂静。

应寒时从床上坐了起来，半天没有动。

每次醒来时，感觉是一样的。头很沉，模模糊糊、浑浑噩噩。记忆如同沉重泥沼，要过一会儿，才会逐渐变得清晰分明。

他坐了一阵，才起身。有些事，已成了习惯。他走到白板前，写下新的数字，走出木屋，望着残阳下的溪流和林间的薄雾；然后蹲下来，掬一捧冰凉的水，洗去满脸怔然与尘埃。

水沿着指缝，无声流下。

他突然一怔。

手放了下来，穿着白衬衣的身影，就这么蹲在溪边，像是已被定格住。

他缓缓地回过头，注视着洞黑静深的木屋，他站起来，慢慢地、再一次走了进去。

暮色中，一室昏暗。

他打开灯。

橘黄的灯光，划破浑浊，也照亮她的轮廓，她的容颜。

应寒时静静地望着她，没有动。有那么一瞬间，整个躯体仿佛都因为等待和期盼，变得僵硬，变得梗滞。

他就这么在床边站了一会儿，她依然没有动静。他忽然就转过头去，长尾和耳朵已露了出来，只是静静地垂落。

他终于还是转过身去，再一次，想要走向屋外那蔓延的夜色里。

陡然间，他的耳朵微不可见地一抖。他猛地停住脚步，一时间，竟转不过身来。

有什么，极轻地、近乎无力地，触碰到了他的尾巴。他全身都僵住了，尾巴定在半空中，一动也不能动。

他转过身来。

她躺在床上。

她睁开了眼睛。

清澈得如同沉寂了万年的湖水般的眼睛里，蒙着一层迷茫的雾气，每一根睫毛，在灯光下都是清晰的。她怔怔地凝望着他，垂落在床边的手，那纤细无力的手指，轻轻地挨在尾巴的末梢上。

两个人，谁也没说话，也没有动。这么静静地凝望了许久。

应寒时站在床畔，缓缓单膝跪下。然后低下头，把她从床上抱起来，抱进了怀里。谢槿知的眼泪一下子掉落，漫溢近乎干涸的眼睛，疼得不能自已。他的手却抱得很紧很紧，几乎要将她揉进身体里去。她听到他慢慢长长地吐出一口气，像是要努力压抑什么情绪。她的喉咙里好像堵了千斤重块，沙哑地开口："应……寒……时……"

他把头深深地埋在她的肩窝里，哭出了声音。

谢槿知整个身体里，那僵硬得不能动，没有一点力气的身体里，却仿佛每一寸骨骼都在痛，每一寸血脉都在哀号。

"应寒时……应寒时……应寒时……"她一遍一遍用微弱得不能再微弱的声音，叫着他的名字，她哭得没有声音，她哭得近乎崩溃。

璀璨群星，太空中亿万万颗正在坠落和正在闪耀的星。

它们终于听到星流的声音。

将属于我们的那一束光，点亮。

夜深了。

森林里很静很静，有昆虫和鸟低鸣的声音。灯火之下，毛巾冒着温暖的热气，整个屋子仿佛也沾染。谢槿知靠在床上，背后垫了个枕头。躺得太久太久，她还完全动不了。

应寒时就坐在床边，用毛巾，一点点替她擦脸，擦手，擦冰凉的双足。

她只是一眨不眨地望着他。

"想吃什么？"他嗓音温软至极地问，顿了顿却又说，"你太久没吃东西，只能喝粥。我马上去做。"

"没有关系，我不觉得饿。"她低声说。

于是他就没有动，放下毛巾，只是握着她的手，静静地看着她。

谢槿知的目光，越过他的肩膀，落在白板上，看到了716这个数字，还有一行字："每次出来后，增加一次。"她的目光一滞，然后缓缓地回到他身上。

"716次吗……"她轻轻地问。

他只是温和地笑了，眼睛里是漆黑沉凝的光，"嗯。"

谢槿知没有再说话，只是低下头，看着两人相握的手。他的手修长白皙如初，她的手纤细但是少了许多血色。他几乎是将她每根手指，都扣在掌心里。

"难熬吗？"她问了句傻话。

他静了一下，"还好。"

"……哦。"

谢槿知伸手，轻轻摸着他的头发。

"以后……"

以后再也不要你孤单，再也不要你寂寞难熬了。一个人守在这森林深处，守着我们的未来，守着我们的白头。

应寒时像是察知了她未说出口的话语，眼睛里浮现浅浅的波光般的笑意，低下头，吻住了她。

他重新扶她躺了下来，她睁大眼睛看着他。他在她身旁躺下，握住了她的两只手，然后将她圈进了自己的怀抱中。

谢槿知的眼泪又掉了下来，他低下头，用脸轻轻蹭着她的脸，吻去她的泪水。然后尾巴，轻轻地、温柔地缠上来，最后越缠越紧，将她整个缠在自己怀里。两个人之间，没有一点空隙，就像是一个人，终于合在了一起。

一个月后。

入冬了，山区比城市更寒冷。庄冲裹着冲锋衣，躺在学校门口的草地上，嘴里叼着根草。妈蛋，他想，跟顾霁生下棋又输了，愿赌服输，又得在这里吹冷风冻成冰棍才能回去。

学生们已经放假了。暮色降临，院子里有柔黄的光，聂初鸿正在做火锅，顾霁生肯定是霸占着电视。庄冲闻着空气中飘来的食物香气，虽然寒冷，却有些惬意地闭上眼睛。

说起来，好怀念小John的厨艺啊。也不知道，他和他们，最近怎么样了？

正迷迷瞪瞪地想着，耳朵里，忽然听到山坡下传来脚步声，还有他最熟悉的，那金属肢体关节摩擦碰撞发出的吱呀吱呀的轻响。

庄冲的身躯陡然一震，缓缓地睁开眼睛。

凌厉的、银色的金属脸庞，俨然已经杵到了他的面前。萧穹衍将嘴咧得大大的，喜笑颜开地盯着他，"小冲冲！难道是我们心有灵犀，你感觉到我要来，专门在这里迎接我吗？"

庄冲淡淡一笑，一个翻身从地上爬起来，"正是。"刚要伸手将萧穹衍搂进怀中，突然看见了他身后的两个人，整个人仿佛被定住，清秀斯文的脸也有些发白。

应寒时牵着谢槿知的手，微笑不语。谢槿知眼睛里亮闪闪的，像是冬日最干净的溪流，也微笑着，说："怎么？认不出来了？"虽然语气调侃，却说得很温柔很慢。

庄冲呆呆的，伸手就把挡在面前的萧穹衍推开，然后一步一步走到她的面前。他想象过千万遍与她重逢的画面，然后幸福就这样突如其来地抵达他的面前。他的嗓子堵了，"你……"握住她的手，最终只是慢慢地说，"你回来就好。"

谢槿知眼眶一热，伸手拥抱住他。

他们身后，小院中传来脚步声。聂初鸿还系着围裙，就这么跑到了门口，看到这一幕，脚步猛地一顿。顾霁生也跟了出来，有些迷惑地望着他们。

谢槿知望着他们，含着泪笑了。聂初鸿沉默注视她半晌，红着眼，慢慢地、慢慢地也笑了。

这晚，换成了萧穹衍下厨。聂初鸿把顾霁生珍藏的所有好酒都拿了出来，气得顾霁生把自己关在屋里，半天不肯出来。最后还是萧穹衍做的提拉米苏，才求得他的原谅。

小院里烧了个炭火盆，放上张桌子。萧穹衍把刚做好的九宫格火锅，和满满一大桌子肉菜都端上来。大家搬着小板凳，围桌而坐。

谢槿知见应寒时那么高的人，坐在小小的凳子上，一双长腿都没处放，就问："你这样坐着会不会不舒服？"应寒时还没答，一心一意为指挥官服务的萧穹衍，已经从屋内搬了张舒服的藤椅过来，让应寒时换掉。

应寒时确实也不习惯坐在那么窄矮的小凳上，没有推辞，坐上藤椅，一低头，看到谢槿知还坐在他脚边的小凳上，整个人都显得小小一个。他握住她的手，柔声问："你要不要像在家里吃饭一样，坐在我腿上？"

旁边还有好多人呢，谢槿知的脸一下子烫了，瞪他一眼。聂初鸿笑而不语，庄冲大声说道："卧槽，要不要这么秀恩爱？"说完却也笑了。

萧穹衍双手叉腰，得意扬扬地说："这算什么秀恩爱，你不知道他们……"

谢槿知一把捂住他的嘴，应寒时的脸也有点红了，伸手抓起萧穹衍丢到一边去了。

交杯换盏，对月而饮。谢槿知依然一杯就醉，不知何时就真去了应寒时的怀里，迷迷糊糊地倚靠着，闻着他衬衫上的气息，听他低沉清润的嗓音，跟众人讲话。她从未见过应寒时喝酒，今天才知道，他的双眼竟越喝越清明，即使双颊染上一些绯红，酒意却不能令他有半点迷醉。

萧穹衍在旁边非常骄傲地说："你们可不知道，以前指挥官一旦喝酒，那可是放翻整个甲板上的飞行员哪……"

而才喝了半个多小时，庄冲就直接倒下了，趴在桌上开始打呼。顾霁生喝得脸红彤彤的，跑到外面山坡引吭高歌去了。聂初鸿酒量是这些人中最好的，但也被应寒时灌得迷迷瞪瞪的，点了根烟，慢慢地、极为惬意地抽着，过了一会儿，靠在椅子里睡着了。

萧穹衍还在厨房做甜点，院子里一时间就剩下清醒的应寒时和半醒的谢槿知。她靠在他怀里，心想，他们都是太温柔的人，刚才没有一个人提过去的事，没有问她经历了多少，只是嬉笑关怀着，然后太容易都醉倒了。

周围很静，慢慢地，谢槿知听到了下雪的声音，窸窸窣窣。她抬起头，看到雪花如同绒线，一点点从暗黑的天空掉落。应寒时看着她，然后低头吻了下来。

他将她抱起，走进聂初鸿为他们准备的房间。关上门，屋子里寒冷又温暖。唯有窗口的细雪，还在不断地落下，宛如一幅静美的小画。终究是喝了酒，应寒时的身体里像是有一团火在燃烧，望着她微红的清秀的脸，更觉情难自抑。谢槿知被他压在床上，用手抓着他的衬衫，只是眸光流转，不说话。他扣紧她的双手，贴近她每一寸身躯，而后缠绕着，亲吻着，深深地一次又一次地进入她，让她只能蜷缩在他怀中，两个人一起呼吸，两个人一起颤抖。就让这漫天雪夜里，只剩我和你。

后半夜，谢槿知沉沉地睡着了。应寒时虽然舍不得松开怀里的人，但还是起床，穿好衬衫和长裤，披了件薄外套，推门出去。

门外，萧穹衍已经等待多时了。他露出笑容，"指挥官，一切都准备好了。要去看看吗？"

应寒时微笑地颔首道："好的，辛苦了。"

主仆两人很快就到了学校背后的半山上。

夜半三点，雪已停了，月亮挂在半空中。这里的杜鹃花海早已谢了，树叶也全掉光，然而每一寸树枝上，都堆着晶莹的雪。远远望去，千树万树，雪花盛开。在月光的映照下，幻美得不可思议。

一张Kingsize的大床，端端正正地放在花海之中。

应寒时和萧穹衍到来时，庄冲正在一枝一枝往床边放玫瑰。聂初鸿则爬上了树，在床顶上方挂上五颜六色的小彩灯。顾霁生则被安排站在山崖旁，对着朗朗乾坤，正在练习唱婚礼进行曲。

萧穹衍问道："指挥官，怎么样？"

应寒时负手而立，眼睛里浮现一层清清亮亮的光芒，"非常好。"

萧穹衍说道："哦耶！"走过去，跟庄冲极有默契地一击掌。

聂初鸿从树上跳下来，从旁边拿起另一大束玫瑰，递给了应寒时，微笑道："万事俱备，我们马上撤，就等你带女主角来了。"

应寒时的脸微微一红，接过花，"多谢。"望着那片片饱满红润的花瓣，蓦然间想起很久很久以前，也是在这里，谢槿知握住一片花瓣，对他说："你看，像不像你的耳朵？"心中更是柔情万千，阵阵激荡。

他握着花，转身，尾巴已经自己跳了出来，不疾不徐、沉沉稳稳地说："好，我去等她。"可是话没说完，人已经化作一团流星般的光影，往谢槿知所在的方向去了。

聂初鸿、庄冲和萧穹衍站在原地，同时一愣，然后都笑了。

"老天保佑！"萧穹衍还有点紧张，对着月亮拜了拜，"指挥官的求婚，一定要成功！"

屋门轻掩，应寒时握着花走进去时，谢槿知依然熟睡着。

他在床边坐了下来。

西装已经换好，戒指也放在他的口袋里。坐了一会儿，他低下头，从衬衫口袋里，掏出另外两样东西。

户口本和身份证。

应寒时稍稍思忖，刚刚庄冲并没有提到，这两样极其重要的东西，应该如何在求婚过程中使用。想了想，他把它们拿出来，郑重地夹在了玫瑰花中十分醒目的位置。他的脸上露出一点点笑容。这样，应该就不会错了。

她睡得很香，也很沉。呼吸均匀，脸庞柔软，触手可及。

应寒时安静地等待着。

尾巴，始终轻轻地在身后摇着。兽耳，不太受控地通红竖立着。窗外，不知何时又下起了大雪，白色而纯洁，一片片轻轻落在窗棂上。蒙着雾气的窗外，一轮明月，悬挂在夜空中。

应寒时等着等着，低下头，绯红的脸上，兀自有了浅浅的温柔的笑。

群星在上。原来这世间最美好的事，就是那年那月那日，我终于与你相逢。

此生已忘言

夏清知很小的时候，就感觉爸爸妈妈并不喜欢自己。

好几次她睁开眼，就看到他们用很奇怪的眼神看着她。她伸手想要抱抱，想要亲近，他们俩却都不理。

那个时候，她就会觉得很难受，也是懵懂茫然的。

后来懂事了才知道，父母那时的眼光，叫作惊恐。因为小小的她，总是不由自主地出现在不该出现的地方。

"这个孩子……小知她……莫不是撞邪了……"妈妈压抑哭泣的声音传来。

"她是鬼吗……"爸爸低声嘀咕。

"知知不是鬼！不是！"才几岁的她，听到父母的窃窃私语，急得不行，冲进半掩的房门。母亲到底还是哭着抱住了她，父亲却退开了几步。

"爸爸妈妈，不要不理知知，别不要知知！"她在母亲怀中哭道。

"嗯……乖孩子……"母亲柔声哄道，"爸爸妈妈会永远爱知知的，会跟知知在一起。"

后来，夏清知渐渐知道，所谓的承诺，都有失效的那一天。无论亲情，还是爱情。

父亲一直就是个赌徒，在她十岁那年输光一切，跑了。她和母亲开始艰苦的生活。母亲每天要做好几份工，甚至卖掉了家里的大房子，搬进了个老旧的小区，才勉强还上赌债。而她自小就沉默寡言，要学会自己做饭，洗衣服，做一切家务。每天上学放学，不会有人接送，即使下大雨，也要在老师无奈的注视下，一个人淋着雨走回来。

到十二岁时，她终于可以控制瞬移能力了。这是只有她和妈妈知道的秘密。当天晚上，她就进入了一家富人的别墅里，偷了一沓钱回来，递给妈妈，然后淡淡地说："妈，你以后不用这么辛苦了。"

妈妈迎头就给了她一个响亮的耳光，"这钱哪儿来的？偷来的？"

她不出声。

生活已经将曾经温柔的妈妈，磨砺得粗糙暴躁。她揪住夏清知的头发，狠狠地说道："清知，我们是穷，但是永远不能做违背良心的事。再也不许你偷，再穷也不准偷！"

"知道了知道了——"她疼得哭了，挣脱妈妈的手，跑出门外。再回头时，却见妈妈颓然倒在地上，望着她，脸色显得后悔，但又执拗。

后来夏清知再也没偷过，直至母亲也离开她的那一天。

那年她十五岁。

母亲也许能够经受磨难，坚持让她做一个善良正直的人。但是母亲无法抗拒爱情。孤身无依的她，终于爱上了另一个男人。那个出租车司机也愿意跟她在一起，但条件是不能带孩子。

那是一个细雨蒙蒙的早晨，夏清知躺在床上，听着母亲轻手轻脚收拾行李。最后，似乎在她房间门口站了很久，然后走了进来。

夏清知闭上眼睛，感觉妈妈在自己额头轻轻一吻，然后有泪水掉了下来。

夏清知忍着，没有掉眼泪。

"去吧。"她想，"开始你新的生活，妈妈。我一个人也可以生活下去。反正生活本身，也没有太大差别。"

母亲离开后，夏清知真正开始了属于她的生活。

家里开始变得乱糟糟的，她一点也不喜欢收拾，凌乱让她感到拥挤，拥挤让人觉得空间是满的，莫名就有种安全感。

母亲留下的钱只够她支付学费，她开始肆意穿梭在夜色间，在她能够抵达的任何地方，拿自己喜欢的、需要的东西。并且由一开始的生涩蹩脚，逐渐变得熟练缜密，不留下任何痕迹，不被任何人发现。

但是她只到那些富得流油的人家里拿东西，并且留下自己需要的部分后，多半都丢给流浪汉，或者孤儿院。

她渐渐开始喜欢这样的生活，自由、自我、掌控一切。她渐渐开始讨厌白天，只喜欢夜晚的穿梭。有的时候，她会花上几天时间，累得精疲力竭，跳跃到很远很远的大海边。望着天空的璀璨星空，她想，自己到底是什么物种呢？会不会是外星人呢？会不会有一天，外星人驾驶飞船来接她，逃离这个寂静又无聊的星球呢？

沈家是全城首富，他们的庄园，自然也是夏清知去得最勤的地方。她从那里拿了钞票、首饰、灯具……甚至从花园里挖过几株品种奇异的花，但是没几天就被她养死了。有一次看到沈嘉明买了台70英寸超薄液晶电视回来，那几天她正好想看世界杯，于是花了很大力气，累死累活也搬回了自己的小窝里。

至于沈家时常流传的闹鬼传闻，她才不管。

第一次见到穆岩，也是在一个寂静的深夜。

对于沈家的人口，她早已摸得门儿清。除了几十个用人，一堆傻里吧唧的保镖，沈氏父子，就还有个书呆子科学家，也颇为无聊。

所以看到立在湖边的清瘦青年，她颇为好奇地藏在树丛里窥探着。

他个子很高，穿着白衬衫和深灰色长裤，正是夏清知最喜欢的身材。头发剪得很短，整个人透出种工整干净的味道。侧脸并没有帅得很过分，但是眉目是难得的清朗分明，气质很好。

他站在湖边，要干什么？

夏清知很有耐心地等待着。

直至他微微低下头，柔声问道：“在沈家扮鬼吓人的，就是你吧？”

他侧头看着她的方向。于是夏清知看清了他的眼睛，那双干净得好像无限平静的湖水的双眼，仿佛能穿透夜色，穿过面纱，看清她的所有。

夏清知应该走的。在这种情况下，她应该转身就走，避免泄露自己的秘密。

可那天，她竟然鬼使神差般，缓缓站了起来，没有逃。

“我不明白你在说什么。”她冷淡地答道。

他在看清她的那一刹那，却是一怔，“原来你……”

夏清知心头一跳。

"原来你拥有时空裂缝。"他温和而平静地说。

周围那么静，月色明亮地照在他们身上，夏清知却像置身在惊涛骇浪中。她完全不明白，这个男人，为什么一语就道破了她讳莫如深的秘密？

后来，过了很久她才知道，这个来自超高等文明的男人，一双眼可以看清很多东西，包括星辰的运转、太阳的衰亡速度、她身边的时空裂缝……

只是，太过善良的他，却看不透人心。

但这时，夏清知平生头一回，不知所措地慌乱了。

他却静默良久，眼中却有了些许怜意，"别再偷东西了。"

夏清知的脸突然红了，狠狠瞪他一眼，瞪得他怔住，而她转身跑进了银光中。

这对夏清知而言，是从未有过的感觉。当她穿梭于城市灯火通明的上空，脑海中反复浮现的，是他的那张脸。

明明也不是很帅。

她决定跟踪并且了解这个男人，因为这是她第一次遇到，比自己还要奇怪的人。

第二天，同样夜色清寂的时分。

穆岩坐在沈家的实验室里，翻看一些资料。头顶一盏柔和的灯，将他的身影拉得很长很长。某个瞬间，他抬起头，看到了站在角落里，望着他的女人。

跟昨天一样，她依然戴着面纱，只露出眼睛。

以前穆岩从不知道，原来女人的眼，可以包含这么多神色：清亮、好奇、羞怒、故作镇定……

也许是夜色太静，她的身影又太瘦弱，穆岩望着那双眼睛，莫名感到心头发软，并且，有一丝歉疚。他不确定自己昨晚的话，是否太重了。

但他并不擅长安慰女人，于是只是朝她笑了笑，然后温和地问："要喝茶吗？"

夏清知想，这人为什么要对我笑呢？他果然古怪得很。

但开口却是淡淡地答道："随便。"

于是穆岩真的起身泡了杯茶，递给她。她扫他一眼，"没下毒吧？"

他怔了一下，低头就喝了一小口，目光清澈、坦荡无比地再次递给她。

夏清知这才接过，想喝，又有点嫌弃，他喝过了啊。最后还是端起，小口小口抿了起来。同时想，他不会是故意的吧，难道连间接接吻都不知道？看那直愣愣的样子，好像真不知道。

关于能穿越空间这件事，她也翻过不少书，所以上次他提到"时空裂缝"，她一听就明白。她问："你为什么知道我有时空裂缝？"

他端起自己的茶，也喝了一口，答道："对不起，这件事暂时不能告诉你原因。"

夏清知看他一眼，放下茶，转身就跳下了窗户。

"等等！"他追过来，可是窗外空荡荡的，地面也宁静一片，哪里还有她的声音。

次日晚上，穆岩再次来到实验室，却发现傅琮思一脸头疼地在收拾，桌上的仪器被人弄得东倒西歪，地上还扔了很多花花草草和泥土，椅子也东倒西歪。

傅琮思迟疑地望着他，"穆岩，你……昨天心情不好？"

穆岩诧异地问道："为什么这么问？"

"这些……不是你弄的？"

穆岩愣住，然后失笑道："不，当然不是。是……"

"是谁？"

穆岩却住了口，脑海中浮现那双清亮而寂静，还带着些许任性傲慢的眼睛。她怎么可以……怎么可以，这么不讲道理呢？

之后一连好几天，穆岩都没有再见到她。可是每当他落单时，总能感觉身后有人跟着。他进出沈家，去探望朱馆长，抑或是在长江边漫步，那个身影总是远远跟着。当他回头时，她却立刻转身不见，只余他望着空荡荡的路面。

于是，挑了个清风明媚的日子，穆岩没有约朱馆长，而是一个人去爬山了。

山很高，太阳也很大。即使伴随着不断的瞬移，夏清知也累出了一身汗。好不容易就快到山顶了，她站在茂密的树丛后，双手叉腰望着远处那个清逸的身影，可真想冲上去踹他一脚啊。叫你爬山，没事爬什么山？是不是故意整她啊？

而且她也真是发神经，干吗成天跟着他？想知道他的秘密，直接拿把刀跳到他身后，抵住他脖子问就是。上次她抓住那名杀死老奶奶的抢劫犯，就是这么干的，驾轻就熟。

正在心中默默计划着，忽然间就感觉到某种清冷干净的气息逼近。她来不及回头，手臂就被人轻轻握住了。

她全身一僵，转头望着他。

他眼眸里有一点点笑意。

"你……"他开口。

夏清知奋力一挣，无奈体力消耗过大，居然没挣脱，自然也跑不掉了。

"你为什么会在这里？"

"你为什么会在这里？"

两人同时开口。

而他果然是老实的，听她发问，顿了顿，答道："我从旁边绕过来的。"

夏清知却不回答他，只冷冷道："松手！"

他犹豫了一下，没放。

夏清知笑道："男女授受不亲，没想到你是这种人。"

他几乎立刻就松开了，夏清知转身就跑。谁知站得太久，心里又有些紧张，腿竟然一阵发软，脚下又是不太平坦的小山坡，她脚下一滑，就摔倒在地上，脚踝狠狠撞在一块棱角尖利的石头上。

她皱起眉头，想要再次站起，脚踝却一阵钻心的疼。不得不掀开裤脚看了看，果然流血了。

穆岩站在她身后，阳光那么大，他一低头就看到她白皙纤细的脚踝，光洁得好像没有一丝杂质，在阳光下白得近乎透明。他只要一伸手，就能完全握在掌心里。

他突然很想看看她的脸。可此刻她虽然没有戴面纱，却戴了顶垂着薄纱的帽子，他只能隐隐看到清秀的轮廓。

夏清知感觉到他的目光一直停在自己身上，她抬起头，就看到他盯着自己的脚踝，看得目不转睛。她忽然又羞又怒，瞪他一眼，揉着自己的脚。

穆岩在她面前蹲了下来，目光坦诚地望着她，"你为什么又瞪我？我到底做错了什么？"

夏清知索性胡搅蛮缠，双手搭在膝盖上，盯着他说："你知道了我的秘密，却不告诉我你的。这不公平。"

穆岩不出声了。

"不说拉倒。"夏清知站起来，他却眼疾手快，伸手扶住了她。夏清知不经意就靠在了他的胸口上。两人身上都有汗，他陌生的男子气息，将她包围着。夏清知的脸顿时一烫，"松手。"

穆岩低头看着她。她身上有微微的汗味，却也有某种淡淡的馨香，像夜色中某种花的气味。

"你受伤了。"他说，"我帮你简单处理一下，不要乱动。"

夏清知明知应该拒绝，可就是冷着脸，又坐了下来。

所谓的处理，不过是脱去鞋袜，然后他拿起她带的矿泉水瓶，浇在伤口，冲去泥沙。然后他从口袋里掏出块干净的浅蓝色的手帕，替她绑上，然后再帮她把鞋子套上。

夏清知盯着脚踝上那块属于他的手帕，心想，这年头，带纸巾的男人都少，带手帕的更是罕见。

他为什么总是这样与众不同呢？

正出着神，就听到他平和的声音响起："你……为什么想要知道我的秘密？"

夏清知一怔。

抬眸，就看到他幽黑的眼睛。他非常认真在问她。

夏清知沉默了一会儿。他就这样蹲在她的面前，安静地等待着。

"因为……我从来没有遇到过，跟我一样奇怪的人。"她答，"因为你不害怕我，不讨厌我。"

他彻底愣住了。

半晌之后，他低下头，轻声说："我明白了。"

这天，是他扶着她走下了山。他们走得很慢，到山脚时，天已经快要黑了。一路谁也没多说话，只有在走过不太平坦的路时，他会低声提醒她当心。

夏清知已经非常后悔了，为什么要对他说那样的话？因为你不害怕我不讨厌我？搞得她好像很脆弱似的。她现在只想马上走完这段路，然后回家。

可是步子，怎么就是挪不快呢？

然而到了山脚时，他忽然停步，说道："我叫穆岩，肃穆的穆，岩石的岩。你叫什么名字？"

夏清知犹豫了一下，答道："清知，夏清知。"

"我愿意告诉你，我的秘密。"他说。

夏清知骤然转头，却撞见了他清风明月般的笑容。他的眉目那么柔和，眼中也有清雅的光。明明才认识了数日，明明才第一次知道彼此的名字，他看她的目光，却像是看十分重视的知交。

"你是否看见山上的石林了？"他缓缓地问。

夏清知点了点头。

他平静地笑了笑，似乎有些不知怎么措辞，最后说道："我……其实也是一块岩石，那些，都是我的分身。"

夏清知静静地看着他。

过了一会儿，她"哦"了一声，挣开他的手，一言不发转身就跳进银光里，只留他怔怔站在原地。

转眼间，夏清知已跳到自己的房间里，迎面就是凌乱的床铺，她一头扑倒下来，跟摊尸一样，一动不动。

过了一会儿，她把脸转过来，望着窗外刚刚升起的月亮，忽然笑了。

她以为她撞见的是另一个奇人异士，没想到他竟然是个神经病。

可是她……好像喜欢上这个善良又温柔的神经病了，怎么办？

夜晚对于穆岩来说，忽然变得值得期待。

因为每当夜深人静时，当他落单时，她就会出现。有时候，是站在他的书桌旁，盯着他桌上的书，颇为好奇地拿起来，翻了几页，又嫌弃地丢掉；有时候，是在他走夜路时，她无声无息地贴着他后背出现，尽管他心胸开阔胆子大，也被她吓得够呛。而她就会弯着那双眼睛，安静而得意地笑。

也有……在他刚洗完澡裹着浴巾出来的时候，她突然出现，两人同时一愣，他面红耳赤，她转身就走，结果步伐没控制好，银光还没出现，她一头就撞在墙上。他连忙将她拉过来，手不知不觉就覆上她的额头，"疼不疼？"

"疼死了……"她嘀咕道，一转头却望见他的胸膛，顿时就跟针扎似的转过脸去，"你为什么不穿衣服？"

他真的非常无奈地说道："清知，我刚洗完澡……"

她不吭声了，两人离得这么近，又是夏天，她穿得单薄，他身上还有微湿的水汽。他忽然伸手，在她的脖子上碰了一下。夏清知完全不明白他这个举动的含义是什么，却感觉到半边脖子都热了起来，像是都残留着他手指的温度。

"那我下次再来。"她挣脱他的手，走进了银光里。即将消失前，又回头看了他一眼。四目凝视，竟都怔忡。

第一次亲吻，是在从沈家庄园，回她家的路上。那时他们已经非常熟络了，夏清知站在庄园外的小路上，等他出来。然后两个人，一路慢慢地走。

她跟他说起这晚穿梭时，看到的一些好玩的事。他则跟她说，这些年在这边的生活，和一些朋友。

到了她家楼下，她依旧是一副什么都不太在意的模样，说："那我上去了。"转身之时，手却被他拉住。

"清知，我……"他顿住，唯有那双眼睛，那么漆黑澄澈地看着她。

夏清知想把手抽回来。

没抽动……

她用脚一踢肮脏街道上的碎石，"你想干什么？"

他什么也没说，手上一用力，就将她拉进怀里，低头掀起她的面纱，吻了下来。

这是夏清知第一次跟男人亲吻，他的嘴里，有清淡甘甜得如同水果般的味道。他吻得很温柔，又有些青涩的急切，像是怕她抗拒，又怕她跑掉，所以把她抱得很紧。吻了好一会儿，只吻得她全身发软，才缓缓松开她。

然后，就是两个人的脸靠得很近地看着彼此。夜色那么黑，他们拥抱着，就像两个无家可归的小孩。

"清知，我可以……这样对你吗？"他轻声问。

夏清知的脸彻底红了，但她向来淡定，也不太擅长言语。于是她鬼使神差模棱两可地答了句："还行吧。"

然而这样的回答，已经令他展颜笑了。夏清知望着他的笑脸，只觉得他身后的满天星星，仿佛都要坠落在他的眼底。

然后就在他的目光中，脚步都有些飘忽地上了楼。

就这样。她想，一切都刚刚好，那么的好。生命中第一次出现，她想要留住，并且也许可以留住的人。

她要每一步，每一步，用尽所有真心和力气，跟他走下去。

第一次看到他的分身们，是在一个薄雾未散的清晨。她被他带到山顶，睡意未完全醒透，还有些生气，"穆岩，你真的不用向我证明什么。"

穆岩却头一次对她执拗。因为相识了这么久，对她讲过那么多的事，最近他才知道，她居然是不太信的，甚至以为都是他的呓语。

当第一缕阳光从山巅升起，他牵着她的手，站在石林前，说："也许会匪夷所思，你不要害怕。"

她答道："世上没有能让我害怕的事。"

他微微一笑，然后抬手，就这么拍了拍其中一块石柱的顶端。

不可思议的事情发生了。她看到石柱突然开裂，成了好几块，然后竟然站了起来，依稀是个人形。她看到它的石质表面，迅速分解变化，看到坚硬变得柔软，看到灰暗变成白皙。

她看到它扭动着僵硬的四肢，在她面前站了起来。轮廓身形逐渐清晰，它抬起湛黑的眼眸望着她。

依稀，就是另一个穆岩。

她心头巨骇，说不出任何话来。而身旁的穆岩见状又轻轻拍了它一下，

"继续睡吧。"

于是它又在她面前，将刚才的过程，反向进行了一遍。

它变回了一块石柱。

"是不是吓到了？"他在她耳边问。

夏清知静默良久，答道："你让我缓缓。"

然而这天下山时，她却问他："所以，你跟我说的那些事，都是真的？"

他沉默了一会儿，答道："清知，我对你讲的每一句话，都是真的。"

"所以你带着这些石头，一个人航行了数百光年，才来到这里？所以你已经没有母星了？"她望着他，"所以……你会拥有无穷无尽的生命，而这几年，一直一个人努力适应着这里的生活？"

他看着她，说："是。"

那晚，夏清知回家后，睡得极不安稳。到了半夜，终于爬起来，直接跳跃到他的卧室里。

他已然安睡。

他说过，虽然来自超级文明，虽然拥有无数分身和无尽寿命，但他基本上是个普通男人。

他连睡觉时，都是安静可爱的。眉目平和，面容放松，双手轻轻放在身侧。

夏清知在床边看了他好一会儿，低头轻轻在他脸颊一吻。

她想，这个笨蛋，厚道又木讷的笨蛋，什么时候，才会对我表白？什么时候，才会明白，我早就想跟他在一起了？

那晚之后，夏清知再也没有见过穆岩了。

他就像空气一样，消失在她的生命里。无论她在夜色中穿梭多少次，去每一个他们去过的地方，也找不到他的身影。

研究室里从此沉寂，除了傅琮思，看不到别人的身影。朱馆长的家里也没有，她看到许多次，朱馆长站在家门口，神色凝重地眺望，然后还对身旁人嘱咐："如果穆岩来，一定要告诉我。他到底去哪里了？"

她也登上了每一座山峰，可是唯有寂静的石林，与她对望着。风吹过树叶，发出沙沙的声音，像是它们也在无声地对她倾诉心中的牵挂。

　　她也曾花钱遣人，去敲沈家的门，佯称是穆岩的朋友，一时找不到他了。结果沈家上下，所有人都统一口径，说穆岩前几天就离开了，他们也找不到。

　　她甚至在某个夜晚，直接跳跃到傅琮思背后，用刀抵住他的脖子，冷冷地问："穆岩呢？你们到底把他藏到哪里去了？"

　　傅琮思震惊莫名，竟然不怕死地转头望着她，"……是你？你为什么要找他？"

　　"他到底在哪里？"

　　他缓缓地答道："他去了很远的地方，你不要再找他了。你到底……"

　　夏清知不可能真的杀了他，转身就走了。

　　去了很远的地方吗？

　　她坐在屋顶上，抬头仰望星空，心想，是不是出了什么事情，所以他来不及道别，才暂时离开？对，一定是这样的。

　　那她要不要等他？

　　等吧。虽然他有无穷无尽的生命，但是她也有好几十年，可以等，她等得起。

　　后来，沈家就开始大兴土木，而一向深居简出的朱馆长，居然一反常态，为他家测算风水，并且力荐沈家从山上移了许多块石柱过去。

　　好几个晚上，夏清知站在沈家的楼顶，冷眼看着他们把石柱一块块镶进墙里。隐隐间，她似乎有了某种预感，却完全不愿意去深想。只是每一晚，都在沈家的角落，徘徊等待着。

　　跟它们一起等待着。

　　等他终于回来。

闻说双溪春尚早

晚霞朵朵，流火般缀在天边。天空就像是被烧透了，碧蓝中透出明媚的红。深春时分，路边每一片树叶，都显得青绿饱满，溢出一点点香气。

冉好百无聊赖地走着。一天天这样上班下班，没有半点波澜，当真是无聊。

其实吧，她昨天去相亲，也见了个传言中的"高富帅"。人家的确也高，一米八几，就是身材竹竿了点，看起来很"平面"；的确也富，据说他爸名下有好几个养猪场，随便一个养猪场就能养活好几个冉好；至于帅……长得也算是细皮嫩肉，五官也周正，完全不像养猪场少东。可是一坐下来，那人就叨叨叨，叨叨叨，说结婚了女方就要在家当全职主妇啊，一定要生三个孩子啊，他很想要温柔乖顺的妻子啊……冉好当时听得就头大，脑海中已浮现个猪圈，而自己被装在里面的画面。

后来吃完饭，少东还邀请她去酒吧坐坐，言语肢体间颇有暧昧之意。冉好也给自己做了一番心理建设，心想，猪就猪吧，她的人生目标本来不就是找个高富帅，过上米虫的生活吗？可是临到酒吧门口，她实在是狠不下心，借口有事，终于还是跑掉了。

相亲就是抱着明确目的耍流氓，可冉好既想耍流氓，又想做等待王子的公主。其结果，自然是流氓耍不成，公主越来越饥渴。

下班的路上，她要穿过个公园，去坐地铁。此时暮色渐渐浓了，公园里人不多，很静。她走过一条石板小路，看见树丛中的石凳上，坐着个男人。

男人的身上非常脏，头发也黑油油的，有股味。但是他给人的感觉有点奇怪，冉好多看了两眼，发现是因为他坐得很直，双手也平平地放在膝盖上，完全不像其他流浪汉颓靡懒散，看起来非常淡然。

察觉到冉好的注视，男人抬起头，看了她一眼。

对于这种人，冉好向来躲得远远的，立刻快步走掉了。

这天晚上，冉好躺在床上，脑海里总是浮现一双眼睛。棕黑色瞳仁，似乎比普通人颜色更浓重。

有些人身上是有气场的。譬如谢槿知，清清冷冷的，却像是对任何事都心中有底。跟她在一起，冉好就会觉得很安心。譬如应寒时，气场就更凸显了，清风明月，温润孤绝。你站在他面前，就有种被那淡淡光芒笼罩的感觉。

庄冲和馆长，没有任何气场。

可是，一个流浪汉，为什么会让她觉得气场强大，印象深刻？白天两人对视的一刹那，她竟然感觉到心脏一紧，就像被野兽盯住了。

第二天下班，冉好走了相同的一条路。手里还提着个小塑料袋，里面放着一块面包和一瓶矿泉水。

她的动机和心情难以形容。有点好奇，有点紧张，有向人施舍时的那种满足感，还有不循规蹈矩的冒险快感。因为对方明显是个英俊而野性的男人，却也是泥草一样的社会最底层。她也不明白自己为什么要来，大概最直接的原因，还是因为男人那张堪比杂志男模的脸。

冉好走过花丛，走入那条僻静的小路。

今天天气阴沉些，树梢下，男人单手搭在额头上，躺在石凳上睡觉。旁边恰好走过另一个流浪汉，捡起地上不知谁扔的半个包子，大口吃掉走远了。男人却似乎并未察觉，躺着没动。

他……不跟别的流浪汉抢食的啊。冉好暗暗地想，不知道她把水和面包留在旁边，他会不会吃呢？其实冉好今天所谓的"冒险"，也就是丢下东西，然后跑掉而已。但就这么点事，也足以让她这种良家妇女，心底的那一撮小火苗躁动了。

她往前走了几步。男人突然睁开眼睛，她吓了一跳，站住了。

四目凝视，两人都没说话，也没动。有一片树叶，从他头顶飘落，落在了他胸口那辨不出原本颜色的衬衣上。

虽然脑袋依旧黏稠得像糨糊，什么也想不起来，但林对眼前的年轻女人，是有印象的。这几天他流落街头，这个星球这个城市的人，对他都是避而远之，令他心头隐隐生出几分怒意，但是按捺不动。因为他还没把自己到底是谁，为什么会在这里想清楚。

这个女人，昨天也是在这个时候经过。一看到他，就露出兔子一样受惊的眼神，有点可笑。但她的目光中，又有几分清澈的探究。那双黑宝石一样剔透明亮的眼睛，他记住了。没想到今天，又遇到了她。

林的目光沿着她的脸下移，落在了她手里的面包和水上。挺直的长鼻梁，鼻翼微微翕动。刚才，他就是闻到食物的香味，才睁开眼睛。现在，她就站在他脚边，那香味更加往他鼻子里钻。他听到空空荡荡的肚子里，一连串略急的叫声，干涸许久的喉咙，也越发的烧。他不动声色地吞了一下口水。

但这小动作却被冉好注意到了，因为他那笔直的脖子上，极有男人味的喉结滚动了一下。她有点想笑，但又莫名不敢，然后她不知道，就是这么一刹那，林却已拿定了主意。

身为一国之君，他即使饿死，也绝对不会去乞讨。想到这里，他突然一怔。

一国……之君？

然而肚子叫得更响了，林就暂时按下心头疑惑，不露声色地注视着冉好。

他绝不会去乞讨，也不会偷。

但是他可以抢。

掠夺乃帝王本性，坦然为之。

他站起来。

冉好这才发现，他比她想象的更高，至少有一米九，她才到他的胸口第三颗纽扣。男性躯体带来的压迫力太大，她下意识往后退了一步。

"给我。"林淡淡地说。抢这样一个女人的东西，他心中还是有点讪讪，甚至懒得动手。

然而大概是因为他的嗓音太低沉磁性，眼神又太深邃，暮色照在他的身躯上，又太过硬朗英挺。明明是命令式语气，却被心中小鹿乱撞的冉好，听成了疑问句："给我？"

他问，是不是给他的。冉好轻咳了一下，脸也有点烫了，把塑料袋递过去，语气淡淡的："嗯，我这个人，最喜欢做好事了。"

林静了静，接过塑料袋，撕开包装纸，三两口就把面包吃完。然后拧开矿泉水，抬起头就喝了起来。

冉好睁大眼，看着他一口气喝掉一整瓶，然后把瓶子和塑料袋往旁边垃圾桶帅气地一丢，抬头再次看着她。

"你可以走了。"林说。

冉好愣了一下，看着他重新躺下，闭上眼睛，居然一副大爷的姿态。

"喂，你难道都不跟我道声谢吗？"冉好喊道。

林睁开眼，瞥她一眼，说："明天，继续送食物和水过来。"

冉好："……"

冉好觉得，自己就是碰见了一个神经病，一个无赖！好心施舍他，居然被他赖上了，明明是个流浪汉，却一副高高在上的语气，让她继续送吃的？她有病才会听他的话！

次日傍晚。

冉好拿着一大包达利园派，慢吞吞地走在公园里。她给自己的解释是这样的：谢槿知经常教育她要做好事，现在她既然做了，就要有始有终。而且，就当是给自己行善积德，这样她始终不旺的桃花运，说不定就会变好。

他果然还在原处，这回连起身都懒得起了，只看着她。冉好把派丢到他身上，他依旧没道谢，接过就吃。看他把一整包都吃完了，冉好才轻哼一声，转身走了。

第一天，面包。

第二天，达利园派。

第三天，小炒肉盒饭。

第四天，鸡腿盒饭。

第五天，肯德基全家桶。

……

冉好觉得，自己这些天，真的就跟犯病了中邪了一样。每天准时去投喂那个男人，看着钞票一张张飞走。她总是跟自己说今天一定不去了，可每到下班铃响，她就坐不住了，心中那撮小火苗，仿佛又野野的、燥燥的，烧了起来。她问自己，冉好，你到底是要闹哪样？你的人生目标是被高富帅娶回家，当宠物一样呵护娇养一辈子。现在呢？这个空有皮相、穷困潦倒的流浪汉，都快被她包养了……

她的人生，绝对不该是这样的啊！她要被包养，不要包养男人啊。

终于，在连续投递了两个星期后，谢槿知从外地回来了。她一回来，冉好就像找到了主心骨。这天下班时，跟谢槿知去逛街，逛着逛着，天就黑了，然后顺理成章、理直气壮就坐渡轮回家了，没有经过那个公园。

冉好的家在江对岸，一个有些年头的单位小区。父母都在外地，她一个人住。夜色又深又静，路灯照在香樟树上，在地面投射出片片剪影。她走得有点慢，有点心不在焉。等上了楼，摸出钥匙，一跺脚，声控灯亮了，她看到家门口的楼梯上，坐着个人。

冉好的眼睛都看直了，心也吓得怦怦地跳，深呼吸几下，镇定下来，"你怎么会在这里？"

林的双手搭在膝盖上，因为身材太高大，腿太长，坐在楼道里显得非常局促。他抬起头看她一眼，然后站了起来。空间这么小，冉好一下子被他逼退到墙角，有点战战兢兢。他的手按上她身旁的墙壁，语气不太好："今天为什么没来？"

冉好咬了一下嘴唇，转过头去，"我没有义务每天去。"刚要拿钥匙打开门，忽然又顿住，再次看着他，狐疑中带着点紧张，"你……怎么知道我住在这里？你想干什么？"

林根本不屑于回答这样幼稚的问题。他只知道，今天夕阳西下时，他在公园的长椅里等了很久，等到其他流浪汉都散了，等到天一点点黑透，这个女人还是没有来。之前每一天，他只当她是一个傻里傻气好摆弄控制的姑娘。可今天，他却有种被愚弄的怒意。

楼道上方响起脚步声，林一把抢过她手里的钥匙，打开门，将她推进去，然后闪身而入，反手关门。一系列动作流水行云，冉好完全没反应过来，就被他单手搂着腰，进入了黑暗的室内。

没有开灯，伸手不见五指。男人有力的手指，隔着薄薄的春衫，贴在她的腰上。她的脸也被迫贴在他的胸口，感觉到微微的热气。冉好从未遇到过一个男人，有他这样浓烈的男人气息，一时间心跳如鼓擂，又急又慌。

"你想干什么？别乱来！我、我可是很有背景的，你要是伤害我，一定会后悔！"

完蛋了完蛋了。冉好都快要哭出来了，没想到他竟然不是好人，谋财害命？先奸后杀？她算是引狼入室，栽在他的美色上了……实在不行，能不能只奸不杀啊……脑子里混混乱乱想着，他却始终沉默着。

啪的一声，他把灯打开了。

冉好看着他近在咫尺的脸，意外地发现他居然在微笑。淡淡的，有点玩味的笑。他松开了她，目光迅速环顾一周，"你一个人住？"

"是……不！我跟好几个朋友一起住，他们马上就回来。你如果不想被抓，就赶紧走！"

林扫一眼玄关唯一的女式拖鞋，再看看室内明显女孩独居的布置，又笑了笑，没说话，径直走了进去。

冉好贴在门边，没敢动。他想干吗呀？看样子不像是打算对她犯罪，那从容的神色，深沉的双眼，还有举手投足间的气度，倒像是在睥睨审视她的家。

林确实是在审视。

原本，他只是心中不悦，就来找这个女人。身为帝王，他想做什么就应当做什么。然而此刻，看到她布置得温馨干净的小屋，虽然还是算简陋，但比他这些天住的桥洞和公园强多了。

看完一圈，林在沙发坐了下来。

冉好看着他的黑脚印踩满整个房间，看着他全身脏兮兮的，却动作款款地在她的真皮小沙发里坐下。然后抬起头，一只手搭在了靠背上，目光幽沉地盯着她。

冉好突然有了很不好的预感，比被劫财劫色更糟糕的预感。

"你、你这是什么意思？"她问。

林看着她的小脸，又红又白，真的像兔子一样。他的手指在沙发上一下下地敲着，慢慢地笑了，"一天一顿饭，已经喂不饱我。这里的一切，我都占了。"

冉好目瞪口呆。

他却起身，走向卧室，忽然又停步，淡淡看她一眼，"包括你。"

稀疏的星子，悬挂窗外。夜风吹动薄薄的窗帘，窸窣作响。在这一片寂静中，冉好脑子里却像有根弦绷断了。

神……经病啊！

眼见他就要步入卧室，她的闺房，一副全盘接收的姿态，冉好转身就往门口跑。

"啊！"她一声尖叫，已经被人拦腰抱起，身子腾空。她不可思议地看着他——跑得也太快了吧。然后她就被丢在了沙发上。

"放我走！"冉好眼泪汪汪地说。

林扫她一眼，弯腰脱下了她的鞋。冉好脑子有点蒙：为什么从鞋脱起？恋足癖？心头抖了一下。

女人的鞋意外的没有任何异味，尺寸也很小，只有他的手掌长。林看了两眼，拆下鞋带，把鞋丢到一旁。

一分钟后，冉好被他用两根鞋带，牢牢绑在沙发扶手上，整个人就跟条鱼似的，双手举过头顶，只能扭动，挣脱不了。

"变态！"冉好骂道。

林微蹙眉头，索性再脱下她的袜子，塞进她嘴里。冉好一脸震惊的悲愤，却只能发出"呜呜"的声音。林却笑了笑，拍了拍手。

终于清静了。

他走进浴室里，关上了门。

女人独居的房子，浴室很小。窄窄的洗手台，简单的马桶，小小的淋浴间。不过非常干净整洁。林把身上脏得不成样子的衣服，一股脑都剥下来，嫌弃地丢进垃圾桶里。最后光裸全身，走到了淋浴头下。滚烫的热水淋着男人冷硬的皮肤，他长长地吐了口气。

这个澡，足足洗了两个小时。冉好听着那不间断的水声，一方面深深诅咒他最好洗得太久，缺氧晕过去；同时，也慢慢冷静下来。他看起来好像对她的身体没什么兴趣，而且身手很好。莫非他是穷困潦倒的退役军人，或者……逃犯？现在认定了她，要霸占这里不走了！

无论如何，冉好都想明白了，现在不能再硬碰硬，只能智取。看他这个人这么自大，她示弱，哄哄他，或许会有用。回头就能找到机会报警。这么想着，冉好的主意定了下来。

哗啦，浴室的门终于拉开，他走了出来。

灯光下，男人的每一缕头发都变得干干净净。那具身躯颀长、肌肉紧致，每一寸线条仿佛都蕴藏着男性的力量，从那张脸，到笔直的脖子，宽阔的肩膀，窄瘦的腰。冉好的粉色浴巾，被他围在臀上，只露出毛发浓密的小腿。光着脚，脚掌长而大。

他看一眼冉好，嘴角露出一点意味不明的笑意。冉好心里咯噔一下，转过脸去，避开直视他的身体。脸上莫名又有点燥。

林在旁边的沙发坐了下来。因为洗净了一身脏臭，他的心情也变得闲适，长腿轻松交叠，靠在沙发里，盯着神色不安的她，看了一会儿，忽然躬身过去，解开了她手上的束缚，又扯出了嘴里的袜子。

冉好浑身一松，坐了起来，但是不敢乱动，也没有抬头看他。两人离得很近，他身上的男人气息存在感太强，让她有些不适。而且他浑身上下只裹了一条浴巾，还跷起了二郎腿，两条大腿就在她眼皮底下，她根本没法看。

"跑。"男人低沉散漫的声音，在耳边响起。冉好一愣，抬头看着他。他还是一副淡然的样子，双手搭在膝盖上，尽管只有条浴巾，却生生裹出了锦衣玉裘般的气度。

见她发愣，他笑了笑，说："我不欺负女人，给你机会，让你跑。5、4、3、2、1……"

尽管不明白他此举是何意义，但冉好想事情向来简单，他既然说让她跑，她虽然狐疑万分，反应却很快，在他刚数到"5"时，起身就跑。

咚咚咚——是她急促的脚步声，转眼就到了门口，拉开门，然后嘭的一声摔上，她简直不敢相信自己就这么脱了身，难道他真是个神经病，所以才会反复无常？不管如何，这都太幸运了。她几乎是连跑带跳就下了楼。

已经凌晨一点了，这个老旧的小区里，灯光稀疏，寂静无人。冉好打定主意马上去小区门口的保安亭报警，跑得飞快。可脑子里却冒出他坐在公园石凳上，平静而沉默的样子。这让她有点恍神……

"啊！"肩上突然一沉，有人把手搭了上来。冉好吓了一跳，还没来得及回头，已被腾空抱起，那力道，那强硬的感觉，还有熟悉的男性气息，跟之前在屋里被抓住那一次，没有任何差别。

冉好整个脑子都糊涂了，他怎么可能这么快？一秒钟前她回头，看到还没人下楼，没人追上来。头顶是漆黑沉静的天空，他低头看看她，似笑非笑的样子。那模样，就像是在逗弄捕捉逃脱的猎物。冉好又怒又怕，却也不敢挣扎。

于是又被他抓回了家里，丢在沙发上。冉好气喘吁吁，惊疑不定地看着他。他却拉了拉腰间的浴巾，再次系紧，然后坐下，端起桌上的茶杯喝了一口，说："再跑。这次让你跑久一点。"

冉好："……"

她心里也憋了口气，瞪他一眼，毅然站起来，再次噔噔噔跑下了楼。

林放下手里的茶杯，望着她的背影，有点意外。他以为只需要恐吓一次，这个性格柔弱的女人，就会惧怕放弃，从今往后任他摆布使唤。没想到，她不是那么好驯服的。

他的嘴角露出一点笑意，在心里估摸着时间，站了起来。

很好，他一向喜欢驯服的过程。想到这个女人，过不了多久就会匍匐在自己脚下，不敢再反抗逃跑，他的心中泛起淡淡的愉悦。

十分钟后。

冉好趴在沙发上，全身骨头都要断了，难受死了。林坐在她的身旁，嗓音淡淡的，甚至透出一丝难得的温和："还跑吗？"

冉好都哭出来了，"呜呜……不跑了。"林看着她快把自己揉成一团的憋屈样子，满意地笑了，"跑明白了就好。"

明白……冉好眼泪珠子往下掉，她当然明白。后来她又跑了两次，一次比一次惨。第一次眼看就要跑到治安岗亭里，她都快喜极而泣，而门口的保安，似乎也若有所觉，朝她的方向望过来……

嗖——

他来了。

她就跟被老鹰抓住的小鸡，直接被他提了回去。而门口的保安小哥，只看到黑暗里有道影子闪过，然后地上掉了一块浴巾，"咦？谁把浴巾丢这儿啊？"

后来，他勒令她去房间里，找了条宽宽松松的休闲短裤出来，虽然绷在他身上显得极为可笑，但冉好可笑不出来，他微蹙眉头，但还是穿着遮体了。

第二次，她学了乖，没去找保安，直接跑出小区，跳上辆夜班车，开往离小区最近的警局。这次她上了车，心想，他体能和速度再好，也不可能赶上来了吧。结果下了车，一路狂奔，跑过长长的暗黑的江滩，眼看前面就是派出所的蓝屋顶了……

然后，她又被扔回这沙发上了。

冉好不笨，甚至说在某些方面，比谢懂知更加鬼，更加滑头。她现在完全明白，男人做这些事，不是在找乐子，而是要让她明白，她根本跑不掉。跑去哪里，他都能把她抓回来。即使找来警察，恐怕也抓不住他，之后，他还能逮住她。

也就是说，她现在彻底被他拿捏在掌中了。

冉好把脸埋在沙发里，不吭声。管他的，她也快累瘫了，放弃了。而一旁的林，又欣赏了一会儿她被打倒后的颓败模样。然后抬起腿，在她身上轻轻一踹，"去，给我准备身新衣服，还有新的、干净的日用品。"

冉好慢慢站起来，拿了钱包，默不作声地走出了门外。林望着她乖乖听话的样子，手在沙发上轻轻敲着。

"尽快回来。"他说，"别把自己丢了。"

冉好的生活，陷入一种奇怪的状态。

每天如常上下班，几乎没人发现她身边多了个定时炸弹。一到下班铃响，她就得赶紧搭车回家，去超市买肉买菜，给家里那只气场强大的大米虫做饭。起初几天，她过得特别紧张，晚上睡觉怕他突然狂性大发就把她办了；白天上班，也时不时望向窗外，怕他会不会在暗中监视窥探。

但过了几天后，冉好就发现自己的担心是多余的。男人虽然霸占了卧室，把她赶到沙发睡，每天却反锁着房门，好像还防着她似的。白天上班，他也从不打扰。只在她买菜回家时，挑剔地看两眼。她的厨艺是整个图书馆青年员工中最拔尖的，连谢槿知都夸她的厨艺超出其他一切水平。可男人吃完后，却只是淡淡地一蹙眉，吃得很勉强似的，好像他以前吃的，都是多么好吃的山珍海味。

谢槿知和庄冲又旷工了，不知去向。冉好知道他们肯定又是去办大事了，于是她的事也没人商量，只能打落牙齿和血吞。不过除了吃她的住她的，男人似乎也没干其他过分的事。冉好总有种感觉，感觉他有秘密，他不是坏透顶的人。

她觉得，他不会真的伤害她。

所以现在，她只能盼着他早日离开。

然而，"同居"几天之后，令冉好崩溃的事情发生了。

这臭男人，突然就将她伤害得心肝俱裂遍体鳞伤！

事情，要从她那天上班时说起……

　　午后，被他一连奴役了好几天的她，趴在桌上打盹。忽然手机响了，居然是他。

　　他从不在上班的时候给她打电话，这让冉好很是紧张了一下，立刻接起："喂……什么事？"

　　"马上过来。"他波澜不惊地说，然后报了个地址。

　　挂了电话，冉好百思不得其解，因为地址是家附近的一个高档商场。这臭木头去那里干什么？

　　对，木头，这是冉好给他起的外号。因为很多次，她看到他一个人独坐在阳台上，望着夕阳，眼神木木的，倒不似欺负她时的倨傲嚣张。冉好也问过他：那个……你叫什么？虽然被奴役，但也不能整天喂喂喂，听着难受。他很难得地怔了一下，淡淡看她一眼，答：不知道。语气挺硬，好像不知道自己的姓名是多牛的事。于是冉好的心里大概也有谱了，他是失忆了吧？所以才会赖在她这里不走，因为无处可去？心里对他的怨恨，倒是不知不觉淡了几分。

　　等进了商场，到他所在的男装楼层，远远的，冉好就看到他坐在一家国际顶级品牌店里，从头到脚都换了新的，那模样简直让她心头一震。旁边还站着个导购员，望着他硬朗英俊的容颜，眼神都有点飘了。

　　要知道他之前穿的，是冉好从超市买的最便宜的三十块钱的T恤和五十块钱的运动裤。可现在？他那一身，加起来怎么也得过万了吧？冉好走向他，整颗心都开始抖了，卧槽啊，卧槽啊……

　　林抬头看她一眼，"付账。"

　　导购员："……"

　　冉好："……"

　　迎着导购员还算善意的目光，冉好的心在滴血，手紧扣包包，半天没动。

　　导购员有些为难地看向林，林也察觉了她沉默的反抗，站了起来。

　　冉好转身就跑。

　　然后毫无悬念的，被他长臂一捞抓了回来。冉好大叫："不！我会破产的！"

林淡淡地说道："以为我不知道你的小金库吗？"

冉好一呆，"……你怎么知道？"

林笑了笑，直接把她的包夺走，翻出银行卡，丢给了导购员。

导购员怀着相当复杂的心情，拿着卡去结账了，只剩冉好在林的臂弯里挣扎，眼泪都憋出来了，"你浑蛋！那是我的嫁妆！你吃我的住我的，还要用掉我的嫁妆！"

林把她丢在店里的小沙发上，"嫁妆？你想嫁给谁？"

冉好不吭声。

林扫一眼她微红的眼眶和凌乱的头发，心里忽然有点不太痛快，淡淡地说道："你还能不能嫁给别人，嫁给谁，是我说了算。"

这意味不明的话，让冉好愣了一下。他却已接过导购员手里的纸袋，迈开长腿往外走了。冉好不得不跟上去——银行卡还在他手里呢。

好在他一路走过去，却没进别的店，径直下了楼梯。下一层是时尚女装，他却没有继续往下走，而是进了女装区。冉好疑惑地跟了上去。

到了一家大牌店门口，他扫一眼身后的她，对店里导购员说："把刚才挑的衣服拿出来，让她试。"导购员答得欢快，立马从货架上取了两条裙子出来。

冉好眼尖，一扫价签，疯了！她勉强笑着摆手道："不用了，我不试，谢谢你……"

林看一眼她身上的衬衫长裤，"你要继续穿着这些垃圾？"

冉好瞪他一眼，哪里垃圾了，也是网上正品旗舰店买的，两百多一件呢！

"我不试！"冉好往后退了两步，面如死灰，"真的没钱了……"

林直接拎起她，丢进了试衣间，然后摔上了门。

"别让我进去亲手给你换。"他说。

旁边的导购员红着脸走开了，她觉得这位小姐实在太幸福了，男友一看就是霸道总裁，好强势好大方啊！

冉好磨蹭了半天，又看了一遍价签，整个人都没什么力气了，终于还是换好衣服，灰头土脸地走了出来。

导购员热情地感叹道："小姐，这条裙子太适合你了，你的皮肤白，身材又好，我就没见过有人穿着比你更好看。"

冉好："……"呵呵，她怎么不觉得，看着镜中人，却只看到一张张钞票在飞走，怎么抓都抓不住了……

林坐在沙发里，单手搭在椅背上，没说话，只打量了一会儿，将卡丢给导购员，"买。"

导购员热情地回答道："好的！"

冉好一把抓住导购员的胳膊，"对不起，我们要再考虑一下……"话没说完，人就被他扯了过去。由于他是坐在沙发上的，她又穿着高跟鞋，站立不稳，直接跌进了他怀里。

男人的大腿柔韧而厚实，身上还有淡淡的清冷气息，完全不同初遇时的又脏又臭。冉好的腰被他扣住，愣了一下，脸突然红了。而林看着女人被银色布料包裹的纤细曲线，她的身体也是软软的一团，触手所及处，感觉竟十分不错。他不动声色地这么抱了一会儿，然后把她丢开在旁边的沙发上，起身道："走吧。"

冉好接过导购员拿回来的卡和纸袋，简直欲哭无泪，一步三悲痛地跟在他身后，终于走出了商厦。

她以为他只是无处可去，她以为他一定是流落街头的贵胄，她以为他肯定不会真正伤害她，毕竟有时候他看她的目光，也会带着某种沉静的柔和。可是她万万没想到，今天这一趟商场，他根本将她伤得体无完肤彻心扉！无情、冷酷、贪婪、不要脸、无耻……

冉好一路在心里咒骂着，整个人都不好了，以至于这天回到家，始终有些恍惚，心不在焉。然而林还是老样子，那一身用钱堆出的衣服，令他显得更加贵气天成，沉稳不凡。带着淡淡的、忍耐的、嫌弃的表情，他吃完了她做的晚饭，就坐在阳台上看夕阳去了。

冉好把自己关进房间里，望着被她小心翼翼挂在柜子里的裙子，人还是呆的。

不……不行！家可以被占，卧室可以被他一个臭男人占据，甚至每个月花点钱多养他一个，也没有关系。但那笔积蓄是她的命根子，她忍不下去了，她要反抗！明天一定要想办法，把他告到警察局去，她不怕了！

正咬牙切齿想着，忽然听到外头有些异常的动静。

"呃……啊……"低沉的呻吟声。

冉好微愣，觉得不太对，悄悄走到门边，打开了一条缝。

这时天已经黑了，客厅里暗蒙蒙的。那男人躺在沙发上，显得很大一只。呻吟声，正是他发出的。过了一会儿，没声音了。

冉好觉得有哪里不对劲，壮着胆子走出去，打开灯，吃了一惊。他几乎是蜷缩在那里，双目紧闭，脸很白，额头大汗淋漓，很痛苦的样子。

冉好问："喂？喂？你怎么了？"

他没有回应，唯有身体在微微颤抖，好像陷入了痛苦的深渊，对外界已无知无觉。

冉好又伸手轻轻推了他一下，"喂，木头？臭木头？"

他依然蜷缩着，平时颐指气使，此刻却像被煮熟的虾子，任人揉捏。

冉好倏地睁大眼。看来他是发病了，羊角疯吗？还是抽筋？好像很严重的样子。她掏出手机刚要拨120，忽地顿住，看他一眼，现在的他，可是全无反抗之力啊，千载难逢的好机会。

她决定拨110。不管他发的是什么病，警察抓了他，也一定会救他。做了这个决定，令冉好的心跳变得很狂乱。但是在那之前……

她把手机先放到一旁，在他跟前蹲下。"木头？"她又喊了声。很好，他这回连睫毛都没颤一下。冉好的手慢慢地、十分紧张地，放在了他的衬衣纽扣上，小心翼翼地解开，一颗、两颗、三颗……

废话，他这身衣服值一万五，在把他送进监狱前，她必须把这身衣服剥下来，还能去退货！

很快，她把衬衣慢慢从他身上脱下来，虽然搬动他沉重的身躯，略有点吃力，但是冉好的心是紧张而欣喜的。他的上身光裸了，冉好无法不注意到那紧致的肌肉和浅麦色的曲线。加之他全身还淌满了细细的汗，热气有点往她脸上扑。她避开这堪比《男人装》硬照的一幕，伸手开始解他的皮带和裤腰拉链。这皮带也花了两千多呢。

嗤的一声，男人的拉链被她一拉到底，黑色内裤跳了出来。冉好看一眼那条CK的内裤，显然这个只能给他留下了。她双手握住他的裤腰，开始沿着大腿，慢慢往下褪……

也不知是窗口吹进的风太凉，还是她一身冷汗太紧张，当手指轻轻擦过他大腿上的寒毛时，冉好的鼻子里居然也痒痒的，呃……痒得不行了。

"阿嚏——"她打了个响亮的喷嚏，口水都直接喷到了……他的双腿之间。冉好吸了吸鼻子，又用手擦了擦，继续全神贯注地往下剥裤子……

一只有力的大手，突然牢牢扣住她的手腕。每一节指骨都是清楚分明的，就在她的眼前。

冉好一呆，缓缓地、缓缓地抬起头，撞上男人幽沉无比的眼眸。尽管他的脸上还挂满了汗珠，连头发根都湿了。然而那清明的双眼，却像是洞悉了所有，带着震惊、怒意，盯着她。

冉好连逃跑的勇气都没有了，就这么呆呆地蹲在沙发旁，双手还握着他的裤腰，忘了松开。

而林此刻的心情，又如何呢？

除了震惊，愤怒，还有一丝丝羞窘和难以置信。

他知道自己又陷入了疼痛和迷失的深渊。它们突如其来，即使是意志最坚定的男人，也无法招架。他的意识很快变得浑浑噩噩，头疼得像要爆炸，完全分不清幻觉和现实。他看到许多零散的画面，在眼前闪过。王座之上，另一个面容清俊的男人，安然端坐着。可他却觉得这一幕如此熟悉和自如。潜意识告诉他，那就是他自己。但是他又分辨不出其中原委。然后又看到不断爆炸的飞船，恒星爆发出耀眼的死亡光芒，坠入黑暗的星云里，看到自己如今的这副身躯，站在一群年轻军人面前，负手遥望太空……

沉沦，挣扎，争斗，痛苦，疯狂，倨傲……许多情绪潮起潮落，逼得他的大脑都快要爆炸。就在这时，有某种微痒的、非常细腻的感觉，从全身各处，不断传来。似乎有什么人，在轻轻抚摸他。渐渐的，他感觉好多了，没有再被意识拉入黑暗深处去。然后，他听到一声响亮的阿嚏声，与此同时，男人最敏感的部位，似乎也感受到某种温软轻柔的气流。他的下腹甚至下意识地收紧，难道……有人在吹那里……

他睁开了眼睛，就看到冉好蹲在他的下身旁，正在做的一切。

他一时也没有动。

冉好对他有好感，他一直是知道的。否则当初他流落街头时，她不会每天红着脸还给他送食物。虽然利用女人的这一点好感，登堂入室，并且将她控制住为己所用，这手段会让林觉得有些卑劣，但却也是帝王会使的小手段。

然而林万万没想到，看似单纯软弱的冉好，竟然对他怀有这样的心思！趁他发病，想要猥亵他、强暴他。看着她那纤细白皙的手指，依旧扣在自己的大腿上，竟然还不死心似的没有松开，又看到她的脸离他的双腿间，不过几厘米，恼怒再度涌上林的心头——帝王之躯，岂能容人随意轻薄？他一下子坐起来，推开了她。

冉好整个人都吓蒙了，被他这么一推，才反应过来，爬起来就跑。林冷哼一声，抓起她的衣领，丢在沙发上，将自己的裤子一提，扣住她的双手，整个人都压上来，低头看着她。

"就这么饥渴？"他不无讥讽地问。

"啊？"冉好呆了。很快明白过来，他误会了什么。然而她张了张嘴，却也无法解释。

林把她的这副表情，理解为做贼心虚。他的目光更加鄙夷，心里怒意倒莫名消了下去，冷笑道："上一个意图强暴我的女人，被我丢给了一群士兵，生不如死。你说，现在我要怎么惩罚你？"

冉好说："我……我没有想要那个你，真的，我只是想把衣服剥下来，去退掉……"

"哦，是吗？"林慢慢地问，他的身躯也着实沉重，压得冉好动弹不得。然后一只手将她的双手都扣在头顶，另一只手，却忽然沿着她的衣服纽扣，开始慢慢下滑，"冉妤，我从来不吃亏。"

冉妤真的要哭出来了，声音也弱弱的："不要……"

林看着身下的女人。其实除了相遇的第一天，他注意到这个女人身材苗条，相貌甜美。之后同居这些日子，也并未太多注意她。倒是今天白天，在商场时，她坐在他怀里，那柔软的触感，记忆犹新。现在仔细看，肤色是极为白皙细腻的，触手如同滑玉。一米六的个头，蜷在他的身下，曲线小巧柔软。

林不动声色地打量着。而冉妤就跟砧板上的肉似的，只能任由他目光侵略。她从他的目光中，看到了某种暗色的情绪，这让她心头一惊。

然而过了一会儿，他却松开她，站了起来，穿上衬衣。冉妤惴惴不安地坐起来，直觉告诉她，屋内的气氛似乎也有点异样。但到底是什么异样，她也说不清楚。

"今后，如果再有这样的事发生……"他淡淡地道，"我不介意达成你的愿望，呵……到时候别哭着求我放过你。"

这话说得又淡又狠，冉妤过了几秒钟才听明白，脸一下涨红了，心里却委屈极了。她真的恨死他了，他怎么这么过分，对她这么不好，这么不好。

他穿好衣服，又转头看着她，"今后我再头疼，你最好好好照顾。我饿了，去做饭。"

冉妤不吭声，站了起来，整个人都颓着。刚要走向厨房，突然间，屁股竟然被拍了一下。男人修长的、有力的五指，结结实实覆盖在她的臀上，停了两秒钟，然后移开。

冉妤不可思议地转头看着他，林的神色却很淡然，放下手，在沙发上坐下，看起了电视。

次日一大早，林扔了条链子给冉妤。

冉妤是个自我修复能力非常强的人，经历了昨晚的"磨难"，睡了一觉，竟然也恢复到随遇而安的状态。

被镶满亮晶晶的石头的链子，砸了个满怀。冉妤站在梳妆镜前，含着牙刷，没反应过来。

林双手插在那条价值五千多的裤子口袋里，头发也梳得一丝不乱，那模样要多俊朗贵气，有多俊朗贵气。

"生活费。"他吐出三个字。

在冉好说话前，他已转身走了。

从市珠宝鉴定中心走出来时，冉好的心怦怦跳着，就像怀里揣着团火。

两百万。

鉴定师居然在惊讶过后，给出了两百万的估价，还问冉好要不要卖给他们。而从对方当时的眼神，冉好感觉出这个估价还有水分，应该能更高。

冉好匆忙回家。没坐公交，掏五十元打了车。好肉痛，但是顾不上了。

推门进去，就见林坐在一室昏暗的暮色里，看不清楚脸。

"回来了？"他问。

冉好"嗯"了一声。

她忽然发现，自己的心情有些奇怪。按理说得了这么一大笔巨款，她应该很高兴。这个男人带给她的不痛快，哪里有二百万带来的冲击大？况且他也没对她真正造成过实质性的伤害。

可她居然高兴不起来。一看到他，心里好像依然有个地方，乱乱的，长满草，委屈又茫然，跟第一次遇见他时一样。

冉好，你到底想要什么？她在心中问自己，又有些痛恨这样的自己，快步走进房间。

看着她明显躲避的样子，林说："明天陪我出去一趟。"

冉好没想到，木头会带她来江城大学，并且是来看樱花。

时值四月，满园的花都开了，娇嫩缤纷，一树一树，宛如雪云重重压顶。这景色自然是极美的，树下也是人山人海。

冉好和林在花海边站了一会儿，她有些怔然地问："为什么要来这里？"

"随便看看。"他率先走到前面去了。

他从来都是神秘的，随手丢一条二百万的链子，更让冉好明白他不可能是普通人。她也猜不透他的心思，只能跟了上去。

　　一路，人流拥挤，落英不断。林今天来，是因为早就听闻江城大学的樱花，是这个城市最美不胜收的景色。他虽然脑子里混沌不清，但皇帝的风骨还在，还有赏景的习惯和雅趣，所以自然而然就带冉好来了。

　　但他没有预料到，这个城市的"闲人"会这么多。等到第五个人撞上他的身体时，他的眉头深深蹙了起来，现在他只有这一身体面的衣服了。他厌恶地加快步伐，穿行在人群里，很快走不见了。

　　这么多的花、树和人，早让冉好看花了眼睛。她身体又单薄，更加被人挤来挤去。等她再一定神，发现林早不知道去了哪里。只有她一人站在一棵繁密的樱花树下，周围全是不认识的人。她犹豫了一会儿，站在原地，不动了，眼睛依旧四处寻找着。

　　林走出一大段路后，才发觉冉好没有跟上来。

　　小兔子又跑了？

　　这念头让他有些不悦，又有被她的小爪子撩拨后，那痒痒的舒爽的感觉。他站在人群中，兀自意味不明地笑了笑，看得旁边经过的女孩们心中小鹿乱撞。

　　他原路折返。

　　寻找她的过程竟出乎意料的容易，远远的，就看到她站在一棵人流较少的大树下，发着呆。一片花瓣掉落在她头顶，她也没察觉。她又抬头四处看了看，却没发现他，于是继续低下头，咬着唇，等待着。

　　林的心跳忽然漏了一拍。

　　静了一会儿，他才走到她身边。冉好抬头看到他，心头一松，并不知道自己的表情同时也变得轻松。林盯着她的脸，淡淡地问道："怎么走得这么慢？"

　　"明明是你太快了。"冉好顶了一句。

　　手突然被他牢牢握住。冉好一愣，他却已转身，牵着她往前走。冉好想抽出来，可他的手指就跟铁钳似的，握得她的手指生疼。

　　"我不用你牵！"她抗议，心跳却不争气地加快了。

林很冷地看她一眼，反而笑了，"你还敢反抗？"

冉好："……"

两个人走在人群里，他的脚步却放慢。有人推搡过来时，他会直接把她拉进怀里，用身体护住。旁边经过的女孩们，都会多看他两眼。他却恍然未觉，直视前方，或者斜眼瞟她一下。

冉好的手始终被他抓得死死的，脸也有点热。她想，他真的太可恶了，太可恶了。

回家时，天都黑了。两人一身臭汗，林先霸占了浴室，洗了足足一个小时，才换了套普通的家居服走出来。

冉好都没直视他，拿着换洗衣服，跟他擦肩而过，走进浴室。林却停步，转头望着浴室门，然后将手里的毛巾一丢，在沙发坐下，目不转睛地盯着。

过了一阵，她出来了。客厅的灯被林打开，柔白的灯光铺了满屋。她的头发又湿又黑，披在肩上。许是因为刚洗完澡，露在外面的那片肩膀，呈现细瓷般的乳白色。睡裙下的小腿，骨肉均匀，晶莹白腻。

林双手交握，搭在膝盖上，静静地看着。冉好却没注意到他的目光，她走到阳台，迅速擦干头发。望着天空的星星，叹了口气。

这么走了一天，累死了，还要做饭给这位大爷吃。他根本就把她当用人，现在，她只希望他某天快点离去，离开她的生命。

然而林和冉好都没想到，这天半夜，他会再次头疼得晕死过去。

明月高悬于窗外，冉好趴在沙发上，酣睡得不省人事。忽然听到有人在喊："冉好……冉好！"她迷迷糊糊睁开眼，那熟悉的嗓音变得沙哑极了，还带着忍耐的怒意，"冉好……给我过来！"

冉好立刻跳起来。

屋门没有反锁，她推开门，看见他又跟只大虾似的，痛苦地蜷在她的浅粉色小花床单上。冉好也有点慌了，站在门口没动。林全身都是冷汗，用头重重撞了下床板，眼角余光瞥见她，几乎是从牙齿缝里吐出两个字："帮我……"

冉好跑上前，却手足无措，"怎么帮？"

林已痛得看不清了，勉强伸出一只手，在空中胡乱地抓，终于抓住了她的手。他的力气大得惊人，疼得冉好脸都白了，"嘶……"他却一把将她的手按在怀里，然后额头继续滚落大滴大滴的汗，整个人跪趴在床上，痛苦地呻吟着，却也不再动了。

冉好跪在床边，呆呆地看着他的举动。想把手抽回来，他的瞳仁明显迷散了，却将她的手扣得死紧，仿佛这样就能好过一点。

"木头？木头？"冉好尝试喊他。他完全听不到，身体兀自发着抖。

冉好也不知道自己怎么想的，只觉得心里空旷得像荒原。她伸出手，沿着他凌乱的短发、紧皱的眉头，挺拔的鼻梁，略厚的嘴唇，开始一寸寸往下触碰。触碰过他的脖子、肩膀，最后落在他的心口，两人交握的手上。

他的疼痛是沉默而漫长的，冉好就这么被他桎梏着，陪他一起熬着。过了不知多久，她趴在床边，迷迷糊糊地睡着了。连什么时候被他抱上床都不知道。

夜色越来越静，隐隐约约间，冉好感觉到某个汗水淋漓的身躯，紧贴着自己。他的手探入睡衣，揉着她的胸。他的唇沿着她的脖子，用力啃咬着。冉好又急又怕，脑子里却阵阵发迷，想要推开他，却哪里推得动？他喘得很急，也不知是因为疼痛还是冲动，到后来竟似饥渴许久的旅人，贪婪地将她每一寸皮肤都含在嘴里。手指也毫不留情，四处揉捏着、肆虐着。冉好哭着推他，"不要这样……不要这样……"

他低着头，静了一会儿，又有大滴的汗落在她的脸上。然后他却没有再更进一步了，明明他的身体完全蓄势待发，绷得很紧，硬硬地抵住了她。他却没有再往下肆虐，只是低下头，再次疯狂地亲吻抚摸她的上半身。越来越热烈，越来越渴望，越来越煎熬。

后来两个人都昏昏沉沉地睡去了。冉好就像一只小鸟一样，被他从背后紧紧地圈在怀里，两只手被他握在掌心，长发也散落他胸口。

天明时分，林先醒了。

越来越多的记忆，涌入阵痛后的大脑。每一天，他都比前一天，更清楚自己是谁，背负着怎样的责任。他静静望了一会儿天花板，低头看着怀里的女人。手依旧扣在她腰上，没有动。

冉好，这个城市里，最平凡的一个女人。

简单，善良，柔弱，执拗。

二十几岁的人，还有一颗糊里糊涂的心。

然而，他却想要得到这个人，这颗心。

如今她在他怀里，闭上眼，仿佛看到那天，他躺在公园的长椅上，她站在一地落日的余晖里，拿着面包和水，怔怔地望着他。

林想着想着，慢慢地笑了，将她更紧地扣在胸膛上。

女人，好好睡。

睡醒了，我会想要更多。

我要带给你，从未有过的尊贵幸福的生活。

彷徨这半生

我依然记得那一天。

我和几个纳米人，站在金碧辉煌的大厅中，等待主人的挑选。

他们很紧张，不断整理衣着和头发，想让自己显得更美丽。

我很淡然。本就是最美丽的，歌喉亦是整个帝都最佳的。来人若是不挑选我，那得蠢成什么样啊？

挑选开始了。

他是个三十来岁的男人，衣着非常精致奢华，神情淡淡的，看我们就像看一堆商品。事实上，我们本来就是精心制造而成的商品。

他的目光落在我身上，我微微地笑了，然后转头，看着窗外的云。

那云，可真纯洁，真安静啊，慢慢地，流动在我头顶的天空上。

主人是整颗曜日星球上，最富有的几个人之一。

他的府邸精美如宫殿，悬浮在云端。他的仆人们，是整个银河系最先进的机器人。每天迈着金属长腿，快乐地忙碌着。主人每一天，都有美丽的女人陪伴，喝酒、唱歌、旅行、读书。他过得很快乐，我也是。

我甚至拥有了一座独立的小房子。只在主人想起时，应召到面前，为他和宾客们高歌一曲。我傲然享受着自己的歌声，而主人也总是很满意，赏下金币宝石无数。

我以为日子会永远这样下去。这就是生命的全部意义，我能够取悦这世上最高贵的人，我活得多么有价值。

直至，曜日开始坠落。

像是一场噩梦，从某个日出的清晨开始，却再也无法结束。太阳一天天膨胀，像个巨大的怪兽。每天都有流火落在地上，烧毁不同的生命。楼宇不断崩塌，大地始终颤抖。

逃逸那一天，阳光格外炽烈。我和一箱箱金银珠宝，被装到了其中一艘飞船上。我并不觉得十分害怕，只是当我低头，就能看到越来越远的地面上，那茫茫的人群。他们都是平民，一定是走不了的。绝大部分人，都会死在这颗星球上。

我的心中忽然涌起一股说不出的情绪。然后转头，不再看了。

跨越数千光年的旅行，漫长得像一场光怪陆离的梦。

当我从梦中苏醒时，已是沧海桑田，物是人非。

其他飞船已不知去了哪里，更加不见主人踪迹。我躺在搁浅的残破飞船里，身边是一群微型纳米人，慌慌张张跳来跳去。

舱外，天空很蓝，田野碧绿。这是个陌生的星球。

我挣扎着站起来，这才发现负责保护飞船的机器人士兵，倒在一堆残骸中，红色眼珠也不太亮了，像是受了重创。我连忙跑过去，"下士先生，你怎么样？"

这一路，都是他在保驾护航。有几次我们遭遇小行星带的碎石袭击，他更是用身躯挡住我和小纳米人，以防万一。我当时说："下士先生，我也是男人，可以保护自己。"

他却说："纳米人，我是帝国军人。星流指挥官军令如山，除非战士全部战死，平民无须战斗。请让我恪守职责吧！"

星流。

这个名字，第一次让我的心微微震动。

然而机器人下士还是死去了，降落时的重创令他全身破裂，无法修复，能量也已耗尽。我在他的身边唱了一晚上的歌，然后和小纳米人一起，把他埋在了山坡上。如果机器人也有灵魂，那么他依然有机会仰望星空。

我把飞船上最值钱的东西，都打了包，其中包括一枚价值连城的晶片。至于小纳米人，则让他们先藏在树林里。天亮时，我独自下山，心情有点难以形容。

我自由了。谁知道这陌生星球上，会不会有怪兽或者强大的人，把我俘虏奴役。可我实在想去看一看，看看这新鲜的世界，是什么模样。豁出去了！

我走了很久。在清澈的小溪畔饮水，在繁茂的果树上大快朵颐。我渐渐有了计较，这颗星球的文明开发程度一定不高，否则怎么还会有这么大片大片的肥沃土地和资源，没有开发，也没有人烟。

呵……我来自更高等更牛的文明呢。

小溪旁，站着一个人。

是个孩子，手里还牵着一只壮硕的动物。有角，鼻子大，眼睛看起来憨憨的。后来我知道，这是地球的"牛"。

孩子和牛一起瞪着我，我也瞪着他们。

彼时我背着大包，衣衫褴褛，看起来一点也不漂亮。我有些害怕地想，这孩子拥有一头怪兽，他会强迫我成为他的奴仆吗？

"……"他说话了。

我依然瞪着他，听不懂。

他用手挠了挠头，又重复了一遍。

我往后退了一步。

文明的巨大差距在此时彰显。我脖子上挂着的细如项链的翻译器，在短暂的沉默后，发挥了作用。细微电流注入我的大脑中，我清清楚楚地听到孩子说："哥哥，你迷路了吗？"

他叫我哥哥。

一个人类的孩子，叫我哥哥。

以往，所有人都叫我纳米人。

我咬了咬嘴唇，在他面前蹲下来，"是的，我迷路了。"

他露出个大大的笑脸，然后怯生生地牵住我的手，"哥哥，我带你回村里。"

我和他牵手走在傍晚的天空下，身后跟着一头慢吞吞的牛。我眯着眼，看了看星球的天空。可真蓝啊，云慢慢地流动着，一切熟悉又陌生。

那一年，是地球公历1869年。后来，我在这偏远的山村里生活了二十年。那时的人寿命都不长，放牛娃二勇因为从小营养不好，还有娘胎带出的病，三十来岁就过世了。临终时他把我叫到床前，说："哥，你走吧。已经二十年了，再不走，村里其他人真会把你当妖怪抓起来了。"

我点点头，问："你还有什么遗愿？"

他笑了笑，说："哥，你真的是妖怪吗？二十年……一点都没有变老？"

我忽然觉得难过。

"不是妖怪，我只是从很远的星空而来。"

宇宙这么大，我只是从很远很远的另一颗星上而来。

二勇哭了，掉着眼泪，又点了点头。慢慢的，他没有了呼吸。我背起他，在村民们惊诧的目光中，将他背到了深山之中，埋在另一面山坡上。

我突然有些厌恶身为纳米机器人那不老不死的生命了。因为我预感到，这样的离别，将来还会发生很多很多次啊。

公元1904年，整个中国都是动荡的。土匪下山，将所有村落烧杀抢掠殆尽。到了这个我所栖息的村落时，我将那枚晶片装入了体内。第一次使用晶片的力量，我还很生疏，像个无头苍蝇，撞得村庄七零八落。但还是干掉了所有土匪，吓傻了所有村民。

然后我转身离开。像战士，也像巨人。在那一刹那，我脑海中浮现机器人下士说过的话：军人战死之前，平民无须战斗。

只是从那之后，山区开始流传妖怪的传说。管他的呢，这样也好。在那个年代，没人再敢接近我所在的深山。而我会变化成任意我想要的形状，任何我想成为的人，开始一段又一段崭新的人生。

她是一名抗日战士，而我是木讷的私塾先生。她和战友们借了私塾打地铺，我每天给他们做好饭菜。她总是用帽檐下那双明亮的眼睛，定定地望着我。而我总是避开。

部队离开那晚，她把我叫到了窗外。那时她的脸无比的红，问我："先生，你想不想跟部队走？你的医术那么好，我们都希望你加入我们的队伍。"

我静默良久，说："对不起，我去不了。"

那一刻，我看到她眼中的火苗熄灭下去。

部队第二天天未亮就开拔，终其一生，她都没有再回这个村庄。

然而她不知道的是，我却见过她很多次，陪伴了很多年。

第二天，我就变成了一个新兵蛋子，加入了她的部队。只是她一心想着私塾先生，常在夜色中黯然垂泪，却从没注意过我。

我作为士兵，她的战友，陪伴了她十年。然后离开。

然后是她那支部队的炊事兵，参谋官，爱国商人……看着她在战争里颠沛流离，吃尽苦头；看着她终于将我忘却，嫁给了另一个人；在她看不见的背后，为她挡掉每一颗本该夺取她生命的子弹，看着她平安终老。

她死的时候，已经五十余岁了。那天，我打晕了病房里的所有人，然后变成最初的模样，走入病房，走到了她的面前。

她的意识已经不清，怔怔地望着我，然后笑了，"我知道的……我总感觉，你一直在我身边……"

我哭了。

"对不起，我不能陪你……"

她却抬手擦干我脸上的泪，笑道："别哭了，傻小子……"她居然称呼我"傻小子"，"好好生活，在这片我用生命保卫的土地上。"

好好生活，在我用生命保卫的土地上。

我突然觉得开心，觉得释然了，像是有什么一直以来混沌不清的东西，慢慢在我心中露出轮廓。生死不重要，离别也不重要。漫长而孤独的生命也不重要。我一直在寻找它，但原来，它一直就在我心里。

公元2009年。

我在山里晃荡了许多天，每天就跟小纳米人打打野兽，唱唱歌，跳跳舞。人与人之间越来越疏离，我对这样低等文明中的故作高贵，特别瞧不起，也没有兴趣。

遇上他的那一天，是盛夏的一个傍晚。连日降了大雨，山洪暴发很厉害。每当夜色降临时，怕有偶尔的行人遭遇洪水，我和小纳米人总是四处晃荡，把这样的倒霉蛋救出来。

发现顾霁生时，他已经没救了。整个身体都被泥石流掩埋，只露出半边脸，进气多出气少。我从高高的山上化作银色粒子流，飞跃而下，扑到他的面前。

"你还有什么遗愿？"我有些怜悯地问。

他奄奄一息地看着我，"你是……鬼吗……"

我捧着下巴看着他，我知道现在随便移动他，可能导致他直接毙命，"不，我是外星人。"我说，"要不要我给你唱首歌？"

他说："不用了，我还要去当老师呢……"

说完他就咽了气。

我站了一会儿，把他从泥里挖出来，埋了。

背着他的行囊，我走了十多里山路，到了依岚山下。小学的院子相当简陋，我站在门口，忍不住皱了皱眉。然而一抬头，就看到个年轻男人站在庭院里，双手插裤兜里，挺散漫不羁的小伙子，嚼着口香糖看着我，"你就是顾霁生？晚到了哈。我是聂初鸿。"

他大步走到我面前，伸出手。我犹豫了一下，伸手跟他交握。那时他大学刚毕业，才22岁，冲我粲然地笑了，我也笑了。

真好，又有伙伴了。

又有人陪伴我，在这片土地上，在漫长而变幻的生命里。

我试图回忆生命中最初的那段岁月，然而脑子里却像被砸进了千斤重锤，混沌又疼痛，什么也想不清晰。我看着他们一张张饱含泪水的脸，只觉得难受，却想不清他们是谁。

一个个声音，在我脑子里混乱回响着：

就他吧，他是最漂亮的一个，也许能成为我的新玩偶。

哥哥，你迷路了吗？

先生，你愿不愿意，跟我一起走？

我知道的。我一直知道的，那是你。

……别去，雾生，你不能去。因为去了，你就会死。别离开我们。

军人战死之前，平民无须战斗。

以星流之名，永以为诺。

你能看到未来，却看不到纳米人的心。与生死相比，他们，更重要啊。

这些地球人，对纳米人来说，更重要呢。

太阳落下又升起，我再度睁开眼睛，整个庭院里都静静的。那些孩子，我的伙伴们，我心爱的人，还没有来。隔壁的那个人……他叫什么，我一时想不起，他也还没有醒来。

我从床上坐起，吃力地穿好衣服——毕竟现在手脚似乎也不是很听大脑使唤了。然后我走到了窗前，看着初升的太阳和天空漂泊的云。

我依然觉得很开心。一种发自内心的，无法阻挡的开心。

我的眼眶，慢慢蓄积了泪水。

有个声音在耳边说，我从一个超级文明抵达平凡的人世间，我终于找到生命的终极意义。即使再也无法清醒，可一旦拥有它，我会永远幸福地快乐下去。

甜蜜五则

【1】求婚记

谢槿知是在睡得半梦半醒时，被人从床上抱了起来。

依稀记得自己似乎翻了个身，然后就有人问道："醒了？"

"唔……"

那人的声音轻轻的、小心翼翼的："我带你去一个地方？"

"唔……"

马上被他抱起。

耳边是呼呼的风，冷极了。才过了几秒钟，谢槿知就彻底被冻醒，睁开眼，发现自己被应寒时打横抱着，闪电般穿梭在夜色林海中。而他红着脸，扬着尾巴，眼睛直视前方。

谢槿知问他："……发生了什么事？"

"小知。"应寒时的嗓音在夜色里格外清澈，"我要求婚了。"

谢槿知说："……哦。"

她看着他，不再说话。他转过脸去，嘴角有浅浅的、抑不住的笑。谢槿知忍不住也笑了。

几分钟后，应寒时站定，放下了她。

积雪、彩灯、玫瑰、烛光、Kingsize大床。

谢槿知看着眼前的一切，既感动，又无奈，有某种被雷劈中的感觉。天知道她也是个内心通透淡雅的女子，她也希望自己经历一场浪漫但是不俗气的求婚。但是……算了，谁叫他是外星人，身边还有庄冲和萧穹衍两个好队友。

正打量着，应寒时已经拿着玫瑰花，单膝跪在了她的面前，抬头望着她。那脸已红得要滴血了，谢槿知甚至觉得他尾巴上每一根细细的绒毛都竖了起来。他用那乌黑的眼睛凝视着她，郑重地问道："谢槿知，愿意……嫁给我吗？"

谢槿知安静地站了一会儿，接过那束花，低头在他脸颊上一吻，"愿意。"

他望着她，慢慢站了起来，然后拉住她的手。

就是这么简简单单，我们约定一生。

谢槿知伸手拨弄玫瑰花瓣，嘴角也有抑制不住的笑。应寒时一直注视着她，两人就这么静静地站了一会儿，他忽然又将她打横抱起，走向了大床。

谢槿知的心突突地跳，"应寒时，你想干什么？"

应寒时低头看她一眼，脸上绯红未褪，嗓音也有点哑："我想……进行下一个步骤。"他把她放在了床上，然后自己也爬了上来。

谢槿知的脸终于也烫起来，伸手推他，"应寒时，这里是野外啊。"

他怔了一下，"野外，不可以聊天吗？"

谢槿知说："……哦，可以。"放下手。

应寒时目光清幽地看她一眼，在她身旁坐下，伸手揽住她。谢槿知靠在他的肩膀上，小声问："你想聊什么？"

"都可以。"他低声答，然后低下头，轻轻吻她的脖子。

这样依偎着，小声说着话，时间好像过得很快，也很慢。彩色的光在头顶闪耀，更明亮的，却是树梢间的月光，宁静地照耀在雪地上。那一棵棵缀满积雪的树木，仿佛也静静聆听他们的细语。偶尔间的亲吻厮磨，齿间仿佛含着一片糖，清清甜甜，永远也化不开。

过了好一阵子，谢槿知也被他低头亲得脖子上都是吻痕，望着周围越来越深越来越静的夜色，她轻推他一下，"我们回去吧？"

应寒时没出声。

谢槿知以为他默认了，起身刚要下床穿鞋，手却被按住了。按得有点紧，她动不了。她抬头望着他，他的脸又红了，眼神却深深沉沉，像是有暗暗的火。

谢槿知被他推倒在床上。

"小知……还有一个步骤。"

谢槿知望着他在夜幕下的脸，听到自己怦怦的心跳声。

"你不觉得……这样疯狂过头了吗？"

"是……但是我想让今天的求婚仪式，变得完美。"他微哑着嗓子答。

谢槿知哭笑不得，求婚没有固定仪式的啊。这到底是谁教他的啊？

然而有道是……箭在弦上，不得不发。在他明显有些冲动的亲吻和触碰中，谢槿知慢慢松开了抵在他胸膛的手，慢慢没了声音。

夜风徐徐拂过彼此的身体，细细的、凉凉的，让皮肤有轻微的空旷的战栗感。花草的香气萦绕鼻尖，仿佛也跟随着应寒时的唇舌和手指，往她最私密的地方钻。有鸟和虫子，在旷野里鸣叫着，仿佛它们都在看着这一切的发生。谢槿知的肤色柔白细腻，腰肢、长腿、手指都是纤细匀美的，在暗色床单的衬托下，更显寸寸如雪。而应寒时占据着这样一具身体，一抬头，就能看到辽阔的天空，和一轮满月。他只觉得脑子里绷着的一根弦，猛然间断裂了。此情此景，突然令男人的身体，生出更强烈的冲动，只想进入得更深、更深……占有全部的她，让她更加痛苦和快乐。

直至身下，传来谢槿知软软的郁闷的声音："应寒时……疼……"他这才恍然惊觉，顿时面红耳赤又羞愧不已，他刚才竟然一反常态，失了定力，完全没有顾及她的感受，只顾自己……沉溺在那几乎没顶的刺激的欢愉中。

"对不起……"应寒时低声道，然后不断地亲吻她的脸，动作也放缓。

谢槿知这才轻轻哼了一声，"你激动什么你？"

应寒时的脸上更热，却竟然无言以对，"我……"然而身体绷而未纾，实在难受。

过了一会儿，他微窘地问："小知，我还没有……可以继续吗？"

谢槿知望着他近乎扭在一起的耳朵，忍不住笑了，伸手拍拍他的头，小声说:"继续吧。"

话音未落,那温柔而坚定的攻击,迫不及待地再次来临。谢槿知瞬间没了那淡然自若的劲儿,手指扣在他的肩膀上,身体也完全被他覆盖住,只剩下低低的哼吟声和喘息声……

他今天真的……好过分。

过了许久许久,天边已露出鱼肚白,应寒时才抱着她,覆着床单,一起看着即将来临的日出。谢槿知体力透支,靠在他胸膛上,整个人都是软绵绵的,不说话。

应寒时闻着床单里属于两个人身体的气味,还有她被折腾得柔软无力的娇躯,还有他身体里其实并没有彻底纾解的冲动……他的脸始终通红着。

曾经身为一支舰队的指挥官,也即将是她的丈夫,户口簿上的户主,这个家庭的主宰者。他一向自诩沉稳自制超乎常人,即使有兽族基因的撩拨,他也始终沉得住气,与她相敬如宾,从不纵欲和对她施加那些……可是刚才,他竟然……

他蓦然想起庄冲说过的一句话。他说,每个男人内心其实都隐藏着邪恶的一面。

应寒时慢慢低下了头。

原来,他的内心竟然如此邪恶,邪恶到令他自己从此无法直视——他这样喜欢野外,只要想到将来或许还有下一次,他又已按捺不住。

"应寒时,你的手……又、在、干、什、么?"

"……"

[2]同居记

从虚拟空间出来后,应寒时和谢槿知回到了江城,过上了安静又平凡的生活。

又过了大半年,与他们有关的一切新闻、声音,仿佛都随着时间淡去了。走在街头，再也不会有人注意到他们。"外星人"这个话题，本就离普通人很远，现在更加被遗忘。

遗忘意味着宁静。

他们住的是近郊一个普通小区，住户不多，大多也朴实和善。谢槿知沉睡七年，图书馆的工作自然已不能做了，就在社区找了份工作，每天做一些简单但是有意义的事。

应寒时并不是个喜欢跟人打交道的人，闲暇时依旧在家里写写程序，补贴家用。虽说萧穹衍不是外人，但两人的同居世界，到底更亲密。所以萧穹衍有时候住在依岚山小学，跟庄冲、聂初鸿等好基友混在一起。有时候又回江城探望他们，最后往往想赖着不走。然后由于他若不走，谢槿知就不让应寒时做某些事，所以应寒时还是怀着满满的歉意，把他赶走了。

于是，应寒时和谢槿知每天的二人生活，是这样的……

早晨，应寒时先起床，准备丰盛又营养的早饭，然后再叫醒懒洋洋的谢槿知。照例，会得到她一个奖励的吻。如果她醒得早，那就还可以任由他做点别的事。所以每天早晨，应寒时都是带着期待的微笑醒来。

吃完早饭，应寒时开车送她上班。由于她觉得保时捷太惹眼，就换了台普通低调的车。送到单位后，谢槿知照例还要奖励一个吻，应寒时则会低声嘱咐："好好吃午饭，下班我来接你。"

"嗯哪。"

同事们看到这两口子黏黏糊糊的模样，都笑着打趣谢槿知："你这个老公，真是把你当宝贝似的，一刻都舍不得分开啊。"

谢槿知答："唔……好像是有点。"

离开谢槿知的单位后，应寒时就会开车到附近的菜市场，去买最新鲜的、她爱吃的菜。菜贩子们都熟悉这个礼貌文雅的居家男人了，每次都把最好的菜留给他。而他总是忙不迭地道谢，提着一条活蹦乱跳的鱼、一把鲜嫩欲滴的青菜，或者一盒整齐匀称的排骨，微笑说："谢谢，我的妻子今晚又能吃到最好的食物了。"哟，这质朴的表白和感激，往往令满手菜味的小贩们感动很久，觉得自己好像也做了件了不得的好事。

提着菜回家，应寒时会花一些时间，把它们都处理准备好。然后照例打开电视机，看最近在追的一部情景喜剧。看完一集后，站起来活动一下筋骨，或是飞跃到附近的山上，摘点鲜花回来装饰，或是跳到湖里，去游泳静思。

然后，就开始写写程序，补贴家用。不过现在，大多数时候，他写的程序都是免费的，帮助一些非营利性公益组织设计网页或者APP。

工作完毕，也临近中午了。这个时候，应寒时会有一点点寂寞，但是也还好，因为谢懂知一定会打电话给他。两人其实没什么要聊的，只是很随意地说上几句话，就会很开心。然后应寒时就会下楼，去小饭馆里点个简单的饭菜，自己解决掉。

谢懂知也曾问过他："你中午怎么不自己做饭呢？"

应寒时不好意思地说，他其实对这些家务，并无特别兴趣。只有为她做，才有动力。如果是自己，他宁愿天天出去吃，也不想一直站在厨房里。

于是谢懂知就摸摸他的头，"我知道你是个好丈夫。"

这话让应寒时内心安静地愉悦了很久。

下午时，应寒时会将家里收拾一遍。毕竟有谢懂知在，他每天收拾，家里还是会乱。她四处乱扔的书，她换洗的衣服，她用完又不放回原处的各种东西……当然，有时候，也会在床边捡到前一晚，被他乱丢的内裤或者胸衣。有的时候，甚至还是撕破的。这种时候，应寒时会微红着脸，在床边坐下，拿来针线，仔细缝补。对于这一点，谢懂知评价过："熟能生巧啊，撕坏的多了，居然成半个裁缝了。"应寒时不得不说，"小知……别这样说。"

做完这些事，应寒时会坐到电脑前。在他的飞船上，还有林留下的战舰里，还有许多曜日星的资料。应寒时将会花很长的时间，来整理这些资料。尽管曜日永远不复存在，但是许多年后，这些资料，或许应该被世人，被这个宇宙知晓。

待到夕阳斜沉时，应寒时就该开车去接谢槿知了。这是他一天里最宁静愉悦的时刻，踏着斜阳，信步走向她的办公楼，微笑等着，直至她走近。然后两人一块回家，一起做饭。当然，脏活累活麻烦活都是他干，谢槿知也就心血来潮炒个菜，剥点豌豆。

吃完饭，两人或者去江边散步，看看星光和潮水；或者就窝在家里，谢槿知陪他继续看情景喜剧。到了夜色浓重时，他抱她去卧室里……

日子，一天天这样平静而温柔地度过。他很满足，她亦满足。偶尔她觉得百无聊赖，就请上几天假，两人去世界各地走一走，然后总是会伸手帮助需要帮助的人。

未来的生活，是否还会再起波澜，他们不知道。

然而一茶一饭，一间屋两个人，已是毕生所爱。

【3】后来的后来

从虚拟空间出来两年后，谢槿知生了个小宝宝，是个儿子，长得特别清秀，还很乖。别的孩子喜欢哭闹，他就瞪着眼睛到处看。

宝宝有两个干爹，聂初鸿和庄冲。萧穹衍嚷着要当干哥哥，顾霁生听到了，也不肯当干爹了。于是宝宝又多了机器人大哥和纳米人二哥。

后来，萧穹衍有了心上人，她是谢槿知和应寒时外出旅游时，捡回来的一个女机器人，拥有漂亮的人类躯壳，但内在确确实实是金属的，来自另一个星球，也飘荡在地球。萧穹衍对她一见钟情，见面五分钟后，下跪求婚。她却被吓到了，立马拒绝了他，并且觉得萧穹衍是个"很奇怪的机器人"，虽然她想要寻找自己的机器人另一半，但他显然不是良配。于是，萧穹衍陷入了苦逼而漫长的追求过程中。没关系，反正机器人的寿命很长很长，他可是很有毅力的，一定要把这个完美的女机器人娶回家！

偶尔传来林婕的消息，她在世界各地流浪，从未回过江城，直至终老。

谢槿知从虚拟空间出来后的第七年，某个寂静的深夜，她带着五岁的孩子，跟着应寒时去了深山里的小屋，那个始终运转并被研究着的虚拟空间所在处。其他人也都跟去了。

看着陌生的环境，孩子好奇地问："妈妈，我们今天来做什么啊？"

谢槿知微笑地说："来见一个很好很好的阿姨，还有她家的叔叔。"

孩子乖乖地跟在母亲身后，等待着。

夜里三点多时，所有设备停了下来，机器的运转声戛然而止。

孩子看到床上，那个始终睡着的阿姨，终于缓缓睁开眼睛。谢槿知牵着孩子走过去，两个女人都哭了。应寒时等人静默不语。

"冉好，对不起，这么多年，才把你救出来。太难了，实在是太难。他也会醒，但是不会有记忆。共生的大脑经过多次循环，已经受到严重伤害，无法再恢复。他会不再认识你，也不认识我们。但是也不会再去复国了。别难过，冉好，别难过，一切都会好起来，你们的人生，终于重新开始。"

【41】冰火两重天

某天，庄冲教给应寒时一个新名词，"冰火两重天"。

应寒时一开始不明白，"这跟……我和小知的夫妻生活有什么关系？"

庄冲到底是个矜持的工科男，高深莫测地说："你想一想，你们的……咳，夫妻生活，是什么感受？火一样对不对？那如果加上冰呢，会让火更加刺激热烈。此中感觉，只可意会不可言传。关键就是要让女人感觉到冰一样的寒冷，又感觉到火一样的热烈，那么她的感觉，就会更棒。"

应寒时是个很聪明通透的男人，有点明白那个意思了，红着脸，点了点头道："谢谢。"

一旁的萧穹衍听得糊里糊涂，但还是热心地问："那么指挥官，需要我马上去制作冰块吗？"

应寒时腼腆一笑，"好的，谢谢。"

庄冲道："……卧槽。"

他本来只是在暗示应寒时去买一些冰寒口味的避孕套啊以及情趣用品啊。直接上冰块，太重口了！他不由得赞许地点头，外星人就是外星人，果然给力！

"给我留两块。"庄冲对萧穹衍说，脸也有点红了。

萧穹衍喜气洋洋地说："没问题啊，以后你们要冰火两重天，都找小John哦！"

这晚，谢槿知逛街回到家，就感觉气氛异样。

应寒时一直待在房间里，还关着门。她推门进去，立刻打了个寒战，好冷！

应寒时坐在床边，衬衫半解，面颊微红，尾巴摇啊摇，抬头看着她。谢槿知立刻收到信号，这是他想要亲热了。可是……她望着房间四处用水晶盘子放着的冰块，还有开到最冷的空调。虽说现在六月间有点热，但是这样降暑也太冷了吧？更奇怪的是，房间各处还放着一根一根的蜡烛，没有点燃，不知道是干什么用的。

谢槿知走过去，莫名其妙地看着他，"你在干什么？"

话音未落，人已被他拉上床，一下子扣在身下。他目光深深地涌动着，看起来有点激动。

"小知，我想要与你，冰火两重天。"

谢槿知一怔，脸陡然热了。虽然不懂"冰火两重天"的真切含义，但隐隐又有点明白。

"你越来越坏了！"她小声抗议。

应寒时的脸也红了，轻轻地"嗯"了一声，"那我……开始了。"

谢槿知整个身体都有点紧绷起来，他要怎么做？

应寒时抬起头，却突然露出几分认真神色，然后手一挥，小小的光刃骤然飞出，精准地划过冰块旁、柜子上那一根根蜡烛。

唰的一声，光刃过处，蜡烛全部燃起，整个房间顿时被笼罩在柔黄跳跃的火光里，熏香蜡烛燃烧的气味，和冰块的寒气交织在一起，房间里顿时变得雾蒙蒙的。

谢槿知都看愣住了。

应寒时微红着脸，低下头道："小知，这是你们地球女人喜欢的吗？下次……如果你愿意跟我去野外，我可以点更大的火。"

谢槿知说："哦……"

原来……这就是他以为的冰火两重天啊。谢槿知扑哧笑了，搂着他的脖子，"喜欢，喜欢得不得了。"

应寒时眉目舒展，眼睛也更清亮，"那我……开始了。"

"嗯……"

一室缱绻，一室温柔，一室……冰火两重天。

而那厢，庄冲的家中，那个同样Kingsize的大床上。

原本，一切进行得很顺利很激烈也很甜蜜。

直至紧要关头，庄冲突然对面颊通红意识迷醉的老婆说："等等，媳妇，我拿个东西。"

他跳下床，变戏法似的拿来了冰块，然后红着脸靠近，说："媳妇，我们试试冰火两重天？这个尺寸刚好合适你。"

刚想往里送，老婆怒不可遏，一脚把他踢下床，"你个臭流氓！神经病啊你，一个月都别想了！"

[5]吹泡记

与许多宝宝一样，谢槿知家的半兽宝宝，长到一两岁，就开始喜欢各种玩具。应寒时虽然性格老成，谢槿知却有童心，经常在下班回家路上，捎各种小玩意儿给儿子。

这天，她在路边买了瓶泡泡水。

应寒时在厨房做饭，谢槿知把孩子放在阳台上，自己拿起泡泡水，开始吹。一个又一个浑圆彩色的泡泡，随着轻轻的风，吹到宝宝的面前。宝宝还是第一次看到这么奇妙的物体，瞪大眼睛，呆了许久，直至一个泡泡轻轻撞在他的脸蛋上，破了。

而谢槿知没想到的是，宝宝……彻底兴奋了！

才两岁大的孩子，兽耳骤然跳出，尾巴一个激荡，就撞向了空气中那许多泡泡，"噢噢噢！"平时性格像他父亲一样沉敛的小家伙，此刻脸却红了，追着那些泡泡，一个又一个打破。

那感觉……咳咳……真像一只追着球的小狗狗。

罪过罪过，谢槿知把这念头压过，心想，宝宝明明就是天真可爱好不好？看他高兴，她使劲一个个地吹着，母子俩玩得不亦乐乎。

某个瞬间，她不经意抬头，却见应寒时不知何时已矗立在阳台门边。夕阳照在他清俊的身形上，他双手负在身后，眸光注视着宝宝，面颊有些许绯红。

是在厨房热的吗？谢槿知稍稍有点不好意思，她把平时安静的宝宝带得好野呀。应寒时肯定不习惯了。

"饭好了？那我们不玩了。"她柔声说。

应寒时的眼睛却还盯在……泡泡上，"没关系。"

"哦。"她眼睛一眨不眨地看着他。

然后，他上前两步，也来到了泡泡当中。抬起一只手，轻轻一戳，一个泡泡破裂了。宝宝对于爸爸抢自己的泡泡，露出不满的神色。应寒时看了一眼谢槿知，脸却更红了，尾巴也跳了出来，然后伸手，又戳破一个，又一个，又摇了摇尾巴。

宝宝："……"

谢槿知："……"

"你……喜欢这个？"她问。

"槿知，你制造了这么多的球形……我实在……"

"哦，明白了。"

很快，就变成谢槿知在一旁吹泡泡，父子俩全神贯注地戳着泡泡。宝宝还需要跑来跑去，追逐那一个个泡泡球。应寒时却是单手负起，立在原地，抬起修长的手指，一个个点破，面带微笑，玩得很投入。

谢槿知想，这真不能怪她，之前感觉是一只小狗狗，现在是……

一直玩到暮色深深，一家三口才回到屋里吃饭。宝宝玩累了，大口大口地吃完，就爬回床上睡觉了。谢槿知一边喝汤，一边问："应寒时，你是……无法抵挡球的诱惑吗？"

应寒时动作一顿，脸再次红了，"有点。"

"哦……"

当天深夜，应寒时关掉屋里所有灯，进房时，就看到谢槿知双手枕在脑后，似笑非笑地望着他。

"怎么了？"他坐到她旁边柔声问。

谢槿知不答，她嚼了嚼嘴里的东西，然后慢慢地吹，吹出了一个大大的泡泡。

应寒时："……"

"想戳吗？"

"小知，别这样……"他红着脸别过头去。

谢槿知微微一笑，定力不错嘛。刚要含回口香糖，突然嘴里啪的一声，泡泡被他迅速戳破。人也被他一下子放倒，男人清冷而燥热的身躯压了上来。

"唔……不要这样，别舔我啊喂！"

"小知，谁让你这么坏……"

图书在版编目（CIP）数据

他与月光为邻 / 丁墨著 . -- 南昌：百花洲文艺出版社，
2015.9（2016.12 重印）
ISBN 978-7-5500-1510-4

Ⅰ . ①他… Ⅱ . ①丁… Ⅲ . ①言情小说－中国－当代
Ⅳ . ① I247.5

中国版本图书馆 CIP 数据核字 (2015) 第 208499 号

出 版 者	百花洲文艺出版社	
社 址	江西省南昌市红谷滩世贸路 898 号博能中心 A 座 20 楼	邮编：330038
电 话	0791-86895108（发行热线）0791-86894790（编辑热线）	
网 址	http://www.bhzwy.com	
E-mail	bhzwy0791@163.com	

书 名	他与月光为邻
作 者	丁 墨
出 版 人	姚雪雪
出 品 人	李国靖
特约监制	何亚娟
责任编辑	游灵通 袁 蓉
特约策划	何亚娟
特约编辑	燕 兮 悦 悦谭飞
整体装帧	郑力珲
封面绘图	VIVID 雨希
经 销	全国新华书店
印 刷	北京市兆成印刷有限责任公司
开 本	1/32 880mm×1230mm
印 张	21.375
字 数	640 千字
版 次	2015 年 9 月第 1 版
印 次	2016 年 12 月第 5 次印刷
定 价	49.80 元（全二册）

ISBN 978-7-5500-1510-4

赣版权登字：05-2015-359